नमस्ते जी

(namaste jii)

नमस्ते जी

(namaste jii)

प्राथमिक हिन्दी
Elementary Hindi
Reading
Writing
Conversation

By
ARUN PRAKASH

Advisor
HERMAN VAN OLPHEN

 Salasar Imaging Systems
New Delhi (INDIA)

ISBN : 978-142762-624-0

Printed & Published by:
Salasar Imaging Systems
C 7/5, Lawrence Road, Indl. Area,
New Delhi -110035(INDIA)
Ph.: 91-11-27185653

नमस्ते जी
(namaste jii)

मेरे परम पूज्यनीय
माताश्री
स्वर्गीया श्रीमती आशा देवी
एवं
पिताश्री
स्वर्गीय श्री श्री प्रकाश जी गुप्त

की स्मृति में

IN MEMORY OF

MY PARENTS

LATE MR. SHRI PRAKASH
&
LATE MRS. ASHA DEVI

नमस्ते जी
(namaste jii)

Acknowledgement

When I first came to the United States almost 24 years ago, I never imagined that I would be publishing a series of Hindi books for those who want to learn Hindi as a second language at the junior, senior and college levels. More importantly, I could never have imagined all the patient, caring support I would receive.

First, I am very grateful to Bellaire Senior High School of the Houston Independent School District -- currently the only high school in the nation to include Hindi in its foreign language program and where I was given the opportunity to teach it. Credit for this original program goes to Miss Anna Pearl Barrett, Magnet Coordinator of Bellaire High School, who actually had it approved by the language academy upon the request of students under the leadership of Rakhi Israni. Nothing would have been possible without the enthusiasm and initiative of these young adults. Unfortunately, I soon realized that the necessary material to learn Hindi at a secondary school level was unavailable. Thus I began to consider creating the book you now read.

The journey was not an easy one, with many obstacles and setbacks that may have easily discouraged me had it not been for the devoted people around me. For this I must thank the Head of the Department of Hindi at the University of Texas at Austin, Dr. Herman Van Olphen, whose hard work and dedication to Hindi inspired me to finally take up this project. My sincere thanks must also go to my students and Mrs. Karen Telfer whose love for India, Indian culture, and unshaking passion for learning Hindi helped me in continuing the project once I had started. Alas, the task itself proved to be almost as difficult as my decision, and I could not have finished the book without much technical support from cheerfully willing individuals. For this I must first thank my current high school students Satish Vemuri and Saloni Singh, two highly talented and tireless young adults who assisted me greatly in the compilation of this work. I would also like to express my sincere gratitude towards Mr. Subhash Gupta and Mrs. Sarojini Gupta, whose encouragement and support assisted me much in the publication of this book.

Finally, there is no way I could even dream of completing this project without the help, encouragement and support of my beloved wife Dr. Pushpa Prakash and my daughter Ragini who has helped me in deciding the text of this book.

प्राथमिक हिन्दी Elementary Hindi

भारत का नक्शा Map

Jammu
&
Kashmir
Himachal Pradesh
Punjab
Utaranchal
Haryana
Delhi
Arunachal Pradesh
Rajasthan
Uttar Pradesh
Assam
Bihar
Tripura
Jharkhand
Gujarat
Madhya Pradesh
West Bengal
Orissa
Maharashtra
Andhra Pradesh
Goa
Karnataka
Tamilnadu
Kerala

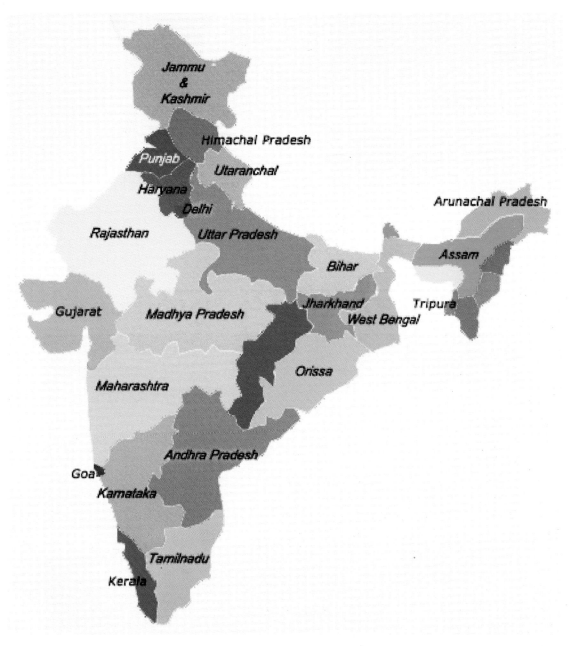

भारत का झंडा Flag   भारत का राष्ट्रीय चिह्न Emblem

भारत का राष्ट्रीय फूल Flower

भारत का राष्ट्रीय जानवर Animal

भारत का राष्ट्रीय पक्षी Bird

प्राथमिक हिन्दी Elementary Hindi

भारत का राष्ट्रगीत National Anthem

जन गण मन
अधिनायक जय हे
भारत भाग्य विधाता
पंजाब सिन्धु गुजरात मराठा
द्राविड़ उत्कल बंगा
विंध्य हिमांचल यमुना गंगा
उच्छल जलधि तरंगा
तव शुभ नामे जागे
तव शुभ आशिष मांगे
गाहे तव जय गाथा
जन गण मंगलदायक जय हे
भारत भाग्यविधाता
जय हे, जय हे, जय हे
जय जय जय जय हे !

गीतकार, संगीतकार - रविन्द्र नाथ ठाकुर
भारत सरकार ने इसको सन् १९५० में अपनाया

नमस्ते जी
(namaste jii)

namaste jii
Elementary Hindi

Table of contents:

नमस्ते जी
(namaste jii)

प्राथमिक हिन्दी Elementary Hindi

Chapter 19

Conversations:

Chapter 20

Reading Comprehension

English to Hindi Vocabulary

Hindi
Language History

Hindi is one of the largest spoken languages in the world--third only after Mandarin Chinese and English. According to a 1997 survey in India, over 66% of a billion people in the nation of India can speak Hindi. Dialects of Hindi are Marwari, Braj, Bundeli, Kanauji, Urdu, Chattisgarhi, Bagheli, Avadhi, Bhojpuri, and many others. A considerable number of Hindi speakers live in other parts of the world.

Hindi is the national language of India, population-wise the largest democracy in the world. You will be able to learn all about India and its culture in my book 'Namaste ji' meaning 'Greetings'.

Hindi is a direct descendant of Sanskrit through Prakrit and Apabhransha. Written in the 'Deva Nagari Script' (language of Gods and the learned), Hindi has the influence of Dravidian, Turkish, Persian, Arabic, Portugese and English because of the movement of the speakers of these languages to India in the past. It is a very expressive language and easy to learn because of its phonetic nature. All the letters are either consonants or vowels and make only one sound. Vowels are attached to consonants in a symbol form called 'Maatraa'. All the consonants and vowels are from Sanskrit except a few which are taken from Persian, Arabic or English.

Hindi started to emerge as the Apabhransh or old Hindi in the 7th century and by the 10th century became stable. The period of Apabhransha and old Hindi was between 4th century to 1225 CE. It is the time English also took a stable shape in England. Several dialects of Hindi have been used in literature. Braj and Awadhi were popular literary dialects until they were replaced by Khari boli in the 19th century. From approximately 750 BCE to 320 BCE was the period of Prakrit or Classical Sanskrit. Modern Hindi emerged between the period of 1283 CE to 1643 CE. Modern Hindi literature starts with the publishing of Lalloo Lal's 'Premsagar' in 1805 CE in Calcutta. Since then, Hindi has made tremendous progress and now Hindi poetry recitals by the Hindi poets from India and by the talented Indians residing in America and in other countries are very popular means of entertainment among Indians. I am proud to organize over fifteen such programs in Houston in the last fifteen years. I am sure that you will find this book very useful in fulfilling your quest for learning Hindi.

प्राथमिक हिन्दी Elementary Hindi

YOU MUST READ THIS

Establishing a relationship between Hindi and English

Hindi is a phonetic language and is relatively easy to learn because the consonants and vowels can make only one type of sound. For example:

cook	cool	is not possible in Hindi and will be spelled:
kuk	kuul	according to pronunciation. This is because

there are more consonants and vowels in Hindi than in English.

A. Word order is important in a Hindi sentence:

Hindi is an 'SOV' subject, other, verb language.

An English sentence:

That good boy is eating soup with a spoon in the afternoon with a friend in the school.

looks like this in Hindi:

That good boy afternoon in school in friend with spoon with soup eating is.

1. Prepositions are post-positions:

Preposition		Post-position
in the afternoon	becomes	afternoon in
with a friend	becomes	friend with
with a spoon	becomes	spoon with

2.Subject first - that good boy

3. Then Time - afternoon in

4. Then Place - school in

5. Then indirect object - friend with

6. Then instrumental - spoon with

7. Then direct object - soup

8. Then main verb - eating.

9. Then helping verb or verb 'to be'

10. Negation comes before the main verb:

Example:

He is not going to school.   He school to not going is.

Again, the word order in a Hindi sentence is:

subject   time   place ind.object   object   negation   verb.

B. Gender: There are only two genders in Hindi. Therefore every noun is either 'Masculine' or 'Feminine'.

C. The 'aa', 'e' and 'ii' ending of the verbs concept:

i. Verbs have 'aa' ending if the subject or the object is masculine singular.

ii. Verbs end in 'e' if the subject or the object is masculine plural or second person pronoun.

iii. Verbs have 'ii' ending if the subject or the object is feminine.

Example: to eat   -   khaanaa

	masculine	plural	feminine
eating	khaa rahaa	khaa rahe	khaa rahii.

D. Infinitive form of verbs and verb Stems

English Infinitive	Stem	Hindi Infinitive	Stem
to come	come	aanaa	aa
to go	go	jaanaa	jaa
to eat	eat	Khaanaa	khaa
to listen	listen	sunanaa	sun

E. Tense markers: verb 'to be'

present	past	future
am is are	was were	shall/will
hoon hai hain	thaa/ thii - the/thii	gaa ge gii

4

प्राथमिक हिन्दी Elementary Hindi

F. Aspect Marker:

In the sentence: I am going.

I	am	go - ing
Main	hoon	jaa - rahaa / rahii (M / F)

am - hoon   is tense marker

go - jaa   is verb stem

ing - rahaa / rahii   is aspect marker
         m   / f

thus

I am going.   masculine - main jaa-rahaa hoon

          feminine   - main jaa-rahii hoon
                      i   go-ing   am.

We	are	drink-ing	milk.
ham	hain	pii - rahe / rahii	doodha
m. plural / f. plural		m.plural / f.plural	

We are drinking milk.

    Becomes

We	milk	drink-ing	are.
ham	doodh	pii-rahe / pii-rahii	hain.
		m.p. / f.p.	

प्राथमिक हिन्दी Elementary Hindi

G. Nouns: There are five types of nouns in two categories.

i. Marked masculine nouns end in 'aa'.

kelaa = banana,   santaraa = orange,   laRakaa = boy.

ii. Unmarked masculine nouns do not end in 'aa'.

aadamii = man,   seb = apple.

iii. Marked feminine end in 'ii'.

ciinii = sugar,   miThaa-ii = sweet   laRakii = girl.

iv. Unmarked feminine nouns do not end in 'ii'

aurata = woman,   gaajara - carrot,   meza = table.

v. Exceptional group of masculine nouns which do not change forms in plural.

pitaa = father,   daadaa = grandfather,   raajaa = king.

H. Pronouns: There are two types of pronouns:

i. Direct pronouns -

main	aap	vah	ham	ve
I (m/f)	you (m/f)	he/she	we (m/f)	they(m/f).

ii. Oblique pronouns:

meraa/mere/merii	aapakaa/aapake/aapakii
my / mine (m./p./f.)	your (m./p./f.).

प्राथमिक हिन्दी Elementary Hindi

(namaste jii)

I. <u>Adjectives:</u> There are two types of adjectives in Hindi:

i. Marked adjectives end in 'aa' and have three forms according to the gender and number of the object.

good = accha (m), ache (m.p.), achii (f)

fat = moTaa, moTe, moTii

ii. Unmarked adjectives have only one form:

beautiful = sundar

bad = kharaab.

J. <u>Comparative and Superlative Adjectives:</u>

Hindi adjectives do not have comparative and superlative forms.

i. Better = se acchaa,   se acche,   se acchii.

Best = sabase acchaa, sabase acche, sabase acchii.

ii. More beautiful = se sunder (unmarked).

Most beautiful = sabase sunder (unmarked).

Note: se = from,   sab = all,   sab se = from all

=============

7

प्राथमिक हिन्दी Elementary Hindi

<u>YOU MUST READ THIS</u>

HOW TO PRONOUNCE HINDI VOWELS USING ENGLISH EQUIVALENTS.

Since Hindi has more vowels than English, We are trying to give you the nearest pronunciation available. It is a good idea that you hear the correct pronunciations provided in this book before you start reading the transliterated sentences.

A or a   as   a   in   sofa   a -   atal   asal   akal

AA or   aa   as a in arm or art   aa - aam   aap   aaj

I or i   as   i   in   sit   i -   in   it   is

II or ii   as   ea in seat   ii -   iish   iida   na-iim   ka-ii

U or u   as   u   in pull   u -   una   umar   utar

UU or uu   as   oo in pool or boot   uu -   uun   uusar   uupar

E or e   as   a   in pay   e -   eka   kelaa   belaa

AI or ai as   ai in bait   ai -   ainak   aish   aisaa

O as   in   oa in boat   o -   ora   osa   ota

Au as   ou in bought   au -   aurat   aukaat   ausat

Ang or nazel sound as An   in Angola   an - ank ang ant

Aha   is a vowel used in Sanskrit words such as -   atah   raamah

Ri or ri is used in Sanskrit words such as - krishNa   krishi

8

नमस्ते जी
(namaste jii)

Ree or rii is also used only in Sanskrit words and pronounced as rea in reap.

Aw or aw is a vowel borrowed from English words such as   -

on   or   of

All the vowels together -

a	aa	i	ii (ee)	u	uu (oo)
up	part	pit	keen	put	pool
ap	paarT	piT	kiin	puT	puul

e	ai	o	au	an	aha	ri
pay	bait	pony	aurat	angola	atah	rip
pe	baiT	ponii	aurat	angolaa	atah	rip

rii	aw (borrowed from English)		
reap	on	or	of
riip	awn	awr	awf

9

प्राथमिक हिन्दी Elementary Hindi

परिचय – १ (Paricaya: Introduction -1)

नमस्ते जी
(namaste jii - Greetings)

१. शिक्षकः मेरा नाम अरुण है.
1. shikshaka: meraa naama AruNa hai.   Teacher: My name is AruN.

२. आपका नाम क्या है?
2. aapakaa naama kyaa hai?   What is your name?

३. छात्रः मेरा नाम मोहन है.
3. chaatra: meraa naama mohana hai.   Student: My name is Mohan.

४. शिक्षकः और आपका नाम क्या है?
4. shikshaka: aur aapakaa naama kyaa hai?   Teacher: And what is your name?

५. छात्राः मेरा नाम सीमा है.
5. chaatraa: meraa naama Seemaa hai.   F.Student: My name is Seema.

६.शिक्षकः मैं शिक्षक हूँ.
6. shikshaka: main shikshaka hoon.   Teacher: I am (a) teacher.

प्राथमिक हिन्दी Elementary Hindi

७. आप कौन हैं?

7. aap kaun hain?

Who are you?

८. छात्र: मैं छात्र हूँ.

8. chaatra: main chaatra hoon.

Student: I am (a) student.

९. छात्रा: और मैं छात्रा हूँ .

9. chaatraa: aur main chaatraa hoon.

F. Student: and I am (a) student.

Vocabulary:

aapakaa	meraa	naam	kyaa	hai	hoon	aur
your	my/mine	name	what	is	am	and

shikshak	chaatra	chaatraa	main	aap	kaun	hain
teacher	student	female student	I	you	who	are

प्राथमिक हिन्दी Elementary Hindi

आपका नाम क्या है?

मेरा नाम जैक है

मेरा नाम रेचल है

और आपका नाम क्या है?

प्राथमिक हिन्दी Elementary Hindi

आप कौन हैं?

मैं जैक हूँ

और आप कौन हैं

मैं रेचल हूँ

Lesson - 2

FIRST FIVE CONSONANTS

The Devanaagarii script is syllabic; each symbol represents a vowel or a consonant and a following vowel. Such a syllabic symbol is called 'akshar' (letter). The akshar are arranged in order, according to pronunciation. First come the vowels (svar), then the consonants (vyanjan). The consonants are also arranged according to the place of articulation, from the back of the mouth to the front. There are five such groups and each group has five consonants. Then follow the liquids ya, ra, la, va, the sibilants Sha, sha, sa, ha. Then come the conjunct consonants ksha, tra, gyna, shra and two tongue twisters Ra & Rha. We will learn the writing system in the traditional order.

Since all Hindi characters are syllables, there is always a vowel with every consonant. When there is no vowel sign, we assume the consonant to be followed by the vowel 'a' (pronounced like a in sofa).
So, let's start with the first series of consonants:

1. The Ka (क) varg (group or series): Since this is the first varg, the place of articulation is the back of the mouth; since the back of the tongue touches the soft palate, the velum, the ka varg is also known as the velar series. In Hindi the name ka varg comes from the name of the first akshar in the series (ka) and so as in the other four groups.

क is written as:

and pronounced as first 'k' in skunk with no breath of air following the occlusion. A voiceless, unaspirated velar stop.

14

The next akshar in the Ka varg is identical to ka with aspiration, i.e., a strong breath of air occurs when pronounced and (kha) ख is written as:

It is close to the pronunciation of 'ch' in the word 'character'. Neither क or ख is identical to English K.

The third consonant of the series क is ग ga written like:

and pronounced as non-aspirated 'g' in gum.

The fourth consonant of the series is घ aspirated ग and is written as:

and pronounced as gh in dog-house pronounced quickly.

The fifth consonant in the series is nasal. It is rarely used in Hindi and is written as:

pronounced as 'ng' in singer.

The five consonants together are:

unaspirated	aspirated	unaspirated	aspirated	nasal
क ka	ख kha	ग ga	घ gha	ङ anga

15

Lesson - 3
The maatra forms of vowels and their application

Hindi vowels are used in the maatra form when preceded by a consonant. As explained earlier that Hindi consonants are called vyanjan and have a slash under them called Hallant (हलंत). If a consonant is written with a hallant, it is also called a Half consonant or a consonant without a vowel. The first vowel is a (अ) pronounced like the underlined vowels in the English words: sof<u>a</u> believ<u>e</u> <u>u</u>nder . The maatraa form of this vowel is not written but assumed present when no other maatraa is written or when hallant is not written. Therefore when a consonant is written without hallant, vowel (अ) is assumed present. A consonant becomes a letter

(अक्षर) when written without hallant or with any other maatraa form.

Maatraa forms of vowels (स्वरों के मात्रा रूप) swaron ke Maatraa roop:

अ - none   - Full forms of consonants without Hallant   हलंत.

उदाहरण (examples):   ज   म   ल   घ   य   र

आ - ा   used after the consonant, as in: माल   गाल   टमाटर

इ - ि   used before the consonant, as in: निशान   लिखना किसान

ई - ी   used after the consonant, as in: सीखना   चीनी   गाड़ी

उ - ु   used under the consonant, as in: तुम   कुछ   चतुर

ऊ - ू   used under the consonant, as in: कसूर   पूल   फूल

ए - े   used over the consonant, as in: लाये मेला   केला

ऐ - ै   used over the consonant, as in: थैला मैला   मैना

ओ - ो   used after the consonant, as in: लाओ   बोलो सोना

औ - ौ   used after the consonant, as in: कचौड़ी   औरत   पौधा

अं - ं used over the consonant, as in: अंक पंछी ठंडा

अः - ः used after the consonant, as in: अतः

ऋ - ृ used under the consonant, as in: कृषि कृपया कृष्ण

ॠ - maatraa not available and rarely used in Hindi, under the consonant.

ऑ - ॉ English pronunciation of 'o' in on or of

अ आ इ ई उ ऊ ए ऐ ओ औ अं अः ऋ ऑ

x ा ि ी ु ू े ै ो ौ ं ः ृ ॉ

क का कि की कु कू के कै को कौ कं कः कृ कॉ

च चा चि ची चु चू चे चै चो चौ चं चः चृ चॉ

र रा रि री रु रू रे रै रो रौ रं रः ऋ रॉ

प पा पि पी पु पू पे पै पो पौ पं पः पृ पॉ

कॉट ऑफ़ ऑन ऑर

ु ू

रु = ru रू = roo or ruu

नमस्ते जी
(namaste jii)

IMPORTANT: Instructions for writing practice -

1. Always use ruled loose leaf paper.

2. Always skip a line.

3. Top horizontal line should be on top of the ruled line.

4. Top horizontal line should be the last stroke when writing a letter or a word.

5. Letters or the words should hang from the ruled line and should not be on top of the line or in the middle of the line.

Some words using ka kha ga gha

kalaa	kalama	kaama	karanaa	kaana
कला	कलम	काम	करना	कान
art	pen	work	to do	ear

khaanaa	khela	khelanaa	khaTiyaa
खाना	खेल	खेलना	खटिया
food/to eat	game	to play	cot

gaanaa	gangaa	galaa	galii
गाना	गंगा	गला	गली
to sing/song	ganges	neck	lane

ghara	ghii	ghaaTa	ghanTaa
घर	घी	घाट	घंटा
house/home	refined oil	river bank	bell

18

प्राथमिक हिन्दी Elementary Hindi

Writing Practice - 1 लिखने का अभ्यास - १

First five Hindi Consonants, Hindi Vowels & Vowels Signs called "Maatraa"

ka	kha	ga	gha				ang
क	ख	ग	घ	maatraa	a अ	is assumed	ड.
kaa	khaa	gaa	ghaa	maatraa	aa		
का	खा	गा	घा	ा	आ		
ki	khi	gi	ghi	maatraa	i		
कि	खि	गि	घि	ि	इ		
kii	khii	gii	ghii	maatraa	ii	or ee	
की	खी	गी	घी	ी	ई		
ku	khu	gu	ghu	maatraa	u		
कु	खु	गु	घु	ु	उ		
kuu	khuu	guu	hguu	maatraa	uu	or	oo
कू	खू	गू	घू	ू	ऊ		
ke	khe	ge	ghe	maatraa	e		
के	खे	गे	घे	े	ए		
kai	khai	gai	ghai	maatraa	ai		
कै	खै	गै	घै	ै	ऐ		
ko	kho	go	gho	maatraa	o		
को	खो	गो	घो	ो	ओ		
kau	khau	gau	ghau	maatraa	au		
कौ	खौ	गौ	घौ	ौ	औ		
kan	khan	gan	ghan	maatraa	an		
कं	खं	गं	घं	ं	अं		

नमस्ते जी
(namaste jii)

Write the following in Hindi:

Note: **Nazalise the last 'n' if it does not have any maatraa after it.**

kii	khii	gho	gai	ghuu	gii	ghau
gau	kekaa	kau	khau	ghii	kai	ghai
ke	gho	ke	khuu	khu	ghu	ghe
guu	ghuu	gii	ghii	kii	kuu	khuu
kanghaa	kanghii	kaakaa	kanka	kaaga	khaakha	kekaa
kokha	khanga	khaakii	gangaa	ghaagha	ghii	ghonghaa
gungii	khaaka	kaii	kaakii	keka	kega	kaagaa

a	aa	i	ii	u	uu	e	ai	o	au	an
ai	e	uu	au	ii	o	an	i	e	ai	a	aa	au

ank	aankh	iikh	aaga	inka	ai	oka
kho-o	khaa-o	ko-i	ga-ii	aa-ii	kho-ii	aakaa
anga	uungha	agho-ii				

20

प्राथमिक हिन्दी **Elementary Hindi**

नमस्ते जी
(namaste jii)

परिचय – २ (Paricaya - 2)
Greetings - 2

1. Namaste Jii   Greetings.

2. Aapa Kaise Hain?   How are you?
Main Theek hoon.   I am fine or I am O.K.

3. Sabaloga kaise hain?   How is everybody?
Sabaloga Theeka hain.   Everybody is fine.

4. Sabakucha kaisaa Hai?   How is everything?
Sabakucha Acchaa hai.   Everything is good or fine.

5. Yaha Kauna hai?   Who is he/she?
Yeha Maataa jii hain.   This is mother.

6. Yaha Kyaa Hai?   What is this?
Yaha Kheer Hai.   This is Kheer. (Pudding)

7. Aapakaa naama kyaa Hai? What is your name?
Meraa naama AruN Hai   My name is Arun.

8. Aapa kahaan se hain?   Where are you from?
Mai amerikaa se hoon.   I am from America.

VOCABULARY:

Kyaa	Kaise	Mai	Aapa	Tuma	Ye	Wah
what	how	I	you	you	this	that

Hain	Hai	Hoon	Aapkaa	Meraa	Se
are	is	am	your	my (mine)	from

Kahaan	Sabakucha	Sabaloga
Where	everything	everybody

HINDI CONSONANTS & VOWELS

	UNASPIRATED	ASPIRATED	UNASPIRATED	ASPIRATED	INDEPENDENT
VELUM	क ka	ख kha	ग ga	घ gha	ङ anga
HARD PALATE	च ca	छ cha	ज ja	झ jha	ञ iinya
RETROFLEX	ट Ta	ठ Tha	ड DA	ढ Dha	ण Na
DENTAL	त ta	थ tha	द da	ध dha	न na
LABIAL	प pa	फ pha	ब ba	भ bha	म ma

SEMIVOWELS AND LIQUIDS   SIBILANTS   CONCLUSION

य	र	ल	व		श	ष	स	ह
ya	ra	la	va		sha	sha	sa	ha

CONJUNCT AND TONGUE-FLIP CONSONANTS

क्ष	त्र	ज्ञ	श्र	ड़	ढ़
ksha	tra	gya	shra	RA	RHA

VOWELS:

अ	आ	इ	ई	उ	ऊ	ए	ऐ	ओ	औ	अं	अः	ऋ	ॠ
a	aa	i	ii	u	uu	e	ai	o	au	an	aha	ri	rii

ऑ = aw

Classroom Expressions

नमस्ते.

namaste

आप बोलिये.

aapa   boliye
you   speak (please you say it)

सब लोग बोलिये.

saba loga   boliye
everybody   say it

फिर बोलिये.

fira   boliye
say (it) again

हिन्दी बोलिये.

hindii   boliye
speak Hindi

ठीक है.

Thiika   hai
that's correct

ठीक नहीं है.

Thiika nahiin hai
that's not correct

बस, ठीक है.

bas,   Thiik hai
fine, that's all

समझ गया. समझ गयी.

samajh gayaa. samajh gayii.
I (masc./fem.) understand

नहीं समझा - समझी.

nahiin samajhaa- samajhii

धीरे बोलिये.

dhiire boliye

ज़ोर से बोलिये.

jor se boliye

दुहराइये - दोहराइये.

duharaa-iiye- doharaa-iiye

repeat

आदमी का मतलब क्या है?

aadamii   kaa   matalaba   kyaa hai

what is the meaning of ' आदमी '

हिन्दी में man का मतलब क्या है?

hindii me man   kaa   matalab   kyaa hai
what is 'man' in Hindi

जवाब (उत्तर)दीजिये.

javvab (uttar)   diijiye
give the answer or please answer

सवाल (प्रश्न)पूछिये.

savaal (prashna) puuchiye
ask the question or ask questions

अनुवाद कीजिये.

anuvaad kiijiye
please translate

कोशिश कीजिये.

koshish   kiijiye
please try

उच्चारण ठीक कीजिये.

uccaaraNa   Thiik   kiijiye
correct (your) pronunciation

अक्षर.

akshar
letter

शब्द.

shabda
word

वाक्य.

vaakya
sentence

धन्यवाद (शुक्रिया).

dhanyavaad   (shukriyaa)
thank you

माफ़ (क्षमा) कीजिये.

maaph (kshamaa) kiijiye
excuse(me)

जल्दी बोलिये.

jaldii   boliye
speak fast

खिड़की

दरवाजा

कुरसी

मेज

कागज

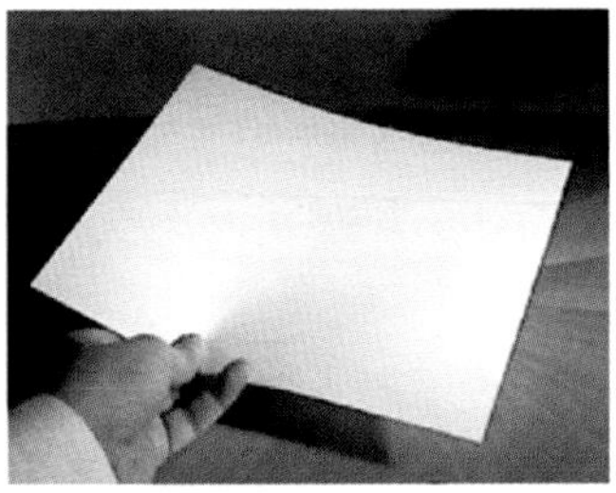

कलम

प्राथमिक हिन्दी Elementary Hindi

बोर्ड

कापी – नोट बुक

कक्षा

घड़ी

शब्दकोश

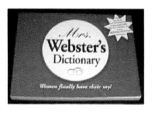

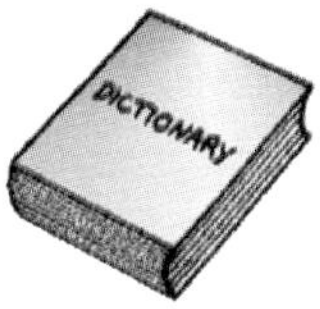

झंडा

जमीन

छत

कमीज

जूता

छात्र

शिक्षक

प्राथमिक हिन्दी Elementary Hindi

नमस्ते जी
(namaste jii)

पैंट

नक्शा

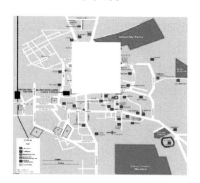

अलमारी

बत्ती

बगीचा

प्राथमिक हिन्दी Elementary Hindi

Hindi Vowels स्वर (SWAR)

As explained earlier, Hindi is written in the Devanaagarii script. Its vowels are used in the symbol forms called Maatraa when following a consonant. These are used in the full form when used as the first consonant of the word or is preceded by another vowel. The vowels in their letter forms are -

A or a as ‘a’ in sofa अ - अमर अपर अटल असल

AA or aa as ‘a’ in father आ - आम आन आज

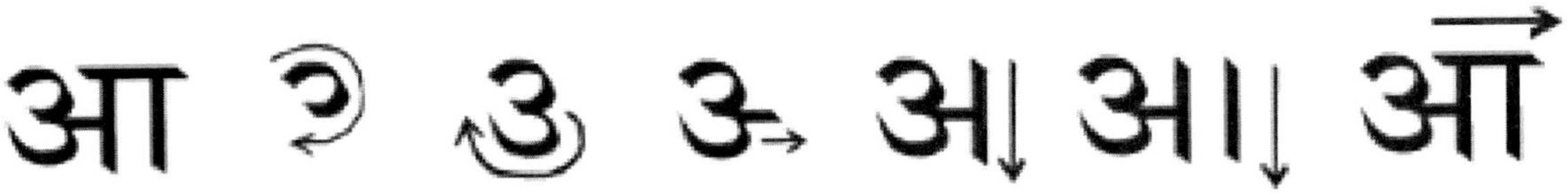

I or i as ‘i’ in sit इ - इल इन इस इट

II or ii as ‘ea’ in seat ई - ईश ईद नईम कई मई

U or u as u in pull उ – उन   उमर उतर

UU or uu as oo in pool or boot ऊ – ऊन ऊसर ऊपर

E or e as 'a' in cake ए – एक एस गए

AI or ai as 'ai' in bait ऐ – ऐनक ऐश ऐचन

O as in 'oa' in boat ओ – ओर ओस ओट

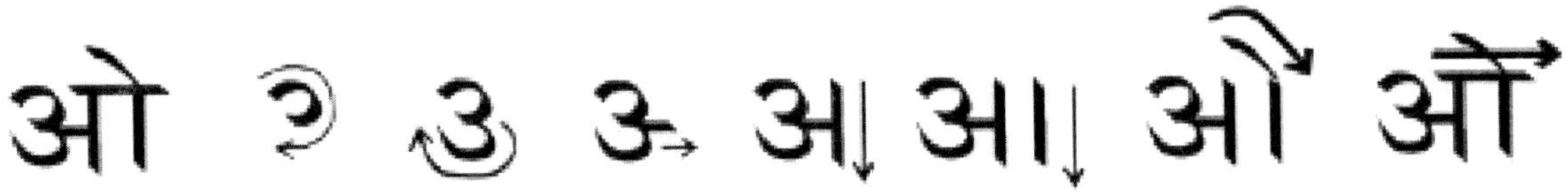

ओ ꜱ ꜱ ꜱ आ आ ओ ओ

Au as 'ou' in boutht औ – औरत और औसत

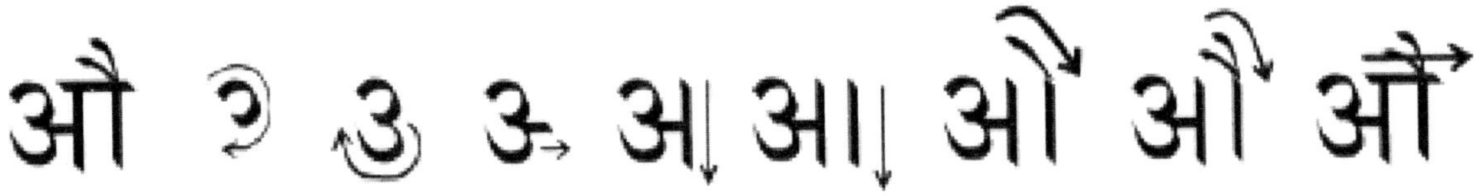

औ ꜱ ꜱ ꜱ आ आ औ औ औ

Ang or nazel sound as 'N' in Angola अं - अंक अंश अंदर

Aha is a vowel used in Sanskrit in the Maatraa form.

अः

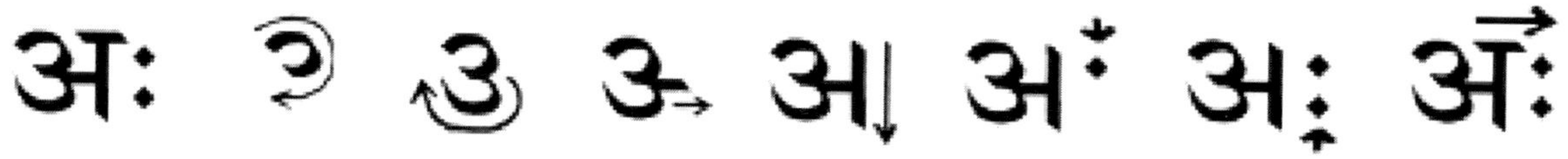

Ri is a sanskrit vowel and is used in Sanskrit ऋ - ऋषि

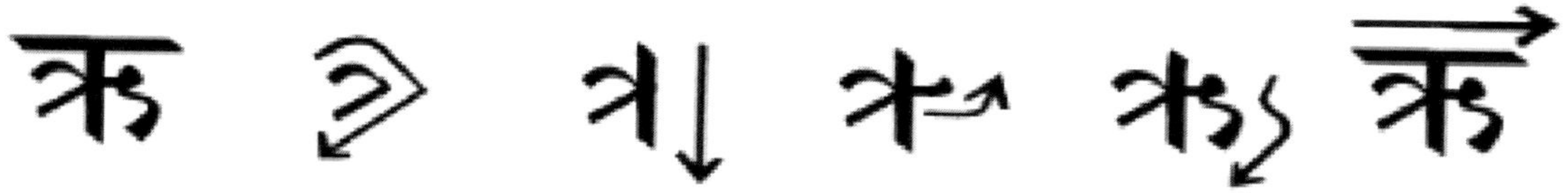

Ree is also a Sanskrit vowel - ॠ

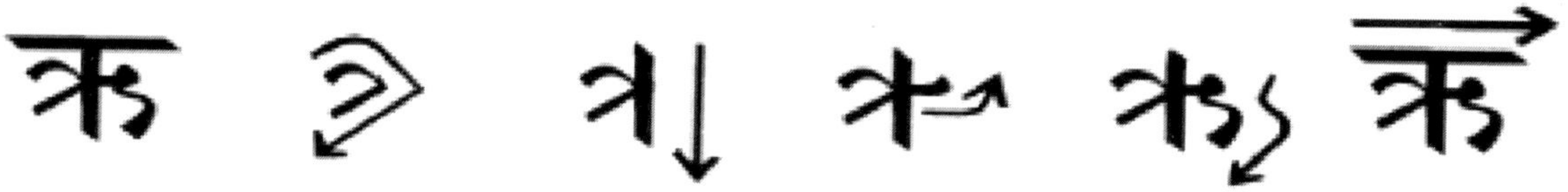

aw is a vowel borrowed from English to make

sounds of (o) in: on or of ऑन ऑर ऑफ़

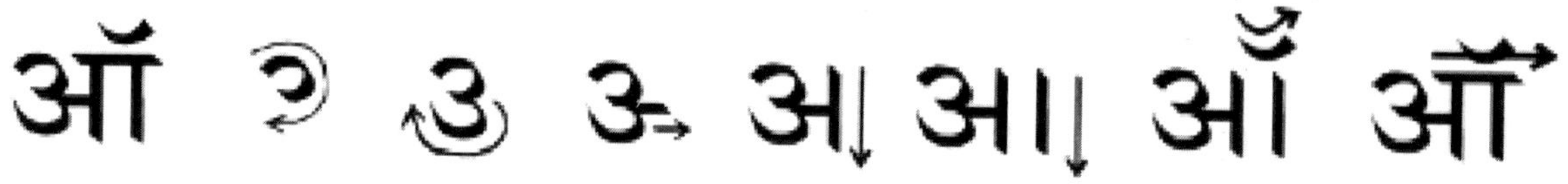

All the vowels together - सब स्वर एक साथ

a	aa	i	ii	u	uu	e	ai	o	au	an	ah	ri
अ	आ	इ	ई	उ	ऊ	ए	ऐ	ओ	औ	अं	अः	ऋ

aw
ऑ

Exercise - 1 Write the following vowels:

a aa i ii u uu e ai o au an

ai e uu au ii o an i e ai a aa au

anka aankha iikha aaga inka ai oka

kho-o khaa-o ko-i ga-ii aa-ii kho-ii aakaa

anga uungha agho-ii

Some words to learn:

agara	akele	aama	aaja	itanaa
अगर	अकेले	आम	आज	इतना
if	alone	mango	today	this much

in	iida	uchalanaa	uuna	una	eka
इन	ईद	उछलना	ऊन	उन	एक
these	Muslim festival	to hop	wool	they	one

ainak	ora	olaa	aura
ऐनक	ओर	ओला	और
glasses	towards	hail	and

H1L7   <u>**ALL OTHER CONSONANTS**</u>

<u>2. The ca varg (group)</u>: After the Ka verg is the ca च varg with a place of articulation more to the front of the mouth. Since the middle of the tongue touches the hard palate, the ca varg is called the palatal series. First consonant of this series is 'ca' च which is written as:

and pronounced as 'ch' in 'church'. Note that 'h' in not used to pronounce this as it is used to pronounce the next consonant of the series with aspiration.

The second consonant is छ ch aspirated and written as:

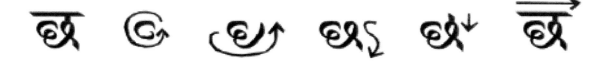

It is pronounced similar to 'ch' in coach with stronger aspiration.

Third consonant of ca series is unaspirated ज ja written as:

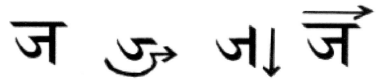

pronounced as 'j' in judge.

Fourth consonant of ca series is aspirated झ jha. It is written as:

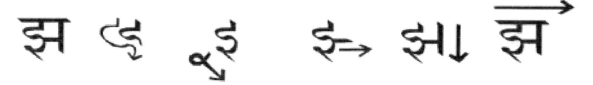

प्राथमिक हिन्दी Elementary Hindi

This has no English equivalent but is close to the pronunciation of strongly aspirated 'j' in jar.

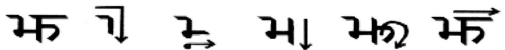

The fifth consonant of this series is nasal ञ inya and is rarely used in Hindi. It is written as:

It is written as a dot on the preceding consonant.

We now have the five consonants of the ca verg

unaspirated	aspirated	unaspirated	aspirated	nasal
च	छ	ज	झ (झ)	ञ

चाचा	चाची	चाटना	चखना
caacaa	caacii	caaTanaa	cakhanaa
uncle	aunt	to lick	to taste
छत	छाती	छूटना	छलना
chalanaa	chaatii	cuuTanaa	chalanaa
roof	chest	to be released	to deceive
जागना	जलना	जूट	जाल
jaaganaa	jalanaa	juuTa	jaala
to wake up	to burn	burlap	net
झूठ	झूठा	झाड़	झाँकना
jhuuTha	jhuuTHaa	jhaaRa	jhaankanaa
lie	liar	shrub	to peep

EXERCISE- 2 Abhyaas - do   लिखने का अभ्यास – २

ca	cha	ja	jha	inya
च	छ	ज	फ झ	अ

Write the following in Hindi:

ca	ji	cu	je	∞	chaa	jhii	chuu	jhai	chau	jaa	ci	ju

œ	jo	jhaa	chii	jhuu	chai	jhau		ciikhe		kuch		kunjak

kica-kica	caacaa		caacii		khiija		cuukii		cukaa		cangaa

caakuu	cungii		cecaka		caukii		jaga		jiijaa		jokha

jhakaajhaka		cakho		eka		ka-ii		aaga		ugaa	

gaa-o	khaa-o		ga-ii		ga-uu		aaja		ko-ii		iikha

jaa-e-gaa	chaa-ii		ochaa-ii		khaa-ii		augii		jaa-o		kau-aa

acuuka	khoaa		aanca		joka		jonka		janka		jaaga

conca	jaanca		janga		ica		jaangha		janghaa		caunke

cakha	khaaja		khaajaa		aajaa		jiijaa		jiijii		uunghii

3. Ta varg (group) This verg has a place of articulation further forward in the mouth; the tip of the tongue touches the palate as far as possible. Since there is some retroflexion of the tip of the tongue, this varg is called the retroflex series. In the transcription, retroflex consonants are designated by using capital letters.

The first letter of the Ta series is unaspirated ट Ta and is written as:

It is pronounced like second T in the word TexT

Second consonant of the Ta series is aspirated ठ Tha and is written as:

It is pronounced as the first T in the word TesT with more aspiration.

Third consonant of the Ta series is unaspirated ड Da and is written as:

It is pronounced as Da in the expression Daaaa...

Fourth consonant of the Ta verg is aspirated ढ Dha and is written as:

It is pronounced as aspirated Da and there is no English equivalent.

35

The last member of the Ta verg is the nasal continuant ण Na and is written as:

There is no equivalent of this sound in English. It is also used very rarely and mostly in the word adopted directly from Sanskrit.

The five consonants of the retroflex series are:

ट	ठ	ड	ढ	ण
Ta	Tha	Da	Dha	Na.

टमाटर	टक्कर	टालना		
TamaaTara	Takkara	Taalanaa		
tomato	collision	to postpone		

ठोकना	ठानना		ठीक	ठहरना
Thokanaa	Thaananaa		Thiik	Thaharanaa
to hit	to be determined/resolute		correct	to stay

डरना	डंडा	डालना		
Daranaa	DanDaa	Daalanaa		
to be scared	stick	to put		

ढकना	ढीला	ढंग		
Dhakanaa	Dhiilaa	Dhang		
to cover	loose	method		

Exercise - 3   लिखने का अभ्यास - ३

Ta	Tha	Da	Dha	Na	Ra	Rha
ट	ठ	ड	ढ	ण	ड़	ढ़

Exercise:

TaaTa	ThaaTa	DanDaa	Dandii	TeRhaa	TaaTaa	ThanDa
ThanDaa	CaaTa	CaTaa-ii	khaaTa	oRha	jaaTa	JuuTa
jhanDaa	aaTaa	DaaRha	DanThaa	DanThii	jhanDii	jhuuTa
jhuuTaa	KhaaJa	khaRaa	khaRii	khaanRa	DhiiTa	anNuu
jhaaRuu	kanNa	ghaRaa	ghaRii	gaanTha	Dhonga	Dhaaii
uThaa	uThaaii	caRhaa-ii	kaRaa-ii	onTha	ainThaa	canTa
aaTha	kiiTa	KiiRaa	kaTaa	caTaa	TaiTuu	TonTii
coTee	khoTii	ciintii	ThoRii	uncaa-ii	cauRaa-ii	jhaT
aaRaa	aaRhaa	kaRaa	kaRhaa	goRaa	oRhaa	ceRaa
choRo	aRaaii	aRhaaii	ghaRaa	gaRhaa	choTii	caRho

4. <u>ta verg (series)</u> is called the dental series as the place of articulation is further forward in the mouth. The tongue touches the back of the teeth. In the transcription, dental consonants are designated by using lower case letters.

First consonant of the त ta verg is unaspirated ta त and is written as:

It is pronounced as 't' in the word 'pasta' by a native Italian.

Second consonant of the ta verg is aspirated थ tha and is written as:

It is pronounced as th in fourth or fifth.

The third consonant of the ta series is unaspirated द

It is pronounced as English word 'the'

Fourth consonant of the ta series is aspirated ध dha. It is written as:

strong aspiration of word 'the'. No English equivalent.

The fifth consonant of this series is न na which is written as:

Pronounced as 'n' as in nut.

The five consonants of dental series are:

त	थ	द	ध	न
ta	tha	da	dha	na

तब	तट	ताकि	ताली
taba	taTa	taakii	taalii
then	bank	so that	clap

थकना	थाली	थिरकना
thakanaa	thaalii	thirakanaa
to be tired	plate	to dance slowly

दूध	दही	दाम	दिल
doodh	dahii	daama	dila
milk	yogurt	price	heart

धन	धान	धारा
dhan	dhaan	dhaaraa
wealth	rice paddy	current

नहीं	नमक	नल	नाचना
nahhin	namaka	nala	naacanaa
no	salt	water tap	to dance

प्राथमिक हिन्दी Elementary Hindi

Exercise - 4 लिखने का अभ्यास – ४

ta	tha	da	dha	na
त	थ	द	ध	न

Exercise : 4

thana	dhana	daana	dhaana	natha	duudha	thina
taTa	thaaTa	kiina	thika	thakanaa	thakaana	chana
TanTana	thakaa-ii	tana	kaana	TaTuaa	Thaga	danD
Daakuu	DeRha	dhaatu	kaatanaa	kataa	naataa	aanaa
gagana	daana	gaanaa	naaga	khaana	khaanaa	khaad

kheda	khanakhanaanaa	thakaanaa	cetanaa	coonaa	chata

cuukanaa	jaaganaa	jhuutaa	juuna	chaananaa	dekhanaa

una	uuna	agu-aa	chuRaanaa	gati	diina

taanta	jhaankanaa	jhanjhaTa	jhaunkaa	dhaana

5. The fifth verg is the प pa varg with place of articulation furthest to the front in the mouth, the lips. It is called the labial series. The first consonant of pa series is unaspirate प pa. It is written as:

as p in up.
Second consonant is aspirated फ pha

as 'p' in pretty pronounced quickly.

Next consonant of this series is unaspirated ब ba:

as b sound in bun.

Fourth consonant is aspirated भ bha:

as bh in club-house when pronounced quickly.
Last consonant of pa series is म ma:

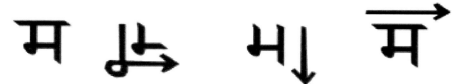

sound of m in mum.

Five consonants of pa series are:

unaspirated	aspirated	unaspirated	aspirated	
pa	pha	ba	bha	ma
प	फ	ब	भ	म

लिखने का अभ्यास - ५

ka	kha	ga	gha	anga	ca	cha	ja	jha	eeyan
क	ख	ग	घ	ङ.	च	छ	ज	झ	ञ

Ta	Tha	Da	Dha	Na	Ra	Rha	ta	tha	da	dha	na
ट	ठ	ड	ढ	न	ड़	ढ़	त	थ	द	ध	न

pa	pha	ba	bha	ma
प	फ	ब	भ	म

Write these in Hindi:

paTaa phaTaa baaTaa bhanTaa bhaala baala maataa

pitaa bhaa-ii baa-ii ghaama baanNa paapaRa thaapa

jhaapaRa paa-uun jaa-uun uunghanaa paanaa

bhaanaa maana macaana bacaa-o jaa-o maapo

naapo phaanka baankanaa bhaanga kamaanaa phaaRanaa

chiinkanaa bhantaa phana bolanaa bhaanjanaa bhoola

aama oma bunaa-ii phaandanaa bhoonanaa tapana

Semivowels and Liquids:

The first semivowel is य ya, which is pronounced like English y in your and written as:

Second semivowel is र ra pronounced as ra in rum and written as र ra:

Third semivowel is ल la pronounced as la in luck. It is written as ल la:

Last semivowel is va pronounced as व va in worst and written as:

य   र   ल   व

ya   ra   la   va

प्राथमिक हिन्दी Elementary Hindi

The Sibilants (s - sounds):

a. श Sha as in shirt and written as sha:

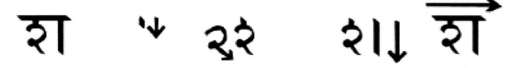

b. Sanskrit 'Sha' sometimes pronounced as kha and written as ष sha:

c. स Sa as in sum, written as sa:

d. ह Ha as in humming or in hunt, written as ha:

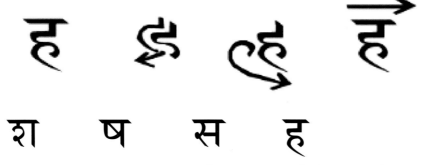

श ष स ह

The next two consonants have no English equivalent and are called "tongue twisters". These are expressed as unaspirated Ra and aspirated Rha. Written as ड़ Ra & ढ़ Rha:

ड़ and ढ़

लिखने का अभ्यास - ६

य	र	ल	व	श	ष	स	ह	ड़	ढ़
ya	ra	la	va	sha	sha	sa	ha	Ra	Rha

Do you know these?

क ख ग घ ङ.   च छ ज झ ञ
ट ठ ड ढ ण   त थ द ध न
प फ ब भ म
अ आ इ ई उ ऊ ए ऐ ओ औ अं अः ऑ ऋ

Write these in Hindi:- Nazalise the last 'N' if it does not have 'a' after it

shuula   shiila   shashi   saahasa   sahii   shaama   shaaluu

yaha   waha   yahaan   vahaan   saahaba   shaabaasha   shipa

kaThinaa-ii   kahaavata   kitaaba   taiyaarii   devanaagarii   loTaa

dhulaaiye   paTaakaa   baarisha   samajha   saraahanaa

sila-ii   haalata   sharaab   sharaabii   yaana   yasha   aaha

aakaasha   raata   diyaa   diliipa   laasha   laaparavaaha

paashaaNa   visheshaNa   vishesha   shaakhaa   shiila   shamaa

shashikalaa   shiitala   shivira   shankha   shesha   shankara

Some special Sanskrit consonants are called conjunct consonants. These are:

ksha क + ष = क्ष

tra त + त्र = त्र

Jna or gyan ज + ञ = ज्ञ or ग + य = ज्ञ

shra श + र = श्र

dva द + व = द्व

hma ह + म = ह्म

others will be learned later.

लिखने का अभ्यास - ७

क्ष ksha   त्र tra   ज्ञ jyan   श्र shra   ड़ Ra   ढ़ Rha

क ख ग घ ङ. च छ ज झ ञ. ट ठ ड ढ ण. त थ द ध न.

प फ ब भ म. य र ल व श ष स ह क्ष त्र ज्ञ. ड़ ढ़ श्र ऋ

क का कि की कु कू के कै को कौ कं कॉ

अ आ इ ई उ ऊ ए ऐ ओ औ अं ऑ

Writing Practice:

yagya (yajna)   yagyashaalaa   Kshatriya   gyaana   kshamaa

paRhanaa   laRakaa   paRegaa   paRhegaa   Shriimaana   shriimatii

sushree   Shrama   shramdaana   parishrama   shraapa

paarishramika   gyaanodaya   laRakaa   laRakii   paRhaa-ii

aRhaa-ii   caRhaa-ii   caRhanaa   pariikshaa   rishi

krishi   Shringaar   shringerii   gaushaalaa   paaThashaalaa

kritagya   shramika   gaNita   trayodashii   tripaaThii

tripuraa   tripuraarii   tirupati   trilochana   trishanku   trikaal

लिखने का अभ्यास – ८

maananaa	taananaa	maamaa	laamaa	mamataa
saalanaa	saalaanaa	sanasana	sarakasa	karaamaata
tareranaa	aasamaana	pasaranaa	alasaaye	sataaye
labaalaba	sharamaanaa	matalaba	lahalahaanaa	palaasha
ahamadaabaada	shaishava	raidaasa	chalachalaanaa	poochanaa
kaRavaahaTa	KhaRakanaa	choRanaa	uubanaa	uuhaapoha
kaamcalaa-uu	aa-ii-naa	chuiimuii	diiji-e	ainaka	chu-e
yauvana	isaliye	aayi-e	aao	soojhaboojh	raghu
dhaRadhaRaanaa	nanbiyaara	kaancipurama	andhakaara	
shanbhoonaatha	mangalvaara	sinha	bandooka	kankaRa
fusafusaanaa	faRafaRaanaa	zamiindaar	sazaa	zaroora

48

प्राथमिक हिन्दी Elementary Hindi

नमस्ते जी
(namaste jii)

Asking questions which can be answered in Yes or No

NOTE: QUESTIONS WHICH CAN BE ANSWERED SIMPLY BY SAYING YES OR NO START WITH 'KYAA' IN HINDI

1. kyaa tum Raam ho?   haan main Raam Hoon.

क्या तुम राम हो?   हाँ मैं राम हूँ.

     you Ram are?   Yes, I Ram am

nahiin main Raam nahiin hoon.   main Sonu Hoon

नहीं, मैं राम नहीं हूँ,   मैं सोनू हूँ.

No,   I   Ram not   am   I   Sonu am.

2. kyaa yah kurasii hai?   haan, yah kurasii hai

क्या यह कुरसी है ?   हाँ , यह कुरसी है.

     this chair is   Yes, this chair is

nahiin, yah kurasii nahiin hai,   yah mez hai

नहीं , यह कुरसी नही है,   यह मेज़ है.

No,   this chair not is   this table is.

3. kyaa vah chat hai?   jii haan.   jii nahiin, vah diivaar hai.

क्या वह छत है? जी हाँ.   जी नहीं , वह दीवार है.

    that the roof is? Yes.   No.   That wall is.

4. kyaa vah laRakaa Mohan hai?   haan vah laRakaa Mohan hai.

क्या वह लड़का मोहन है ?   हाँ वह लड़का मोहन है.

kyaa that boy Mohan is?   Yes, That boy   Mohan is.

nahiin, vah laRakaa Sohan hai

नहीं , वह लड़का सोहन है.

No,   That boy   Sohan is.

प्राथमिक हिन्दी Elementary Hindi

5. kyaa vah laRakii Raadhaa hai?   nahiin, vah laRakii Shiital hai.

क्या वह लड़की राधा है?   नहीं, वह लड़की शीतल है.

kyaa that girl Radha is?   No, That girl Sheetal is.

jii haan, vah Raadhaa hai.

जी हाँ, वह राधा है.

Yes, She Radha is.

6. kyaa aap chaatra hain?   haan main chaatra hoon.   main chaatra hoon.

क्या आप छात्र हैं?   हाँ, मैं छात्र हूँ.   मैं छात्र हूँ.

kyaa you a student is?   Yes, I a student am.   I a student am.

main chaatra nahiin hoon.   jii nahiin.

मैं छात्र नहीं हूँ.   जी नहीं.

I a student not am.   No.

jii nahiin, main chaatra nahiin hoon, main shikshak hoon.

जी नहीं, मैं छात्र नहीं हूँ, मैं शिक्षक हूँ.

No, I a student not am, I a teacher am.

7. kyaa tumhaaraa naam Mohan hai?

क्या तुम्हारा नाम मोहन है?

kyaa your name Mohan is?

jii haan, meraa naam Mohan hai

जी हाँ, मेरा नाम मोहन है.

yes, my name Mohan is.

jii nahiin, meraa naam Mohan nahiin hai. meraa naam John hai.

जी नहीं, मेरा नाम मोहन नहीं है. मेरा नाम जॉन है.

jii no my name Mohan not is. my name John is.

8. kyaa usa laRakii kaa naam Raadhaa hai.

क्या उस लड़की का नाम राधा है?

kyaa that girl 's name Radha is

jii haan, usa laRakii kaa naam Raadhaa hai

जी हाँ, उस लड़की का नाम राधा है.

jii yes, that girl 's name Raadhaa is.

jii nahiin usa laRakii   kaa naam Raadhaa nahiin hai,   vah Poonam hai

जी नहीं , उस लड़की   का नाम राधा   नहीं   है , वह पूनम   है.

jii   no,   that   girl   's name Raadhaa   not   is,   that Poonam hai.

9. kyaa tum Hindii paRhate ho

क्या   तुम   हिन्दी   पढ़ते   हो?

do   you   Hindi   study   are

jii haan.   jii nahiin yaa haan, mai Hindii paRhataa yaa paRhatii hoon.

जी हाँ.   जी नहीं   या हाँ,   मैं हिन्दी पढ़ता   या पढ़ती   हूँ

yes.   no   or yes,   I   study hindii ('aa' masculine or 'ii' feminine verb ending)

NOTE: 1 - In the above questions "क्या" can be dropped and intonation may express the intension.

vah mez hai?   vah laRakaa Raam hai?   yah kurasii hai?

वह मेज़ है?   वह लड़का राम   है?   यह कुरसी   है?

is that a table?   is that boy Raam?   is this a chair?

2 - In English 'क्या' questions start with an auxiliary verb like - is, am, are, was, were, has, have, had, shall, will, can, could, should, etc.

3 - 'Jii' is an expression of politeness and is used for both the genders. It is used as a replacement of 'Sir' or 'Madam'.

VOCABULARY:

kyaa	yah	vah	main	tum	aap	hoon	haan
what	this/he/she	that/he/she	I	you	you	am	yes

nahiin	kurasii	chat	laRakaa	laRakii	chaatra	shikshak
no	chair	roof	boy	girl	student	teacher

tumhaaraa	naam	meraa	usa	usakaa	usake	usakii
your	name	my/ mine	that	his/her		

kaa	paRhataa	paRhate	paRhatii	ho	hain	hai
of	read (habitual form of verb)			are	are	is

Exercise: Use the following Nouns and Pronouns in the ' क्या ' questions and provide answers.

शेर Lion	चीता Tiger	हाथी Elephant	घोड़ा Horse	आदमी Man	औरत Woman	माता Mother	
पिता Father	कुत्ता Dog	बिल्ली Cat	डॉक्टर doctor	वकील lawyer	डाकिया Post-man		
मैं I	मेरा My	तुम You	तुम्हारा Your	वह He	उसका His	वे They	उनका Their	हम We
हमारा Our	मेरे Mine	तुम्हारे Your	उसके His	उनके Their	हमारे Our / Ours	मेरी Mine	
तुम्हारी Your	उसकी His	हमारी Our / Ours	उनकी Their				

Conjunct Letters

अक्षर -	क	ख	ग	घ	च	छ	ज	झ
आधा अक्षर - (half consonant)	क्‍	ख्‍	ग्‍	घ्‍	च्‍	छ्	ज्‍	झ्
व्यंजन -	क्	ख्	ग्	घ्	च्	छ्	ज्	झ्

अक्षर -	ट	ठ	ड	ढ	ण	त	थ	द	ध	न
आधा अक्षर -	ट्	ठ्	ड्	ढ्	ण्‍	त्‍	थ्‍	द्	ध्‍	न्‍
व्यंजन -	ट्	ठ्	ड्	ढ्	ण्	त्	थ्	द्	ध्	न्

अक्षर -	प	फ	ब	भ	म	य	र	ल	व	श
आधा अक्षर -	प्‍	फ्‍	ब्‍	भ्‍	म्‍	य्‍	र्	ल्‍	व्‍	श्‍
व्यंजन -	प्	फ्	ब्	भ्	म्	य्	र्	ल्	व्	श्

अक्षर -	ष	स	ह	क्ष	त्र	ज्ञ	ड़	ढ़
आधा अक्षर -	ष्‍	स्‍	ह्	क्ष्‍	त्र्‍	ज्ञ्		
व्यंजन -	ष्	स्	ह्	क्ष्	त्र्	ज्ञ्		

HOW TO CONJUNCT

RULE-1 Take the full vertical line off the consonants to make a half consonant & bring it closer (attach it) to the next consonant.

Consonants with full vertical line:

ख ग घ च ज ण त थ ध न प ब भ म य ल व श ष स
क्ष त्र ज्ञ श्र

ख्‍ ग्‍ घ्‍ च्‍ ज्‍ ण्‍ त्‍ थ्‍ ध्‍ न्‍ प्‍ ब्‍ भ्‍ म्‍ य्‍ ल्‍ व्‍
श्‍ ष्‍ स्‍ क्ष्‍ त्र्‍

saccaa स + च् + च + आ = सच्चा = सच्चा

baccaa ब च्‍ च आ बच्चा

pattaa प + त्‍ + ता = पत्‍ता = पत्ता

uttar उ + त्‍ + त + र = उत्तर

chappar छ + प्‍ + प + र = छप्पर

cappuu	gussaa	gallaa	ulluu	gullak
चप्पू	गुस्सा	गल्ला	उल्लू	गुल्लक

pichalagguu	sajjan	abbaas	shammii
पिछलग्गू	सज्जन	अब्बास	शम्मी

Exercise 9: Write these words on your note book.

sammaana sammukha cinnammaa ayyara baalayyaa

sanjiivayyaa ramaNNaa kavvaalii izzata svaada

skandha Snaana husna ispaata shvaasa pushta

nishcaya nishchala mushkila vyaapaar vyuuha

vyasta vyakti muulya patthara gutthii

bagghii bhabbhaRa jhajjhara tyaajya parishishTha

utpaadana utpatti gupta jyoti bleDa agni

gyaaraha kalyaaNa vishvaasa lassii sastii

Rule -2 Take half vertical line off क झ फ ह to make these half

kyaa = क + य + आ = क्या

mukta = म + उ + क + त मुक्त

Giraftaara = गि + र + फ़ + त + आ + र = गिरफ़्तार

मुफ़्त फ़्लू रफ़्तार

vakt	cakkii	pakkaa	makkhan	muktaa
वक्त	चक्की	पक्का	मक्खन	मुक्ता
kukkuT	sikkaa	muktak	mukti	baahya
कुक्कुट	सिक्का	मुक्तक	मुक्ति	बाह्य

Exercise 9 a: Write these words on your notebook.

pakkaa	cakkara	makkaara	Takkara	shilpaa
mukkaa	mukkebaajii	makkhii	bhakta kyaa	
vaakya	pakva	nakkaala	ukti	rikshaa

Rule - 3: When the left consonant does not have a right vertical line, either use a हलंत ् or write the left consonant first and write the other one under it, if both are rounded consonants as follows.

छ ट ठ ड ढ द Half - छ् ट् ठ् ड् ढ् द्

Examples: ciTTHIl aDDaa
चिट्ठी अड्डा - अड्डा ,

paTTa प + ट् + ट + पट्ट = पट्ट

saTTaa स + ट् + ट + आ = सट्टा = सट्टा

khaTTaa	chuTTii	ciTThii	muTThii
खट्टा	छुट्टी	चिट्ठी	मुट्ठी

naaTya	Tyooshana	paaThya-pustaka	aDDaa	guDDii
नाट्य	ट्यूशन	पाठ्य-पुस्तक	अड्डा	गुड्डी

Exercise 10: Write these words in your notebook.

buDDhaa caDDhaa khaDDha Dyuuka DyoRhii radda

dhanaaDhya	khaddara	bhaddaa	raddii	buddha
vriddha	buddhii	vriddhii	samriddhi	baahya
aahvaana	cihna	aahlaada	vihval	viTThal
paTThaa	paTTii	bhaddii	bhaTTii	gaddii	TaTToo

Conjunct of र - (1) When 'ra' is attached to a consonant, it forms a loop on top of the consonant:

$$र + क = र्क .$$

(2) When a 'consonant' is attached to 'ra', र is used as a back slash under the consonant before र:

$$क + र = क्र$$

Note these:

$$ट + र = ट्र.$$
$$र + र = र्र.$$
$$श + र = श्र.$$
$$त + र = त्र.$$

| parva | garva | carma | darda | marma | dharma | varNa |
| पर्व | गर्व | कर्म | दर्द | मर्म | धर्म | वर्ण |

| prem | brahma | braahmaNa | pragyaa | prakaash | krodha | kreeRaa |
| प्रेम | ब्रह्म | ब्राह्मण | प्रज्ञा | प्रकाश | क्रोध | क्रीड़ा |

प्राथमिक हिन्दी Elementary Hindi

Exercise 11: Write these on your note book.

karNa   varga   carca   artha   marda   tarka   moorkha

korTa   kaarDa   sharta   varsha   garbha   parsa   barpha

sirpha   darshana   bartana   varshaa   arcanaa   sharmiilaa

garviilaa darraa   sarraaph   tharraanaa   gurraanaa   turraa

mukarrar   kurkii   barra   krama   graama   greeshma   praNa

prema   brahma   braahmaNa   pragyaa   prakaasha krodha   kreeRaa

traaNa   truTi   phikra   putra   satra   chaatra   putrii

mantra   tantra   ugra   sabra   misra   vajra   shubhra

taamra   drava   droNaacaarya   vidroha   indra   chandra

hraasa   shrama   shrii   shruti   shrotaa   shraavaNa

vishraam   hashra   Trena   Draamaa   phrii   braaiT   braauna

tumhaaraa   tumhen   tumhiin   kumhaara   samhaalanaa

unhen   unhiin   unhoon-ne   jinhen   jinhone   inhen

inhiin kinhiin   nanhaan   kulhaaRii   kulhaRa   cuulhaa

koolhaa

========================

नमस्ते जी
(namaste jii)

Ch2 L10

कौन और कहाँ प्रश्न
Kaun aur kahaan prashna
who   and   where   questions

कौन है?
kaun hai?
who is it?

यहाँ कौन है?
yahaan kaun hai?
here who is?

वहाँ कौन है?
vahaan kaun hai?
there who is ?

मनीष कहाँ है?
maniish kahaan hai?
Maneesh where is ?

मेरी कहाँ है?
merii kahaan hai?
Mary where is?

ये कौन हैं?
ye kaun hain?
these who are?

शिक्षक का नाम क्या है?
shikshak kaa naam kya hai?
teacher's name what is?

अनिल क्या है?
anil kyaa hai?
Anil what is?

शीना क्या है?
shiinaa kyaa hai?
Sheena what is?

मैं हूँ, अरुण प्रकाश.
main hoon, AruN Prakaash.
me am (Its me), Arun Prakash

यहाँ अनिल है.
yahaan Anil hai
here Anil is.

वहाँ शीना है.
vahaan shiinaa hai
there Sheena is

मनीष यहाँ है.
maniish yahaan hai.
Maneesh here is

मेरी वहाँ है.
merii vahaan hai
Mary there is.

ये शिक्षक हैं.
ye shikshak hain.
these teacher is (plural is used for respect)

शिक्षक का नाम अरुण प्रकाश जी है.
shikshak kaa naam AruN Prakaash jii hai.
teacher's name Mr. Arun prakash is.

अनिल छात्र है.
anil chaatra hai.
Anil student is?

शीना छात्रा है.
shiinaa chaatraa hai.
Sheena student is

प्राथमिक हिन्दी Elementary Hindi

आप क्या हैं?
aap kyaa hain?
you what are?

और आप क्या हैं?
aur aap kyaa hain?
and you what are?

अनिल लड़का है.
anil laRakaa hai.
Anil boy is.

शीना लड़की है.
shiinaa laRakii hai
shiinaa girl is.

आप कहाँ से हैं?
aap kahaan se hain?
you where from are?

और आप कहाँ से हैं?
aur aap kahaan se hain?
and you where from are?

तुम कहाँ से हो?
tum kahaan se ho?
you where from are?

वह कहाँ से है?
vah kahaan se hai?
he/she where from is?

शीना कहाँ से है?
shiinaa kahaan se hai?
Shina where from is?

मैं छात्र हूँ.
main chaatra hoon.
I student am.

मैं शिक्षक हूँ.
main shikshak hoon.
I teacher am.

मनीष भी लड़का है.
maniish bhii laRakaa hai.
Maneesh also boy is.

मेरी भी लड़की है.
Mery bhii larakii hai
Mary too girl is.

मैं ह्यूस्टन से हूँ.
main Hyoostan se hoon
I Houston from am.

मैं भारत से हूँ.
main Bhaarat se hoon.
I India from am.

मैं टैक्सस से हूँ.
main texas se hoon.
I Texas from am

वह एशिया से है.
vah eshiaa se hai.
he/she Asia from is

शीना अमेरिका से है.
shiinaa amerikaa se hai.
Shina America from is.

शब्द : Words:

कौन	कहाँ	यहाँ	वहाँ	मैं	तुम	आप	वह
who	where	here	there	I	you	you	he/she
से	क्या	छात्र	छात्रा	शिक्षक	लड़का	लड़की	
from	what	student(M)	student(F)	teacher	boy	girl	

प्राथमिक हिन्दी **Elementary Hindi**

Ch2 L11   # Perso - Arabic Consonants

Hindi has an influence of middle-eastern languages because of the Islamic rule in India. Following consonants are called Perso-Arabis consonants because these are used in Persian and Arabic words adopted in Hindi.

क़   –   Pronounced as 'C' in Because.

ख़   –   No English equivalent in available

ग़   –   No English equivalent in available

ज़   –   Pronounced as 'Za'

फ़   –   Pronounced as 'F' in Firm

Use of Can: सकना sakanaa

१ - क्या मैं   बाथरूम   जा सकता हूँ?

kyaa main baathroom jaa sakataa hoon?

Can I go to bathroom?

Ans: जी हाँ आप बाथरूम जा सकते हैं.

jii haan aap   baathroom jaa sakate hain.

Yes sir, you can go to bathroom.

नहीं, आप बाथरूम नहीं जा सकती हैं.

nahiin, aap baathroom nahiin jaa sakatii hain

No, you cannot go to bathroom.

२ - क्या मैं आपसे बात कर सकता हूँ?

kyaa main aapase baat kar sakataa hoon?

Can I talk to you?

हाँ, आप मेरे साथ बात कर सकते हैं .

haan aap mere saath baat kar sakate hain.

Yes, you can talk with (to) me.

३ - क्या मैं आपसे मिल सकती हूँ ?

kyaa main aapase   mil sakatii hoon?

Can I meet with you?

हाँ, आप मुझसे मिल सकती हैं.

haan, aap mujhase mil sakatii hain.

Yes, you can meet (with) me.

४ - क्या वह आपके साथ चल सकती है?

kyaa vah aapake sath   cal   sakatii hai?

Can she go with you?

नहीं, वह मेरे साथ नहीं चल सकती है.

nahiin, vah mere saath nahiin cal sakatii hai.

No, she cannot go with me.

५ - क्या हम आपका फ़ोन यूज़ कर सकते हैं?

kyaa ham aapakaa phon uuza kar sakate hain?

Can we use your phone?

हाँ,   आप मेरा फ़ोन इस्तेमाल कर सकते हैं.

haan, aap meraa phon istemaal kar sakate hain

Yes, you can use my phone.

६ - आप कक्षा   में देर से नहीं आ सकते.

aap   kakshaa me dera se nahiin aa sakate.

You cannot come late in the class.

७ - तुम हिन्दी पढ़ सकते हो.

    tum Hindii paRha sakate ho.   You can read (study) Hindi.

८ - हम सब कक्षा में हिन्दी बोल सकते हैं.

    ham sab kakshaa me hindii bol sakate hain.   We all can speak Hindi in the class.

९ - क्या आप यह काम कर सकते हैं?

    kyaa aap yeh kaam ker sakate hain.   Can you do this work (job).

१० - क्या हम कक्षा में खाना खा सकते हैं?

    kyaa ham kakshaa me khaanaa khaa sakate hain?   Can we eat food in the class?

१२ - वह कब आ सकती है?

    vah kab aa sakatii hai?   When can she come?

१३ - मैं आपकी गाड़ी क्यों नहीं चला सकती हूँ?

    main aapakii gaaRii kyon nahiin calaa sakatii hoon?   Why can I not drive your car?

१४ - हम अँग्रेज़ी क्यों नहीं बोल सकते?

    ham angrezii kyon nahiin bol sakate?   Why we cannot speak English?

१५ - हम काम कहाँ कर सकते हैं?

    ham kaam kahaan kar sakate hain?   Where can we do the job? or Where can we work?

H1L12 परिवार पेड़ - FAMILY TREE

नाना - नानी
mother's father - mother's mother

दादा - दादी
father's father - father's mother

माता या माँ
mother

पिता या बाप
father

मामा - मामी
mother's brother - & his wife

ताऊ - ताई
father's older brother - & his wife

चाचा - चाची या काका - काकी
father's younger brother - & his wife

मौसी - मौसा
mother's sister - & her husband

फूफी - फूफा
father's sister - & her husband

भाई - भाभी
brother - brother's wife

बहिन - बहनोई
sister - sister's husband

चचेरा भाई - चचेरी बहिन
paternal cousin (uncle's son & daughter)

फुफेरा भाई - फुफेरी बहिन
paternal cousin (aunt's son & daughter)

ममेरा भाई - ममेरी बहिन
maternal cousin (uncle's son & daughter)

मौसेरा भाई - मौसेरी बहिन
maternal cousin aunt's son & daughter)

पति - पत्नी
husband - wife

प्राथमिक हिन्दी Elementary Hindi

मेरा परिवार

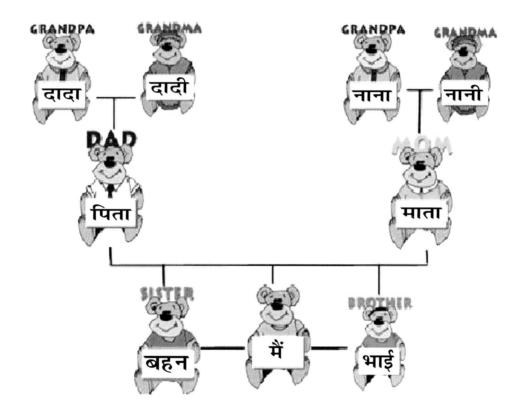

प्राथमिक हिन्दी Elementary Hindi

Exercise:

a. Give the first names of your relatives with the relationship they have to you. (Use as many of the relationships above as possible)

b. Answer the following questions:

Example:

फूफा कौन है? पिता की बहिन का पति है.

चाची कौन है? भाभी कौन है?

मौसी कौन है? ताऊ कौन है?

नानी कौन है? मामी कौन है?

बहनोई कौन है? काका कौन है?

Example:

आपके पिता का नाम क्या है? मेरे पिता का नाम श्री प्रकाश है.

आपकी माता का नाम क्या है? आपके भाई का नाम क्या है?

आपकी मामी का नाम क्या है? आपके मौसा का नाम क्या है

आपकी फूफी का नाम क्या है? आपकी नानी का नाम क्या है?

आपके पिता कहाँ से है? आपकी माता कहाँ से हैं?

Ch3 L13

Rules for Pronunciation

1. The pronunciation of ऐ and औ are slightly different from those in Sanskrit.

a. ऐ = अ + इ
b. औ = अ + उ

2. A word with two letters ending in a simple consonant (second consonant has no other Maatra but अ) is pronounced with its अ silent.

Example: मन, फल, वेद should be pronounced as मन् , फल् , वेद्.

3. In a word of three letters ending with a vowel other than अ, the second letter, if it is a simple consonant, is pronounced with the अ silent.

Example: कमरा, कितनी, आलसी are pronounced as कम्रा, कित्नी, आल्सी.

4. If in a word of three letters the last two letters are simple consonants, then the final letter is pronounced half.

Example: पलक, उधर, बालक are pronounced as पलक् , उधर् , बालक् .

5. If all the letters in a word of four letters are simple consonants, then second and the fourth are pronounced half.

Example: गड़बड़ , झटपट are pronounced as गड़्बड़् , झट्पट् .

Note: These rules are not always observed in reciting poems. Other rules will be learned by practice.

अ आ इ ई उ ऊ ए ऐ ओ औ अं अः

Ch3 L14   <u>THE NOUN</u> संज्ञा

1. There are two noun classifications in Hindi, known as genders (लिंग):
Masculine पुल्लिंग and Feminine स्त्रीलिंग

2. For nouns denoting animate beings, the gender class corresponds to the sex of the beings:

(a) MASCULINE IN आ   FEMININE IN ई   ENGLISH

लड़का	लड़की	boy/girl
बेटा	बेटी	son/daughter
काका	काकी	uncle/aunt
मुर्गा	मुर्गी	rooster/hen
दादा	दादी	grandfather/grandmother (paternal)
नाना	नानी	grandfather/grandmother (maternal)
दिल्लीवाला	दिल्लीवाली	resident of Delhi

(b). Different forms for the two genders:

पिता father   माता mother   (माता - पिता parents)
बाप father   माँ   mother   (माँ - बाप parents)
भाई brother   बहिन sister   (भाई - बहिन brother/sister)
पुरुष man   स्त्री woman   (स्त्री - पुरुष man/woman)
आदमी man   औरत woman   (आदमी - औरत man & woman)
राजा King   रानी queen   (राजा - रानी king & queen).
राजकुमार prince   राजकुमारी princess

अभिनेता

अभिनेत्री

रानी

राजा

राजकुमार

राजकुमारी

आदमी

औरत

लड़का

लड़की

बच्चा

बच्ची

नर्स

70

नमस्ते जी
(namaste jii)

डाक्टर

फ़ार्मासिस्ट

अस्पताल

दवाखाना

नर्तकी

नर्तक

गायक

प्राथमिक हिन्दी Elementary Hindi

(c). OCCUPATION: Since some occupations are traditionally performed by men, the nouns for the person carrying out the occupation is masculine. The feminine form usually refers to the wife of the man having the occupation. It is not a rule but a general understanding.

Thus धोबी (M) is the washerman and धोबिन (F) is the wife of the washerman in general or a washerwoman.

Other occupations:

Occupation	English	Feminine Noun.
सुनार	goldsmith	सुनारिन
लोहार	blacksmith	लोहारिन
कुम्हार	potter	कुम्हारिन
अहीर	milkman	अहीरिन
माली	gardener	मालिन
मोची	cobbler	मोचिन
चमार	leather worker	चमारिन
कुली	porter	कुलिन

NOTE: अहीर + इन = अहीरिन

(d) For nouns denoting inanimate objects, gender is merely a classification and not related to sex. The gender must be learned for each noun with only very few guidelines available.

(i) Most native Hindi (called तद्भव, Sanskrit for ' born of that') nouns ending in आ are masculine - केला, खीरा, पपीता, संतरा.

(ii) Most nouns ending in इ / ई are feminine: कुरसी, खिड़की.

(iii) Names of planets, continents, countries, cities, states, metals, jewels, names of days, names of some trees, and grains, etc. are usually masculine unless they end in इ / ई.

नमस्ते जी
(namaste jii)

प्राथमिक हिन्दी Elementary Hindi

वादक

कपड़ेवाला

किताबवाला

सब्जीवाला

अखबारवाला

दूधवाला दूध

नाई

डाकिया

डाक

कुम्हार

मोची

लोहार लोहा आग

माली

प्राथमिक हिन्दी Elementary Hindi

नमस्ते जी
(namaste jii)

उदाहरण :

शरीर	पेट	कान	सोना	लोहा	हीरा	लाल
Body	Stomach	Ear	Gold	Iron	Diamond	Ruby

रविवार	सोमवार	मंगलवार	बुधवार	गुरुवार	शुक्रवार
Sunday	Monday	Tuesday	Wednesday	Thursday	Friday

शनिवार	सूर्य	मंगल	बुध	शनि	बृहस्पति
Saturday	Sun	Mars	Mercury	Saturn	Jupiter

चन्द्रमा	सप्तर्षि	पीपल	बरगद	सागौन	जौ
Moon	The Great Bear	Peepal	Banyan	Teak	Barley

गेहूँ	चावल	बाजरा	चना	तिल	धान	गुड़
Wheat	Rice	Maize	Chick-pea	Sesame	Paddy	Jaggery

घी	तेल	पानी	दही	शर्बत
Refined Oil	Oil	Water	Yogurt	Beverage

The following are exceptions to the above statement -

चाँदी	चुन्नी	मणि	पृथ्वी	आकाश गंगा
Silver	Small Ruby	Gem	Earth	Milky-Way

नीम	इमली	सरसों	मूँग	अरहर	दाल	चीनी
Margosa Tree	Tamarind	Mustard	Pulse	Pulse	Pulse	Sugar

प्राथमिक हिन्दी Elementary Hindi

(e) All verbal nouns are masculine:

जाना	आना	देखना	सोना	खाना	पीना	पढ़ना
going	coming	looking	sleeping	eating	drinking	reading

(f) **Names of languages and most rivers are feminine-**

हिन्दी	उर्दू	अँग्रेज़ी	संस्कृत	अरबी	रूसी
Hindi	Urdu	English	Sanskrit	Arabic	Russian

गंगा	जमुना	सिन्धु	घाघरा	कावेरी	मिसीसिपी

(g) Abstract nouns ending in ता are feminine:

प्रतियोगिता	योग्यता	कुलीनता	दरिद्रता
competition	ability	family lineage	poverty

(h) Nouns ending in - आवट , which are derived from verbs, are femimine:

गिरावट   fall   बनावट   construction.

भारत

खिलाड़ी

वह खेलता है

बैरा
बैरा खाना लाता है

धोबी

टैक्सीवाला टैक्सी चलाता है

कुली सामान

वकील

मजदूर

लाइब्रेरियन

क्लर्क

गाहक

सुनार   सोना

सुनार गहने बनाता है

घर

78

पुस्तकालय

मुहल्ला

शहर

गांव

डाकघर

राज्य

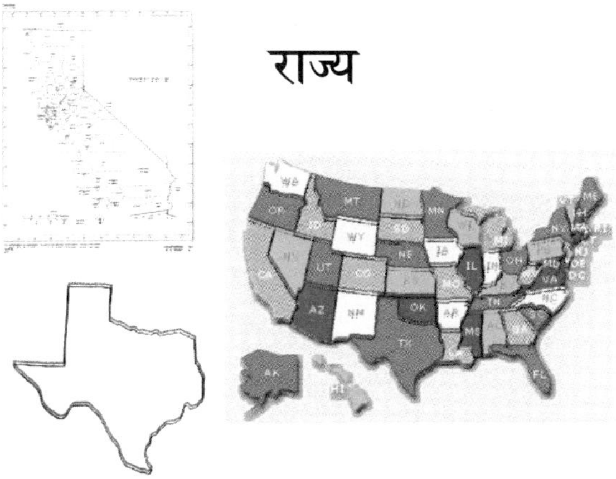

प्राथमिक हिन्दी Elementary Hindi

NOUN DECLENSIONS (CHANGING NOUNS FROM SINGULAR TO PLURAL)

To learn this, we put nouns into four categories:

1. Marked masculine - end in आ.

2. Unmarked masculine - do not end in आ.

3. Marked feminine - end in ई.

4. Unmarked feminine - do not end in ई.

1- Marked masculine - end in vowel - आ – केला, पपीता, संतरा

Rule: Marked masculine nouns form the plural by changing the ending आ to ए.

SINGULAR	PLURAL
केला	केले
फलवाला	फलवाले
कुआँ (nasalized)	कुएँ (Plural is nasalized too)

2- Unmarked Masculine - does not end in आ- सेब, बेर, आदमी, बाज़ार

Rule: Unmarked masculine nouns do not change in plural.

SINGULAR	PLURAL	
सेब	सेब	apple
आदमी	आदमी	man
धोबी	धोबी	(M.) washerman

NOTE- A small group of marked masculine nouns is also unmarked for this purpose.

देवता	देवता	Gods
राजा	राजा	King
पिता	पिता	father

चाचा   मामा   नाना   दादा   काका

नमस्ते जी
(namaste jii)

Formation of Plural of Hindi Nouns:

1.Marked masculine

Change final 'आ' to 'ए' or ा to े

Singular   Plural

लड़का   – ा लड़क + े   लड़के

केला   – ा केल + े   केले

संतरा   – ा संतर + े   संतरे

2. Unmarked masculine and Exceptional Nouns do not change forms for plural

Singular	Plural	
आदमी	आदमी	Men

सेब   सेब Apples

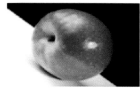 

आम   आम   Mangos

माली   माली   Gardener

राजा   राजा   Kings

पिता   पिता   Fathers

82

3. Marked feminine - end in ई - मिठाई, कुरसी, नौकरी.

Rule: Final ई changes to इयाँ -

SINGULAR	PLURAL	
मिठाई	मिठाइयाँ	sweets
कुरसी	कुरसियाँ	chairs
नौकरी	नौकरियाँ	jobs
लड़की	लड़कियाँ	girls

4. Unmarked feminine - does not end in ई - दुकान, पेंसिल, माता, दीवार

Rule: Unmarked feminine nouns form the plural by adding the ending एँ.

SINGULAR	PLURAL	
दुकान	दुकानें	shops
मेज	मेजें	tables
माता	माताएँ	mothers
भाषा	भाषाएँ	languages
किताब	किताबें	books

Feminine nouns in आ are usually either taken from Sanskrit like भाषा or refer to feminine beings like माता).

COMMON GENDER NOUNS - Some nouns referring to human beings may have either gender.

गाहक	विदेशी	शिक्षक	भारतीय
customer (m/f)	foreigner (m/f)	teacher (m/f)	Indian (m/f)

4.Marked Feminine:

Final 'ii' changes into 'iyaan'
ई to इयाँ   or   ी to ियाँ

Singular	Plural

लड़की   लड़कियाँ   Girls

खिड़की   खिड़कियाँ   Windows

सब्जी   सब्जियाँ   Vegetables

प्राथमिक हिन्दी Elementary Hindi

5.Unmarked Feminine: Add 'en' in the maatraa form or in the letter form if the last consonant ends in long "maatraa"

Singular		Plural
औरत	ें	औरतें

गाजर	ें	गाजरें

माता	एँ	माताएँ

बेटी	बेटियाँ	Daughters
दादी	दादियां	Grand Mothers

बहु	एँ	बहुएँ
मेज	ें	मेजें
बहन	ें	बहनें

THE SUFFIX वाला / वाली - When suffix follows a noun it often means the 'seller of' although it has many other meanings such as 'resident' when used with geographical terms.

फलवाला	फलवाली	fruitseller (m)/ fruitseller (f)
सब्जीवाला	सब्जीवाली	vegetable man/ vegetable woman
मिठाईवाला	मिठाईवाली	sweets seller (m)/ sweets seller (f)
कपड़ेवाला	कपड़ेवाली	clothseller (m)/ clothseller (f)
किताबवाला	किताबवाली	bookseller (m)/bookseller (f)
दिल्लीवाला	दिल्लीवाली	resident of Delhi (m/f)

फलवाला क्या करता है?	फल बेचता है.
मिठाईवाला क्या करता है?	मिठाई बनाता है.
टैक्सीवाला क्या करता है?	टैक्सी चलाता है.
दिल्लीवाले लोग कहाँ है?	वे अमेरिका में हैं.
सब्जीवाला क्या लाता है?	सब्जी लाता है.

Singular	Plural	Singular	Plural
बहू	बहुएँ		
फलवाला	फलवाले	फलवाली	फलवालियाँ
सब्जीवाला	सब्जीवाले	सब्जीवाली	सब्जीवालियाँ
मिठाईवाला	मिठाईवाले	मिठाईवाली	मिठाईवालियाँ
कपड़ेवाला	कपड़वाले	कपड़ेवाली	कपड़ेवालियाँ
किताबवाला	किताबवाले	किताबवाली	किताबवालियाँ
दिल्लीवाला	दिल्लीवाले	दिल्लीवाली	दिल्लीवालियाँ

86

LEARN THESE TOO -

Masculine	Feminine	Plural	
बेटा	बेटी	बेटे - बेटियाँ	son/daughter
दादा	दादी	दादा - दादियाँ	Father's father/mother
नाना	नानी	नाना - नानियाँ	Mother's father/mother
सुअर	सुअरी	सुअर - सुअरियाँ	pig/sow
हिरन	हिरनी	हिरन - हिरनियाँ	deer/doe.
गधा	गधी	गधे - गधियाँ	donkey/female donkey
ऊँट	ऊँटनी	ऊँट - ऊँटनियाँ	camel
बाघ	बाघिन	बाघ - बाघिनें	tiger/tigress
हाथी	हथिनी	हाथी - हथिनियाँ	elephant
पाँड़े	पँड़ाइन		last name in a caste
ठाकुर	ठकुराइन		last name in a caste
पंडित	पंडिताइन		priest
देवर	देवरानी		husband's younger brother/his wife
जेठ	जेठानी		husband's older brother /his wife
अपराधी	अपराधिनी		culprit
यशस्वी	यशस्विनी		a person of repute
अनुयायी	अनुयायिनी		follower
अनुरागी	अनुरागिनी		lover
उत्तराधिकारी	उत्तराधिकारिणी		successor
सुत	सुता		son/daughter
अध्यक्ष	अध्यक्षा		chair person
निरीक्षक	निरीक्षिका		inspector
बिलाव	बिल्ली		cat
पति	पत्नी		husband/wife

आदमी	औरत	man/woman.
देवता	देवी	God/Goddess
राजा	रानी	king/queen
राजकुमार	राजकुमारी	prince/princess
अभिनेता	अभिनेत्री	actor/actress
नायक	नायिका	hero/heroine
छात्र	छात्रा	student
दुलहा	दुलहिन	groom/bride

NOUNS - EXERCISE

For each of the following words - a. Translate

b. Give its masculine or feminine form.

c. Give plural for each form.

Word	Hindi	Masculine / Feminine	Plural for both (M / F)
Boy	लड़का	लड़की	लड़के - लड़कियाँ

Son, Horse, Goat, Student, Uncle, Rooster, Father's Father, Resident of Delhi, Mother, Sister, Woman, Queen, Goldsmith, Blacksmith, Potter, Milkman, Gardener, Porter, Fruitseller, God, Vegetable Man, Candy Man, Bookseller, Teacher.

GIVE HINDI AND PLURAL FORMS ONLY-

Papaya, Banana, Orange, Cucumber, Rupee, Cloth, Money, Room, Door, Pants, Umbrella, Kurta, Speaking, Blouse, City, House, Meaning, Eggplant, Onion, Potato, Shopkeeper, State, Fruit, Country, Market, Hand, Sari, Bread, Floor, Table, Chair, Pencil, Light, Pen, Watch, Book, Shop, Window, Wall, Cauliflower, Carrot, Language, Candy.

Ch3 L15   BODY PARTS शरीर के अंग

ankle	armpit	arm	back	beard	blood	body
टखना	बगल	बाँह	पीठ	दाढ़ी	खून	शरीर

bone	brain	cheek	chest	chin	ear
हड्डी	दिमाग	गाल	सीना	ठोड़ी	कान

elbow	eye	eye ball	eyebrow	eyelashes	face
कोहनी	आँख	पुतली	भौं	पलक	मुँह- चेहरा

finger	finger-nail	flesh	foot	forehead	hand
उंगली	नाखून	माँस	पैर	माथा	हाथ

head	heart	hair	heel	kidney	lip
सिर	दिल - हृदय	बाल	एड़ी	गुर्दा	होंठ

liver	lung	moustache	mouth	neck	nose
जिगर	फेफड़ा	मूँछ	मुँह	गला - गर्दन	नाक

palm	shoulder	skin	skull	spine	stomach
हथेली	कन्धा	त्वचा	खोपड़ी	रीढ़	पेट

teeth	thigh	toe	tongue	throat	thumb
दाँत	जाँघ	पैर की उँगली	जीभ	गला	अँगूठा

vein	waist	wrist	body	part
नस	कमर	कलाई	शरीर	अंग - हिस्सा

प्राथमिक हिन्दी Elementary Hindi

माथा

बाल

आंख-आंखें

कान

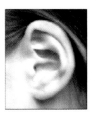

नाक

होट - होंठ

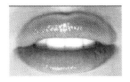

दांत

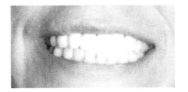

गाल

90

नमस्ते जी
(namaste jii)

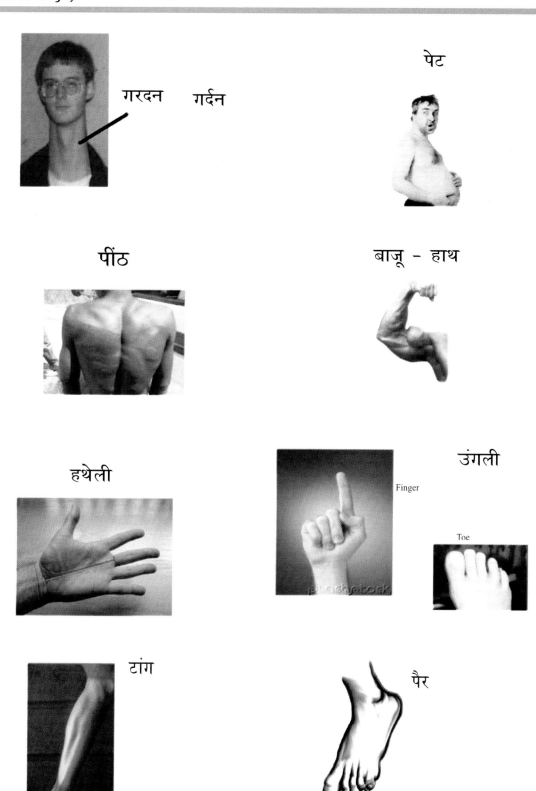

गरदन गर्दन

पेट

पींठ

बाज़ू - हाथ

हथेली

Finger

उंगली

Toe

टांग

पैर

पढ़ने का अभ्यास (practice)

आदमी हाथों (hands) से काम करता है. वह हाथ में पुस्तक (book) लेता है और हाथ से लिखता भी है. आदमी के दो हाथ होते हैं. मनुष्य (human) के दो पैर होते हैं. जानवर (animal) आदमी से तेज़ (fast) दौड़ते हैं. आदमी के कान, नाक और दो आँखें भी हैं. आँखें देखने के लिये हैं, कान सुनने के लिये हैं. नाक से वह साँस (breath) लेता (to take) है, नाक से वह सूँघता (smells) भी है.

जानवरों के भी नाक, कान और आँखें होतीं हैं. आदमी और जानवर में क्या अन्तर (difference) है? आदमी जानवर से अधिक (more) समझदार (intelligent) है. तुम सोचकर (after thinking) काम (work) करो. हाथों से अच्छे काम करो. कानों से अच्छी बातें (talks) सुनो, आँखों से अच्छा देखो और जीभ से हमेशा अच्छी बातें कहो. जीभ मुँह के अन्दर (inside) होती है. इससे हम वस्तुओं (things) का स्वाद (taste) भी लेते हैं. होठों से मुस्कुराते (smile) हैं और जब हँसते (to laugh) हैं तब दाँत भी दिखाई पड़ते (seen) हैं.

प्रश्नों के उत्तर दीजिये -

१- आदमी हाथ से क्या करता है?

२- आदमी और जानवर में क्या अन्तर (difference) है?

३- जीभ कहाँ होती है?

४ - जीभ से कौन से (which one) दो काम करते हें?

५- दाँत कब दिखाई पड़ते हैं?

६- क्या सब जानवर आदमी से तेज़ दौड़ते हैं?

७- कान किसलिये (for what) होते हैं?

८- शरीर के कुछ अंगों (parts) के नाम लिखिये?

९- आपके हाथों में कितनी (how many) उँगलियाँ हैं?

१०- आपके मुँह में कितने दाँत हैं?

H4 L16   PRONOUNS and DECLENSION OF PRONOUNS.

सर्वनाम और सर्वनाम रूप परिवर्तन

A pronoun is a word which stands in the place of a noun. In the Hindi language, there are six categories of pronouns. Following are the examples of these pronouns in each group.

1 -	I	we	you	he	she	they
	मैं	हम	तुम	वह	वह	वे

2 -	this	that	these	those
	यह	वह	ये	वे

3 -	someone	somebody	anyone anybody	no one nobody
	कोई	कोई व्यक्ति	कोई भी व्यक्ति	कोई नहीं

	anything		nothing	everything
	कुछ भी , कोई भी वस्तु		कुछ भी	सब कुछ

4 -   as you sow, so you reap
जैसा करोगे , वैसा भरोगे

5 -	who	what	whom
	कौन	क्या	किसे , किसको

6 -   myself   yourself   himself   herself   ourselves   themselves
मैं, अपने आप. तुम, अपने आप. वह अपने आप, हम अपने आप

He does everything by himself. वह सब कुछ अपने आप करता है.

93

DECLENSION OF PRONOUNS
<u>सर्वनाम रूपान्तर</u>

In Hindi, declension of pronouns takes place for three reasons - person, number and case endings. One can observe this in the habitual past, past perfect, and allied tenses.

EXAMPLES :- When followed by a case ending :

१ - मैं changes into मुझ   २ - तू changes into तुझ

३ - वह   उस   ४ - वे   उन

५ - यह   इस   ६ - ये   इन

७ - कौन   किस   ८ - जो   जिस

९ - कोई   किसी

हम and तुम do not change except in possessive, the possessive form being हमारा and तुम्हारा respectively. Changes also occur when these are used adjectively, with the case ending after the noun. For example:

this house - यह घर   in this house - इस घर में

that man - वह आदमी   with (by) that man - उस आदमी से

There are two forms of the following in the objective case: Use of को

a. to me मुझको - मुझे   b. to you तुमको - तुम्हें

c. to us हमको - हमें   d. to him उसको - उसे

e. to them उनको - उन्हे   f. to this इसको - इसे

g. to these इनको - इन्हें   h. to whom किसको - किसे

i. to whom (plural) किनको - किन्हें

j. to whom (relative)जिसको - जिसे

k. to whom (relative plural) जिनको - जिन्हें

Plural forms of (वह, यह, कौन, जो, कोई) are also used to a single person to show respect.

प्राथमिक हिन्दी Elementary Hindi

H4 L17

ADJECTIVES - विशेषण

There are two types of adjectives in Hindi:

1. Marked Adjectives: end in aa 'आ' and have three forms-

आ aa singular masculine, ए plural masculine, ई feminine sing/plu.

mas. singular	mas. plural	feminine
अच्छा - good	अच्छे	अच्छी
मीठा - sweet	मीठे	मीठी
बड़ा - big	बड़े	बड़ी

2. Unmarked adjectives do not end in aa 'a' and have only one form.

खराब	भारी	लाल	सुन्दर
bad	heavy	red	beautiful/pretty

NOTE: Generally adjectives precede the nouns they modify with marked adjectives agreeing with the noun.

Examples: Marked adjectives:

M.S.	M.P.	F.S.	F.P.
अच्छा संतरा	- अच्छे संतरे	- अच्छी लड़की	- अच्छी लड़कियाँ
good orange	good oranges	good girl	good girls
छोटा अंगूर	- छोटे अंगूर	- छोटी गाजर	- छोटी गाजरें
small grape	small grapes	small carrot	small carrots

2. Unmarked adjectives:

खराब लड़का	- खराब लड़के	- खराब सब्जी	- खराब सब्जियाँ
bad boy	bad boys	bad vegetable	bad vegetables
लाल टमाटर	- लाल टमाटर	- लाल साड़ी	- लाल साड़ियाँ
red tomato	red tomatoes	red sari	red saris

सुन्दर सुंदर लड़की

गंदा आदमी

बड़ा हाथी   छोटा हाथी

साफ कमरा   गंदा कमरा

मोटी औरत 
पतली औरत

मोटा चूहा   पतला चूहा

अच्छा सेब    खराब-सड़ा सेब

लंबा रास्ता

छोटा रास्ता

ऊंचा पहाड़
ऊंचा

नीची वादी
नीचा

3. Adjective - noun adjective word order is the same in English and Hindi. If the noun comes before the adjective in English, it also comes before in Hindi. If it comes after in English, it comes after in Hindi also.

that boy is tall.
वह लड़का लंबा है.

that is a tall boy.
वह एक लंबा लड़का है.

those bananas are fresh.
वे केले ताज़े हैं.

those are fresh bananas.
वे ताज़े केले हैं.

that girl is very pretty
वह लड़की बहुत सुन्दर है.

she is a very pretty girl
वह बहुत सुन्दर लड़की है.

Texas is a big state
टैक्सस बड़ा राज्य है.

big state is Texas.
बड़ा राज्य टैक्सस है.

4. Adjectives formed with का - के - की

Hindi equivelant of 's or 'of' is का, which is masculine singular and changes to के or की as a marked adjective.

teacher 's bag
शिक्षक का थैला

teacher 's bags
शिक्षक के थैले

student 's chair
छात्र की कुरसी

student 's chairs
छात्र की कुरसियाँ

It is the man's fruit.
यह आदमी का फल है.

The fruit is the man's.
फल आदमी का है.

They are the student's questions.
वे छात्र के प्रश्न हैं.

The questions are the student's.
प्रश्न छात्र के हैं.

It is the girl's sari.
यह लड़की की साड़ी है.

The sari is the girl's.
साड़ी लड़की की है.

प्राथमिक हिन्दी Elementary Hindi

5. Nouns must be changed to an adjective by adding का, के, की to modify another noun according to its gender or number.

fruit shop	fruit's shop **फल की दुकान**
paper bag	paper's bag **कागज़ का थैला**
Bellaire students	Bellaire's students **बेलेअर के छात्र**
question's meaning	meaning of the question **प्रश्न का मतलब**
maps of India	India's maps **भारत के नक्शे**
fruit price	price of fruit **फल का दाम**
Hindi for paper	paper's Hindi **पेपर की हिन्दी**

Learn these adjectives: ये विशेषण सीखिये:

अच्छा	खराब	मीठा	खट्टा	कड़वा	नीचा	ताज़ा
good	bad	sweet	sour	bitter	low	fresh

बासा	कम	थोड़ा	बहुत	ठीक	गलत	पका
stale	a little	little	very/ a lot	correct	wrong	ripe

कच्चा	गंजा	अन्धा	बहरा	गूंगा	लंगड़ा	काना
raw	bald	blind	deaf	dumb	lame	one-eyed

मोटा	पतला	नाटा	छोटा	बौना	लम्बा
fat	skinny / thin	short	short / small / young	midget	long / tall

ऊँचा	दूर	पास	दुबला	बड़ा
high	far	near	skinny	big

गोरा रंग	काला रंग	सुन्दर	बदसूरत
fair complexion	dark complexion	beautiful/pretty	ugly

98

प्राथमिक हिन्दी Elementary Hindi

नमस्ते जी
(namaste jii)

 कड़वा

 खट्टा

मीठा

लंबी   लम्बी

नाटी

लंबा-लम्बा
आदमी

नाटा आदमी

बड़ी लड़की

छोटी लड़की

99

AGREEMENT OF ADJECTIVES WITH TWO OR MORE NOUNS OR PRONOUNS:-

An adjective can be used to qualify two or more nouns or pronouns. When the nouns or pronouns refer to things (inanimate objects), then usually the adjective will agree with the one nearest to it in the sentence. If the nouns or pronouns refer to animals or people, then the adjective will be masculine if all are male, feminine if all are female, and masculine if both sexes are represented.

१- वे हिन्दी अख़बार और किताबें महँगी हैं.
   Those Hindi newspapers and books are expensive.

२ - ये चप्पलें और जूते काले नहीं, नीले हैं.
   These sandals and shoes aren't black, they are blue.

३ - ये कलमें और पेंसिले सस्ती हैं.
   These pens and pencils are cheap.

४ - राधा और सीता लंबी हैं.
   Radha and Seeta are tall. (both female).

५ - राम और रमेश मोटे हैं.
   Ram and Ramesh are fat (both male).

६ - राम और राधा छोटे हैं.
   Ram and Radha are small. (male & female).

७ - ये पेंसिलें और कलम महँगे हैं.
   These pencils and pens are expensive.

८ - राधा और सीता दोनों लंबी हैं .
   Radha and Seeta are (both) tall.

९ - हम दोनों अँग्रेज़ हैं.
   We (both) are English.

Note: दोनों (both) is not emphasized in English.

प्राथमिक हिन्दी Elementary Hindi

Ch4 L18

Colors

Remember - Marked adjectives with आ change to agree with the noun modified. Unmarked adjectives have only one form and do not change.

रंग - colors or colours

सफ़ेद/श्वेत White	काला Black	लाल Red	नारंगी/केसरिया Orange	पीला Yellow
हरा Green	नीला Blue	गाढ़ा नीला Deep blue/Indigo	हल्का बैंगनी Violet/Light purple	बैंगनी Purple
गुलाबी Pink	खाकी Khaki	गहरा Deep/Dark	हल्का Light	भूरा Brown
नीला - हरा Blue-green	गहरा रंग Dark color	हल्का रंग Light color	गहरे रंग Deep colors	हल्के रंग Light colors
रंग बिरंगा Colorful	मेंहदी Olive	चमकीला Bright	सुनहरा Golden	आसमानी Sky blue

इन्द्र धनुशी रंग - Rainbow colors

अभ्यास - Exercise. हिन्दी में उत्तर दीजिये - Answer in Hindi.

१ - तुम्हारी साड़ी का रंग कैसा है? मेरी साड़ी का रंग लाल है.

२ - आपकी पैन्ट का रंग क्या है? काला है. मेरी पैंट का रंग काला है.

३ - क्या तुम लाल चप्पलें पहनती हो? नहीं, मैं पीली चप्पलें पहनती हूँ.

रंग

लाल

पीला

हरा

नीला

गुलाबी

बैंगनी

नारंगी

102

भूरा

सुनहरा

रंगबिरंगा

सफेद

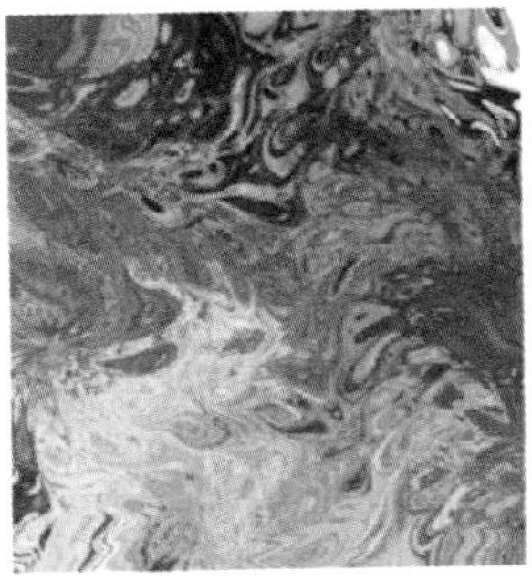

काला

चमकीला

103

Ch4 L19

CHANGING NOUNS - DEMONSTRATIVES - ADJECTIVES INTO PLURALS.

RULES:

1. यह (this) becomes ये (these), वह (that) changes to वे (those).

2. Marked adjectives take ए or ई according to number and gender of the subject, unmarked adjectives do not change.

Marked - अच्छा - अच्छे - अच्छी . Unmarked खराब - खराब - खराब

3. Marked Masculine change from आ to ए   लड़का - लड़के.

4. Unmarked masculine and a group of Marked masculine nouns do not change.

- आदमी, देवता, पिता, राजा, चाचा, मामा, नाना, दादा, मौसा.

5. Marked feminine changes from ई to इयां   लड़की - लड़कियां.

6. Unmarked feminine takes एं to form plural- औरत - औरतें.

EXAMPLES:	Singular	Plural
That big mango	वह बड़ा आम	वे बड़े आम
This good girl	यह अच्छी छात्रा	ये अच्छी छात्राएं
This big province	यह बड़ा प्रदेश	ये बड़े प्रदेश

प्राथमिक हिन्दी Elementary Hindi

Forming Plural of Noun, Pronoun and
Adjective Phrase:

Singular phrase:	Plural Phrase:
वह अच्छा लड़का	वे अच्छे लड़के

वह खराब आदमी	वे खराब आदमी

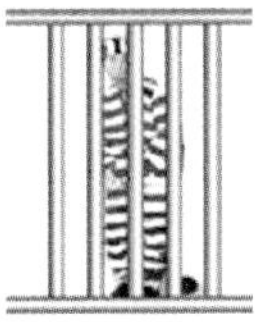

वह सुन्दर लड़की	वे सुन्दर लड़कियाँ

वह बड़ी गाजर	ये बड़ी गाजरें

Exercises:

यह मोटा राजा	ये मोटे राजा
वह बड़ी खिड़की	वे बड़ी खिड़कियाँ
यह अच्छी माता	ये अच्छी मातायें

Exercise: Translate the following and give plural form.

1. That little grape

2. This good pencil

3. That good boy

4. This old book

5. That fresh orange

6. This big banana

7. That big table

8. That little hand

9. This sweet apple

10. That big wall

11. This good fruit seller

12. This unripe fruit

13. This new city

14. This bad teacher

15. That small woman

प्राथमिक हिन्दी Elementary Hindi

Ch5 L20   VERBS क्रियाएँ

The verb expresses the action or sometimes merely the fact of existence in relation to the subject.

जिस पद से किसी कार्य का होना या करना जाना जाय वह क्रिया कहलाता है.

<u>Verb Stem</u> - also referred to as Verb Root is the basic form of verb. All forms of verbs are produced by adding endings to the stem. Some stems are:

ले	दे	खा	पी	आ	बोल
take	give	eat	drink	come	speak

बात कर	देख	जा	पूछ	लिख	पढ़
converse	see	go	ask	write	read

Verb stems are also used in the intimate imperative form. The intimate imperative, which is used in very close relationships is also used in addressing children, animals, and in religious context, as when addressing God. It may also be used in anger when familiar forms would normally be expected. This kind of imperative form of verb is rarely used in urban speech. It is found in film songs and poems to indicate intimacy. For examples -

इधर देख	Look here or look this way.
यहाँ से हट	Move from here.
ले, यह खा	Take, eat this.
तू मेरी है.	You (f) are mine.
हे ईश्वर, तू कहाँ है?	Oh Lord ! Where are You?

प्राथमिक हिन्दी Elementary Hindi

आना
लोग आ रहे हैं

जाना
बच्चे जा रहे हैं

खाना
बच्चा खा रहा है

पीना
औरत पानी पी रही है

पढ़ना
छात्र पढ़ रहा है

प्राथमिक हिन्दी Elementary Hindi

INFINITIVES: असमापिका क्रिया या (or) क्रियार्थक संज्ञा - The infinitives of all the Hindi verbs are formed by adding ना in the verb stem.
Examples:

लेना	देना	खाना	पीना	पढ़ना	लिखना
to take	to give	to eat	to drink	to read	to write

Uses of infinitive form of verbs:

(a) The dictionary form in which all verbs are cited -

उछलना	कूदना	जाना	आना	सोना
to hop	to jump	to go	to come	to sleep

(b) Infinitive forms of verbs are also used as marked masculine nouns, also called Gerund-

Examples:

हिन्दी बोलना अच्छा है.   Speaking Hindi is good.

जाना निश्चित है.   Going is certain.

सेब खाना अच्छा है.   Eating an apple is good.

(c) Neutral imperative - a command form used to give instructions with no indication of relative status of the speaker and the listener. For example:

यहाँ आना   Come here.

हिन्दी बोलना   Speak Hindi.

सेब लेना   Take an apple.

NOTE:- In all the imperative sentences there is an understood 'YOU' तुम.

देखना
बच्ची देख रही है

सुनना
आदमी रेडियो सुन रहा है

सोना
बच्चा सो रहा है

उठना
वह उठ रहा है

बोलना
क्लिन्टन बोल रहे हैं

बातचीत करना
दो आदमी बात कर रहे हैं

भागना दौड़ना
वह दौड़ रही है

बैठना
वह कुरसी पर बैठा है

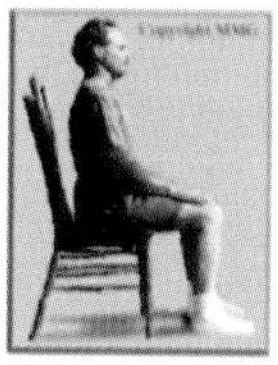

प्राथमिक हिन्दी Elementary Hindi

(d) The polite imperative: The polite imperatives of all the regular verbs are formed by adding **इये** (iye) to the verb stem. It is used to equals for politeness and to persons of higher status for respect.

Example:

सुनिये वहाँ जाइये पानी पीजिये पढ़िये
(please) listen. (please) go there. (please) drink the water. (please) read.

NOTE: The maatra form of ' इ ' is used when the verb stem ends in a consonant. Examples:

Verb	Stem	+ इये	=	Polite form
सुनना	सुन	इये		सुनिये
पढ़ना	पढ़	इये		पढ़िये
कहना	कह	इये		कहिये

NOTE: Four verbal nouns are irregular in the way they form the polite imperatives. These are -

करना	कर	+ ईजिये	=	कीजिये
लेना	ले	ईजिये		लीजिये
देना	दे	ईजिये		दीजिये
पीना	पी	ईजिये		पीजिये

(e) The familiar imperative - is used when giving command to people who one knows well and who are of approximately equal status, and to people of lower status. The familiar imperative is formed by adding 'ओ' to the verb stem. If the verb stem ends in a maatra other than 'अ' then 'ओ' is added in its letter (consonant) form. Examples:

Verb	Stem	ओ	Familiar imperative
जाना	जा	ओ	जाओ

प्राथमिक हिन्दी Elementary Hindi

समझना

यह समझ रहा है

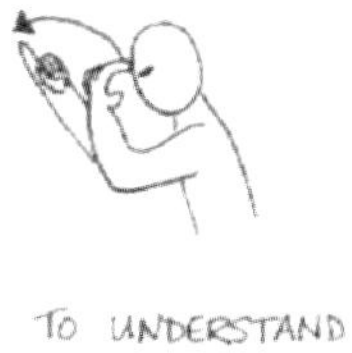

TO UNDERSTAND

काम करना

आदमी काम कर रहा है

लेना
आदमी कागज ले रहा है

खामोश/चुप होना

खामोश हो जाओ

भागना दौड़ना
वह दौड़ रही है

प्राथमिक हिन्दी Elementary Hindi

खाना	खा	ओ	खाओ
पीना	पी	ओ	पीओ या पीयो
सोना	सो	ओ	सोओ

<u>Two exceptions</u>: in these the stem vowel is lost in familiar imperative.

देना	दे	ओ	दो
लेना	ले	ओ	लो

- If the verb stem ends in a consonant, then ' ओ ' is added to the stem in the maatra form.

बोलना	बोल	ओ	बोलो
लिखना	लिख	ओ	लिखो
पढ़ना	पढ़	ओ	पढ़ो

EXAMPLES IN SENTENCES:

1. John, (you) come here.   जॉन (तुम) यहाँ आओ.
2. Come in.   अन्दर आओ.
3. Sit on the bench.   बेन्च पर बैठो.
4. Jenny, you come too.   जेनी तुम भी आओ.
5. Read Hindi.   हिन्दी पढ़ो.
6. Do not sit on the floor.   ज़मीन पर मत बैठो.
7. Mr. Sharma please come in.   शर्मा जी कृपया अन्दर आइये.
8. Please sit on the chair.   कृपया कुरसी पर बैठिये.
9. Please don't sit on the bench.   कृपया बेन्च पर मत बैठिये.
10. Linda, look what is on the table.   लिन्डा, देखो, मेज़ पर क्या है.
11. Bob, bring the newspaper.   बॉब, अख़बार लाओ.
12. Mr. Sharma, take the newspaper.   शर्मा जी, अख़बार लीजिये.

Neutral Imperative
Infinitive form can be used as neutral imperative.
Examples :

यहाँ आना   come here

यह काम करना   Do this job

कल पैसे लेना   Take the money tomorrow

कक्षा में बात नहीं करना   Do not talk in the class

टीवी नहीं देखना   Do not watch TV

114

13. Ron, drink some coffee.   रॉन कॉफ़ी पीओ.

14. Take the book and read.   पुस्तक लो और पढ़ो.

15. Write on the notebook.   कॉपी पर लिखो.

16. Eat the fruit and drink the milk.   फल खाओ और दूध पीओ.

17. Be quiet.   चुप रहो.

18. Please do not talk in the class.   कक्षा में बात मत कीजिये.

19. (Give) Answer.   उत्तर दो.

20. You all ask the questions in Hindi.   तुम सब हिन्दी में प्रश्न पूछो.

21. Mr. Sharma, please eat the bread, rice and vegetables.

शर्मा जी कृपया रोटी, चावल, और सब्जी खाइये.

22. Mr. Joshi, please take a glass and drink the water.

श्री जोशी, कृपया एक गिलास लीजिये और पानी पीजिये.

HINDI VERB FORMS FOR THE VERBS 'TO BE'.   होना क्रियाएँ

Present tense:

With pronoun	मैं	हूँ	am.
With all other singular nouns and pronouns		है	is.
With pronoun ' you 'तुम' (familiar)		हो	are.
With all other plural nouns & pronouns		हैं	are.
With polite singular nouns & pronouns		हैं	is.

Past tense:		Masculine	Feminine		plural
मैं	था		थी		- was
तुम	थे		थीं		- were
आप - हम - वे	थे		थीं	थे - थीं	were
वह	था		थी		- was
Singular nouns	था		थी		- was

प्राथमिक हिन्दी   Elementary Hindi

Formal Imperative:
If the verb stem ends in a "**मात्रा**" add "**इये**"
in the letter form otherwise add "**ि ये**" in the
"**मात्रा**" form.

Verbs	Stem		Formal Imperative

खाना   खा   + इये   - खाइये

Six exceptional verbs which do not follow
common rules are:

जाना   जा   + इये - जाइये

लेना   ले   + ी जिये - लीजिये

पीना   पी   + ी जिये - पीजिये

पढ़ना   पढ़   + ि ये - पढ़िये

आना   आ   + इये   - आइये
देना   दे   + ी जिये - दीजिये
करना   कर   + ी जिये - कीजिये

116

Future tense

मैं	हूँगा or होऊँगा	हूँगी or होऊँगी -	will/shall be
तुम	होगे	होगी	-
आप - हम - वे	होंगे	होंगी	होंगे - होंगी
वह	होगा	होगी	-

NOTE: The pronouns तुम , आप , ये , वे are grammatically plural even when referring to only one person. Thus in English, there are two distinct sentences:

(1) You are a fruitseller (2) You are fruitsellers.
In Hindi, both sentences are identical:

familiar तुम फलवाले हो.

polite आप फलवाले हैं.

The sentences may be made explicitly plural by adding लोग to the pronouns:

तुम लोग फलवाले हो. आप लोग फलवाले हैं.

but cannot be made explicitly singular as in English.

PRACTICE: of the verb forms 'to be' होना in all the three tenses -

SENTENCES	PAST	PRESENT	FUTURE
१- बाज़ार में बहुत फल	थे	हैं	होंगे
There were/are/will be a lot of fruits in the market.			
२- वे केले ताज़े	थे	हैं	होंगे
Those bananas were/are/will be fresh.			
३- तुम अच्छे आदमी	थे	हो	होगे
You were/are/will be a good person.			
४- मैं सब्ज़ीवाला	था	हूँ	होऊँगा
I was/am/shall be a vegetables seller.			
५- हिन्दी उत्तर प्रदेश की भाषा	थी	है	होगी
Hindi was/is/will be the language of Uttar Pradesh.			

६ - मैं अच्छी	थी	हूँ	होऊँगी

I was/am/ will be fine.

७ - तुम घर में	थीं	हो	होगी

You were/are/will be in the house.

८ - आप कैसे	थे	हैं	होंगे?

How were/ are /you/will you be?

९ - हम क्लास में	थे	हैं	होंगे

We were/are/will be in the class room.

१० - वह बड़ा आदमी	था	है	होगा

He was/is/will be a big man. (rich or famous).

The uses of the verb 'to be' are similar in Hindi and English.

(a) as the linking verb 'is, are' joining the subject to

    i. another noun: The banana is a fruit.   केला फल है.

    ii. an adjective: The bananas are fresh.   केले ताज़े हैं.

    iii. an adverbial: The bananas are in the market. केले बाज़ार में हैं.

b) as a non linking verb equivalent to English, 'there is, there are:
There is a banana. केला है.   There are bananas. केले हैं.

POLITENESS EXPRESSIONS

The following forms should always be used with polite (= Plural) verb forms:
साहब "Sir" used alone or preceded by a proper name सिंह साहब 'Mr. Singh'
मेम साहब 'madam'.

श्री, श्रीमती, सुश्री Mr./Mrs./Miss. -- used with last names.

जी politeness form preceded by a last name: शर्मा जी 'Mr. Sharma'.

or a title शिक्षक जी 'Mr. Teacher' or a first name पुष्पा जी 'Miss. Pushpa'.

Only marked masculine nouns have a special form which indicates politeness,
Feminine nouns do not use the plural to indicate politeness, although the verb
does show plural agreement.

118

MARKED MASCULINE

Singular   फलवाला अच्छा है.   The fruitseller is fine.

Plural   फलवाले अच्छे हैं.   The fruitsellers are fine. (plural)

The fruitseller is fine. (singular polite)

UNMARKED MASCULINE

singular   शिक्षक अच्छा है. The teacher is fine.

plural= polite शिक्षक अच्छे हैं. The teacher is fine. (polite)

The teachers are fine. (plural)

MARKED FEMININE

sigular: रानी अच्छी है.   The queen is fine.

polite: रानी अच्छी हैं.   The queen is fine.

plural: रानियाँ अच्छी हैं.   The queens are fine.

UNMARKED FEMININE

singular: मेम अच्छी है.   The woman is fine.

polite: मेम साहब अच्छी हैं.   The woman is fine.

plural: मेमें अच्छी हैं.   The women are fine.

Transitive Verbs - are the verbs which may take direct objects,

usually the same verbs in English and Hindi except some English verbs which are both transitive and intransitive such as - Open:

a. The door opened.   दरवाज़ा खुला .

b. He opened the door.   उसने दरवाज़ा खोला .

In these instances, two different verb are used in Hindi.

खुलना   intransitive   खोलना   transitive.

The verb: क्रिया

	Infinitive	Stem or Verb Root
To come	आना	आ
To eat	खाना	खा

To read	पढ़ना	पढ़

To sleep	सोना	सो

प्राथमिक हिन्दी Elementary Hindi

To go   जाना   जा
To take लेना   ले
To give देना   दे

give

To drink पीना   पी

To do करना   कर
To be होना   हो

नमस्ते जी
(namaste jii)

Some common transitive verbs:

देखना	लाना	बुलाना	धोना	देना	खाना
to see,look at	to bring	to call	to wash	to give	to eat

बताना	सुनना	पढ़ना	पूछना	दिखाना	गिनना
to tell	to listen	to read	to ask	to show	to count

धुलाना	लेना	समझना	लिखना	बोलना
cause to wash	to take	to understand	to write	to speak

कहना	साफ करना	कम करना	वापस करना
to say	to clean	to reduce	to return

माफ़ करना	शुरू करना	इन्तज़ार करना	मदद करना
to excuse	to start, begin	to wait	to help

कोशिश करना	मरम्मत करना	ठीक करना
to try	to repair, to spank	to correct, to repair

INTRANSITIVE VERBS: are those verbs which cannot take direct objects. In general, verbs which are intransitive in English are intransitive in Hindi too other than a few exceptions like:

meet	transtive in English	मिलना	intransitive in Hindi.
fear	transitive in English	डरना	intransitive in Hindi.
look	intransitive in English	देखना	transitive in Hindi.

प्राथमिक हिन्दी Elementary Hindi

COMMON INTRASITIVE VERBS:

आना	जाना	उठना	बैठना	रहना	पहुँचना
to come	to go	to get up	to sit	to live	to reach,arrive

रुकना	चलना	दौड़ना	कूदना	उछलना	सोना
to stop	to walk	to run	to jump	to hop	to sleep.

क्रियाएं - Verbs

Intransitive - अकर्मक - Do not need an object.

जाना	आना	चलना	दौड़ना	टहलना	रेंगना
to go	to come	to walk	to run	to walk	to crawl

वापस आना		उड़ना	तैरना	उछलना	कूदना
to return/to come back,		To fly	To swim	To hop	to jump

भाग जाना या, भागना   या, भागकर जाना   या , भागते हुए जाना

To run away

भाग आना   भागकर आना   भागते हुए आना

To come back running

लेटना	सोना	बैठना	ऊँघना	जागना
to lie down	to sleep	to sit	to doze	to wake up

उठना	खड़ा होना	उबलना	टूटना
to get up	to stand up	to boil	to break

जलना	फूटना	बदल जाना	सूखना	जमना
to burn	to burst	to change	to dry	to freeze

बाहर निकलना	बढ़ना	हँसना	मिलना	सरकना
to get out	to grow	to laugh	to meet	to move

खुलना	लौटना	चढ़ना	सवार होना	हिलना
to open	to return	to climb	to ride	to move

ठहरना	रुकना	चलना	रोना	चिल्लाना
to stay	to stop	to walk	to cry	to yell or to shout

Ch5 L21 COMPARATIVE

There is no comparison of adjectives in Hindi as in English:

good		better		best
अच्छा	-	से अच्छा	-	सबसे अच्छा
fast		faster		fastest
तेज़	-	से तेज़	-	सबसे तेज़
beautiful		more beautiful		most beautiful
सुन्दर	-	से सुन्दर	-	सबसे सुन्दर

Instead, the unchanged adjective (which agrees with the subject) is used with the phrase X से = compared to X, where X is a noun phrase (a pronoun, noun with modifiers).

subject	comparative Phrase	adjective	verb.
सेब	अंगूर से	बड़ा	है. (An apple is bigger than a grape.)
राधा	सीता से	छोटी	है. (Radha is younger than Seeta.)
टैक्सस	अलाबामा से	बड़ा	है. (Texas is bigger than Alabama.)

The subject and comparative phrase may be reversed in order without affecting the meaning. Remember that से in this case always follow the comparative phrase and is a post position (preposition than or from in English).

गोभी आलू से बड़ी है. A cauliflower is bigger than a potato.

आलू से गोभी बड़ी है. From a potato, a cauliflower is bigger.

सेब अंगूर से बड़ा है

>

यह कुरसी इस कुरसी से छोटी है

<

यह बगीचा इस बगीचे से सुंदर है

>

केला सेब से मीठा है

>

नीबू संतरे से खट्टा है

Sour

>

यह पेड़ इस पेड़ से ऊँचा है

>

यह आदमी इस आदमी से मोटा है

Fat  >  Skinny

यह लड़की इस लड़की से लंबी है

 >

यह आदमी इस आदमी से मोटा है

यह लड़की इस लड़की से लंबी है

यह केला इस केले से अच्छा है

126

For comparing numbers and amounts the adjectives
ज़्यादा – अधिक 'more' and कम 'less' are used.

एक डॉलर पच्चीस रुपये से ज़्यादा है. A dollar is more than twenty-five rupees.
तीन पाँच से कम है. Three is less than five.

When not used in comparatives, कम often has the meaning 'too little' and ज़्यादा/अधिक often has the meaning 'too much'.

यह बहुत ज़्यादा है   – This is too much.
(बहुत) कम है साहब – That's too little, Sir.

Rule: when no direct comparison is available Se से is not used. Example:

तुम छोटी बहन हो. You are the younger sister.

मैं बड़ा भाई हूँ.   I am the older brother.

बड़ा लड़का कहाँ है.   Where is the older boy?

Use of suffix वाला – वाले – वाली

वह बड़ावाला आम है. That is the bigger mango.

यह पुरानावाला घर है. This is the older house.

छोटीवाली किताब कहाँ है. Where is the smaller book?

<u>Exercise1.</u> Translate in Hindi:-

a. Five is less than six.

b. Tomato is cheaper than cauliflower.

c. I am taller than you.

d. You are younger than Sheetal.

e. This is the better book.

f. I am the younger sister.

<u>Exercise 2.</u> Answer the following questions in Hindi:-

१. क्या यह बड़ीवाली लड़की है?
२. क्या भारत अमेरिका से बड़ा है?

३. क्या सात आठ से ज़्यादा है?
४. अंगूर सेब से बड़ा है?

५. क्या केला सेब से मीठा है?
६. क्या यह बड़ावाला कलम है?

७. क्या शिक्षक की मेज़ छात्र की मेज़ से छोटी है?
८. क्या योरोप एशिया से बड़ा है?

९. क्या टमाटर आलू से सस्ते हैं?
१०. क्या घोड़ा हाथी से बड़ा है?

प्राथमिक हिन्दी Elementary Hindi

Ch5 L22   # SUPERLATIVE

<u>सबसे</u> followed by the adjective (which agrees with the subject) is used to express superlative degree in Hindi.

Example:

वह सबसे सुंदर लड़की है.

She   the prettiest   girl   is .

एवरेस्ट सबसे ऊँचा पहाड़ है.

Everest   the tallest   mountain is .

आम   भारत का सबसे अच्छा फल है.

The mango India's   best   fruit   is.

भारत का सबसे पुराना शहर बनारस है.

India's   ancient most   city   Banaras is .

हिन्दी देश की   सबसे अच्छी भाषा   है.

Hindi   the country's   best   language is.

गोभी   दुकान की सबसे महंगी सब्ज़ी है.

Cauliflower the shop's   most expensive vegetable is.

अभ्यास ३: (Practice): Answer the following questions using the superlative pattern:

१. अमेरिका का सबसे बड़ा शहर क्या है?   २. अमेरिका का सबसे बड़ा प्रदेश क्या है?

३. अमेरिका का सबसे पुराना शहर क्या है? ४. भारत का सबसे नया शहर क्या है?

५. भारत की सबसे सुंदर इमारत क्या है?   ६. भारत का सबसे नया प्रदेश क्या है?

Translate as needed:

1. Miinaa is shorter than Poojaa.   2. The man is taller than the woman.

She	all	than	young	is. (F)
वह	सब	से	छोटी	है

She	all	than	beautiful	is (F)
वह	सब	से	सुन्दर	है

Watermelon	all	than	big	fruit	is (M)
तरबूज	सब	से	बड़ा	फल	है

He	all	than	fast	run	is (M)
वह	सब	से	तेज	दौड़ता	है

We	all	than	slow	writing	are (P)
हम	सब	से	धीरे	लिख	रहे हैं

एवरेस्ट सबसे ऊँचा पहाड़ है

वाराणसी सबसे पुराना शहर है   ताज महल सबसे सुन्दर इमारत है

4. The student is better than the teacher   5. This is the longest car.

6. Eating (to eat) vegetables and fruits is the best.

7. He is the oldest son.   8. Give me the smaller table.

9. The older girl goes home.   10. The shorter boy comes to school.

11. This chair is for me.   12. Go and talk to the younger (smaller) child.

13. That long and red car

१४. बड़ीवाली लड़की छोटेवाले आदमी के साथ क्यों बात करती है.

१५. आप मोटेवाले लड़के के साथ कहाँ जाते हैं .   १६. क्या पतला वाला छात्र हिन्दी पढ़ता है?

१७. क्या यह बड़ीवाली लड़की है?   १८. क्या भारत अमेरिका से बड़ा है?

१९. अंगूर सेब से बड़ा है?   २०. क्या केला सेब से मीठा है?

Exercise 2: Translate in Hindi

1. I am the younger brother.   2. She is the older girl.

3. Is he the youngest child.   4. Sweeter mango

5. Look at the better fruits.   6. The bigger home

7. Give me the smaller one.   8. Bombay girls are taller.

9. Better homes   10. Longer road

11. I am taller than you.   12. The faster running girl.

13. John runs faster than Jason. 14. You are the most beautiful.

15. Sheetal is younger than Seema.

Ch6 L23 THE HABITUAL PRESENT OR PRESENT INDEFINITE TENSE
सामान्य वर्तमान काल

Verb   Stem
to go   go
जाना   जा

subject - stem - habitual aspect - tense marker helping verb 'to be'

मैं (m/f) जा + ता / ती हूँ. मैं जाता / जाती हूँ. I go. (m/f)

तुम (m/f) जा + ते / ती हो. तुम जाते / जाती हो. You go. (m/f).

आप (m/f) जा + ते / ती हैं . आप जाते / जाती हैं. You go. (Formal)

वह (m/f) जा + ता / ती है. वह जाता / जाती है. He/She goes.

हम (m/f) जा + ते / ती है. हम जाते / जाती है. They go. (m/f)

वे (m/f) जा + ते / ती है. वे जाते / जाती है. We go. (m/f)

Rules नियम

1 - In Hindi, the habitual present tense is formed by adding (taa) ता, (te) ते, (tii) ती or (teen) तीं in the verb stem, also called verb roots according to the number and gender of the noun or pronoun of the subject, and हूँ (Hoon) हो (Ho) है (Hai) or हैं (Hain) form of verb 'To Be' is added to the main verb.

2- ता is used with masculine singular (पुरुष वाचक एक वचन) ते is used with you and masculine plural (तुम और पुरुष वाचक बहु वचन) ती is added for feminine singular (स्त्री वाचक एक वचन) and तीं is added for feminine plural (स्त्री वाचक बहुवचन).

Habitual Present Tense:

Habitual Present Tense in Hindi is formed by adding ता ते or ती in the verb stem and using helping verb हूँ, हो, है, हैं according to the subject.

आना आ + ता - आता

खाना खा + ता - खाता

पढ़ना पढ़ + ता - पढ़ता

जाना जा + ता - जाता

लेना ले + ता - लेता

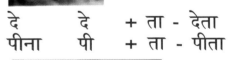

दे दे + ता - देता
पीना पी + ता - पीता

133

3 - हूँ is used with I (मैं), हो is used with YOU (तुम), है is used with singular number (एक वचन) and हैं is used with plural (बहु वचन).

EXAMPLES (उदाहरण):-

१ - मैं पढ़ता हूँ.	I read (m).	मैं पढ़ती हूँ	I read (f).
२ - तुम पढ़ते हो.	you read (m).	तुम पढ़ती हो	You read (f).
३ - वह पढ़ता है.	He reads (m).	वह पढ़ती है	She reads (f).
४ - हम पढ़ते हैं.	We read (m).	हम पढ़ती हैं	We read (f).
५ - वे पढ़ते हैं.	They read (m).	वे पढ़ती हैं	They read (f).

4 - Interrogation is expressed by adding क्या at the beginning of the sentence when no other interrogative word is there in the sentence.

Example:-

१ – क्या तुम शहर जाते हो?   Do you go to city (town)?

२ – क्या तुम रोज़ दौड़ते हो?   Do you run every day?

However, क्या is dropped in ordinary usage, and the interrogative is expressed by the intonation.

१- तुम पढ़ते हो?   Do you read?
२- वह लिखता है?   Does he write?

4 - Negation is expressed by adding (no, not) नहीं before the verb and हूँ, है, हो, and हैं are generally dropped.

१ - मैं रोज़ नहीं पढ़ता (हूँ) I do not study (read) everyday.

२ - वह चिट्ठी नही लिखती (है) She does not write a letter.

३ - वे स्कूल - पाठशाला - नहीं आते हैं .

5 - In the negative, if the subject is feminine (Respect) or plural and हूँ, हो, है या हैं is omitted, तीं should be used instead of ती .

१ - आप नहीं जातीं. - You do not go.

२ - वे नहीं खेलतीं. - They do not play.

३ - तुम नहीं गातीं. - You do not sing.

४ - वे आजकल कुछ नहीं करतीं. - They do not do anything these days.

५. माताजी घर में नहीं रहतीं. - Mother does not stay (live in) at home.

वाचन - पढ़िये (READING EXERCISE)

पिता - बेटा, तुम कहाँ जाते हो?

बेटा - पिताजी या बाबूजी, मैं विद्यालय - स्कूल - जाता हूँ.

पिता - तुम स्कूल कैसे जाते हो?

बेटा - मैं विद्यालय गाड़ी से जाता हूँ.

पिता - तुम स्कूल क्या क्या लेकर जाते हो. या, तुम स्कूल क्या लेजाते हो?

बेटा - मैं स्कूल पुस्तक कताब, कॉपी, कलम, पेंसिल और खाना लेकर जाता हूँ.

पिता - क्या अनुराधा भी स्कूल जाती है?

बेटा- जी नहीं, अनु स्कूल नहीं जाती है. वह घर पर पाठ पढ़ती है.

वह रोज़ - प्रतिदिन - नृत्य सीखती है और गाना गाती है.

पिता - तुम शाम को क्या करते हो?

बेटा - शाम को हम खेलते हैं, उसके बाद घर का काम करते हैं. रात में हम सब, मैं, अनु और माताजी आपके साथ खाना खाते हैं और नौ बजे सोते हैं.

पिता - क्या तुम्हारे स्कूल में भोजन मिलता है?

बेटा - जी पिताजी, दोपहर को मिलता है.

पिता - तुम्हारे स्कूल में खाना खाने के लिये कहाँ जाते हैं?

बेटा - हमारे स्कूल में खाने के लिये भोजनालय में जाते हैं.

पिता - भोजनालय में खाने के लिये क्या-क्या मिलता है?

बेटा - भोजनालय में दाल, चावल, रोटी, सब्जी, दही, पूड़ी, मिठाई सब मिलता है. चाय, कॉफ़ी, दूध, शर्बत और सोडा भी मिलता है.

शब्दार्थ - Word Meaning

शब्द	पिता	बेटा	लेकर जाना	लेजाना	खाना	भोजन
Word	Father	Son	To Take & Go	Taking	Food	Food
भी	प्रतिदिन	नृत्य	सीखना	गाना	गाना	शाम
Also,Too	Daily	Dance	To Learn	Song	To Sing	Evening

उसके बाद	इसके बाद	काम	मिलना	दोपहर
After That	After this	Work	Available	Afternoon
खाने के लिये	के लिये	भोजनालय	दाल	चावल
For Eating	For	Cafetaria	Lentil	Rice

रोटी	सब्जी	दही	पूड़ी	मिठाई	सब - All
Bread	Vegetable	Yogurt	Fried Tortilla	Sweets	Everything
चाय	कॉफ़ी	दूध	शर्बत	तितलियाँ	
Tea	Coffee	Milk	Soft Drink	Butterflies	

136

Exercise - 1 Answer in Hindi हिन्दी में उत्तर दीजिये

क - बेटा कहाँ जाता है?   ख - अनुराधा क्या करती है?

ग - हम कब खेलते हैं?   घ - तुम स्कूल क्या-क्या ले जाते हो?

च - भोजनालय में क्या मिलता है?   छ - हम कितने बजे सोते हैं?

ज - खेलने के बाद हम क्या करते हैं?

झ - क्या स्कूल में शराब (लिकर) मिलती है?

USES -   The habitual present is used in general statements and to describe actions which occur frequently, much like the present tense in English:

लड़का केले खाता है.   The boy eats bananas.

मेम साहब हिन्दी बोलती हैं.   The lady speaks Hindi.

वह आदमी सिगरेट नहीं पीता है.   That man doesn't smoke cigarettes.

A special use of the habitual present is to describe actions in the immediate future:

मैं अभी आता हूँ.   I'll come right away.

गाइड आपको अभी दिखाता है.   The guide will show you. (right now)

IMPERSONAL SENTENCES

Sentences in English like   What do they speak in India?
                                 Where do you drink coffee here?

in which 'they' and 'you' are not stressed and do not refer to anyone in particular are impersonal sentences. In such Hindi sentences, there is no 'they' or 'you' ; no subject is expressed and the verb is in the <u>masculine plural</u>

Example: भारत में हिन्दी बोलते हैं. They speak Hindi in India.

प्राथमिक हिन्दी Elementary Hindi

आप क्या करते हैं?   आप क्या करती हैं?   आप क्या हैं?

मैं छात्र हूँ

मैं पढ़ती हूँ

मैं शिक्षक हूँ

मैं पढ़ाती हूँ

प्राथमिक हिन्दी Elementary Hindi

नमस्ते जी
(namaste jii)

मैं सब्जीवाली हूँ

मैं फलवाला हूँ

मैं सब्जी बेचती हूँ

मैं फल बेचता हूँ

मैं दूधवाला हूँ
मैं दूध बेचता हूँ

मैं टैक्सीवाला हूँ
मैं टैक्सी चलाता हूँ

139

<u>Exercise - 2</u> अभ्यास - २   हिन्दी में उत्तर दीजिये -

१- आपके स्कूल में कॉफ़ी पीने कहाँ जाते हैं?

२- शहर में कपड़े खरीदने कहाँ जाते हैं?

३- संतरे - सेब किस दुकान में मिलते हैं?

४- आपके स्कूल के पास किताबें कहाँ मिलती हैं?

५- आपके देश में कैसे कपड़े पहनते हैं?

७- भारत में क्या खाते हैं?

८- होली - दीवाली कहाँ मनाते हैं?

९- सब लोग हिन्दी कहाँ पढ़ते हैं?

१०- तुम्हारे स्कूल में खाना कहाँ मिलता है?

११- अच्छा डान्स देखने कहाँ जाते हैं?

१२- तितलियाँ कहाँ पकड़ते हैं?

१३- आपके गाँव में चिड़िया और जानवर देखने कहाँ जाते हैं?

१४- भारत में कौन से खेल खेलते हैं?

१५- आपके देश में कौन-कौन से शहर हैं?

<u>Exercise - 3</u>   Translate the following sentences - निम्नलिखित वाक्यों का अनुवाद कीजिये

१- मैं शर्बत पीता हूँ.

२- आप क्या खाती हैं?

३- पिताजी सोते हैं.

४- वे कहाँ पढ़ते हैं?

५- तुम विद्यालय में क्या करती हो?

६- वे लिखती है.

७- मैं रोटी और चावल खाता हूँ.

८- अनुराधा क्या-क्या पीती है?

९- पिताजी क्या करते हैं?

१० - हम सब रात में सोते हैं.

1 - What do you do?

2- Is your mother home?

3- I do not study.

4 - Do I sleep?

5 - Where do they go to eat?

6 - What does Anu do?

7 - What is vegetable?

8 - Where do we go to eat in our school?

9 - We go to drink coffee in the cafeteria.

10 - Where do they go to sleep?

NOTE: ता, ते, ती and तीं represent the habitual aspect and हूँ, हो, है and हैं indicate the present tense.

Ch6 L24

FORMATION OF SENTENCES IN HINDI

हिन्दी में वाक्य बनाना

Hindi is an SOV language that means subject comes first, verb at the end and other related words are placed in between.

Normally the words in a sentence are placed in the following order with a flexibility of interchange with or without the change in the meaning.

Word order:

subject - time - place - indirect object - object - negation - verb

Examples:

subject	verb
वह	खाता है.
He	eats.

subject	negation	verb
वह	नहीं	खाता है.
He	does not	eat.

subject	time adv.	negative	verb
वह	सुबह	नहीं	खाता है.
he	in the morning	does not	eat

He does not eat in the morning.

subject	time adv.	place adv.	negative	verb
वह	सुबह	घर में	नहीं	खाता है.
he	in the morning	at home	not	eat

He does not eat in the morning at home.

subject	time adv.	place adv.	object	negative	verb
वह	सुबह	घर में	सेब	नहीं	खाता है.
he	in the morning	at home	an apple	not	eat.

He does not eat an apple in the morning at home

subject	time	place	ind. object	object	negative	verb
वह	सुबह	घर में	चम्मच से	सेब	नहीं	खाता है.
he	in the morning	at home	with a spoon	an apple	not	eat

He does not eat an apple with a spoon in the morning at home.

question	subject	time	place	ind. obj.	obj.	negative	verb
क्या	वह	सुबह	घर में	चम्मच से	सेब	नहीं	खाता है?
does	he	in thc morning	at home	with a spoon	an apple	not	eat

Does he not eat an apple with a spoon in the morning at home?

sub.	time	place	ind. obj.	obj.	question	negative	verb
वह	सुबह	घर में	चम्मच से	सेब	क्यों	नहीं	खाता है?
he	in the morning	at home	with a spoon	an apple	why	not	eat

Why does he not eat an apple with a spoon in the morning at home?

Relationships expressed by prepositions in English are expressed by postpositions in Hindi. A postposition comes after the noun phrase (or a pronoun and all its modifiers) it governs. Hindi postpositional phrase (noun phrase + postposition) correspond to English prepositional phrase (preposition + noun phrase).
But a noun phrase governed by a postposition in Hindi is considered to be in the oblique case and thus nouns, pronouns, and modifiers change form according to the rules of "Oblique Case."
We will learn the oblique case later.

Example:

English Phrase	Hindi Phrase
in the bazaar	bazaar in बाज़ार में
on the big chair	big chair on बड़ी कुरसी पर
at the good shop	good shop at अच्छी दुकान पर
from India	India from भारत से

143

from that fat boy   that   fat   boy   from

उस मोटे लड़के से (changes due to the oblique case)

उस बड़ी मेज़ पर   on that big table

इस कमरे में   in this room

उस अच्छी लड़की से   from that good girl

Exercise: Translate the following in Hindi

a. I am from India.

b. He is in the class.

c. The book is on the table.

d. My father is from Bombay.

e. Her mother is in India.

f. India is in Asia.

g. Texas is in America.

h. Mangos are on the tree.

i. She is in the book store.

j. I read the book in the morning.

k. They come to school everyday.

l. Do you sleep in the class?

m. When do you go home?

n. Why do you not listen?

o. This is very good.

Ch6 L25   Habitual Past Tense भूतकाल

Past imperfect or habitual past: (अपूर्ण भूतकाल)

The key auxiliary verbs to past imperfect or habitual past are था, थे, and थी added to the habitual present tense form of verb. था, थे, थी are the replacements of हूँ, हो, है, and हैं. था is added with masculine singular, थे is added with masculine plural and second person (you) तुम, थी is added with feminine singular, and थीं with feminine plural. This tense generally indicates habitual or repeated past action. For example:

Habitual Present	Habitual Past
1. I run.	I used to run.
मैं दौड़ता हूँ.	मैं दौड़ता था.
2. We eat bread.	We used to eat bread.
हम रोटी खाते हैं.	हम रोटी खाते थे.
3. Why do you sleep every day?	Why did you used to sleep every day?
तुम रोज़ क्यों सोते हो?	तुम रोज़ क्यों सोते थे?
4. Where do you live?	Where did you used to live?
तुम कहां रहते हो.	तुम कहां रहते थे?
5. Does she sing?	Did she used to sing?
क्या वह गाती है?	क्या वह गाती थी?

६ - कमला सुबह घर में नहीं रहती थी. सबेरे, प्रातःकाल can also be used in place of सुबह and पर in place of में. Kamala did not use to live at home in the morning.

प्राथमिक हिन्दी Elementary Hindi

As an intransitive verb: अकर्मक क्रिया के रूप में -

Present: There are chairs.
It's me.

कुरसियाँ हैं.
मैं हूँ.

Past: There were chairs.
It was me.

कुरसियाँ थीं.
मैं था.

As an intransitive linking verb:

Present:

He/she is a customer.
The apples are good.

वह एक गाहक है.
सेब अच्छे हैं.

Past:

He/she was a customer.
The apples were good.

वह एक गाहक था,थी.
सेब अच्छे थे.

Abstract possession:

Present:

The gentleman is in a hurry.

साहब को जल्दी है या साहब जल्दी में हैं.

Past:

The gentleman was in a hurry.

साहब को जल्दी थी या साहब जल्दी में थे.

Habitual form:

Present:

The train stops here.

रेलगाड़ी यहाँ रुकती है.

Past:

The train used to stop here.

रेलगाड़ी यहाँ रुकती थी.

नमस्ते जी
(namaste jii)

Habitual Past Tense in Hindi is formed by adding ता ते or ती in the verb stem and using helping verb था, थे, or थी according to the subject.

Examples.

Habitual Present

मैं टैक्सी चलाता हूँ

Habitual Past

मैं टैक्सी चलाता था

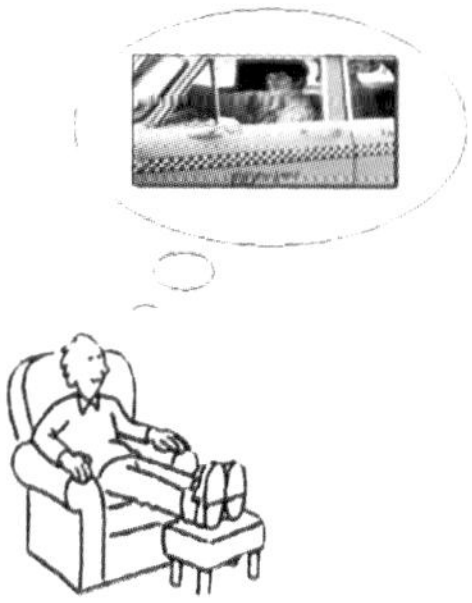

वह स्कूल में पढ़ता है

वह स्कूल में पढ़ता था

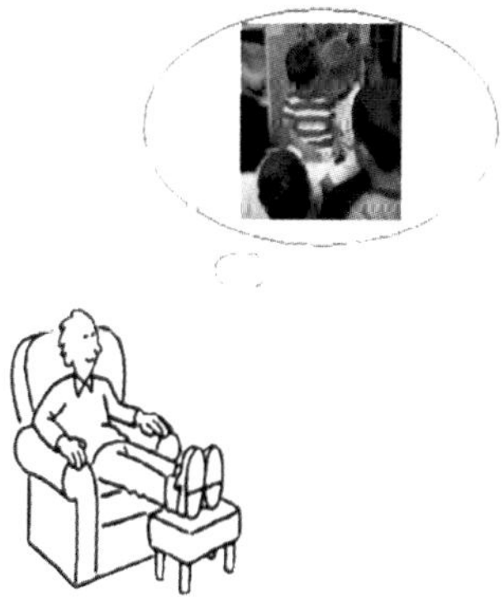

वे सब्जी बेचते हैं

वे सब्जी बेचते थे

मैं काम करती हूँ

मैं काम करती थी

तुम स्कूल जाते हो

तुम स्कूल जाते थे

वह खाना बनाता है

वह खाना बनाता था

147

प्राथमिक हिन्दी Elementary Hindi

Excercise 1: Change the verbs in present tense into past tense and translate in English.

१ - हम भारत में रहते हैं.   वे कहाँ रहती हैं?   वह कैसे जाता है?

२- हम बचपन में बहुत खेलते हैं.   तुम कब खेलती हो?

३ - चारों बच्चे स्कूल जाते हैं.   वे स्कूल क्यों जातेहैं?

४ - शीतल रोज़ किताब पढ़ती है.   सीमा क्या करती है?

५ - क्या जॉन स्कूल नहीं जाता है?   अनीता कब मॉल जाती है?

६- मेमसाहब इस शहर में क्यों रहती हैं?   वे वहाँ किसलिये खड़ी हैं?

७ - पिताजी कहाँ काम करते हैं?   क्या माताजी खाना बनाती / पकाती हैं?

८ - सब छात्र यहाँ बैठते हैं.   सब शिक्षक वहाँ रहते हैं.

९ - तुम घर कब जाते हो?   वह कक्षा में कब आता है?

१० - तुम कैसे हो?   अमर कैसा है?   अरिन्दम कहाँ है?   वह कौन है?

Exercise 2: Translate and answer the following questions in Hindi.

1. Where was Gopal the day before yesterday?
2. How long were you at the playground?
3. Where were you yesterday morning?
4. Was school closed yesterday?
5. Was it hot yesterday?
6. Did they run everyday?
7. Could you come yesterday?
8. Was he with my brother?
9. Where did you go with your sister?
10. What did Mary do?

प्राथमिक हिन्दी Elementary Hindi

Exercise 3: Translate into Hindi.

1. We were in New York for a week.
2. He was in prison for many years.
3. She was in the tailor's shop.
4. My daughters were in the school.
5. We used to write letters in English.
6. Last year, the water in this tank was clean.
7. My watch used to show the correct time.
8. I used to work in the post office.
9. His father was a doctor.
10. John used to come to my house everyday.

Exercise 4: Fill in the blanks.

1. There was a king. एक राजा - .

2. He was in a hurry. - जल्दी में था.

3. It was a very cold evening. यह एक बहुत ठंडी - थी.

4. The day before yesterday was Friday. - शुक्रवार था.

5. We used to jump everyday. - कूदते थे.

6. Why weren't you here on Tuesday? तुम - को यहाँ - - थे?

7. Which book was yours? तुम्हारी पुस्तक कौनसी -?

8. You used come late everyday? - देर से आते -?

9. It did not rain last night. पिछली - पानी नहीं बरसा.

10. There was a tree in the front of my home last year.
मेरे घर के सामने पिछले साल - - था.

Ch7 L26   PREPOSITIONS ARE POST POSITIONS
सम्बन्ध बोधक

A preposition is a word placed before a noun or pronoun to show its relation to something else in the sentence.

A preposition, as already explained, is actually a postposition in Hindi as it occurs not before, but after a noun or pronoun it governs. For example -

a. On the table   becomes   Table on   टेबुल पर
b. In the room   becomes   Room in   कमरे में

DEFINITION IN HINDI (परिभाषा) - जो अविकारी शब्द संज्ञा या सर्वनाम के साथ आकर उनका सम्बन्ध वाक्य के दूसरे शब्दों से बताते हैं , उन्हें सम्बन्ध बोधक कहते हैं.

Post-positions (prepositions) in Hindi are suffixes to pronouns, but are written separately with nouns. Examples:

a. To Ram   is written   Ram ko   राम को   (Noun)

b. To me   is written   Mujhko   मुझको   (Pronoun)

c. On the table   is written   Table per   टेबुल पर   (Noun)

d. On that   is written   Uspar   उसपर   (Pronoun)

e. In the room   is written   Kamare may   कमरे में   (Noun)

f. In that   is written   Usme   उसमें   (Pronoun)

The following words may also be called postpositons since they follow the nouns or pronouns they govern:

PREPOSITION	POST-POSITION	USE IN A SENTENCE
1. Above	के ऊपर	गेम रूम गराज के ऊपर है.
2. Below or beneath	के नीचे	मेरा घर उसके घर के नीचे है.
3. Outside	के बाहर	वह घर के बाहर खेलता है.

150

प्राथमिक हिन्दी Elementary Hindi

PREPOSITION	POST-POSITION	USE IN A SENTENCE
4. Inside	के अन्दर	मॉल के अन्दर बहुत दुकानें हैं.
5. Near, with in possession of	के पास	स्टीवेन के पास लाल कार है.
6. Near	के पास	स्कूल के पास पोस्ट ऑफ़िस है.
7. Behind	के पीछे	अनीता के घर के पीछे नदी है.
8. With	के साथ	मैं पूनम के साथ पढ़ती हूँ.
9. Without	के बिना	मैं चीनी के बिना दूध पीती हूँ.
10. After	के बाद	तुम छः बजे के बाद आओ.
11. Before	के पहले	वह आठ बजे के पहले पढ़ता है.
12. Before	से पहले	वे सात बजे से पहले स्कूल जाते हैं.
13. In front of	के सामने	जॉन के घर के सामने मेरा घर है.
14. In front of	के आगे	निशा के घर के आगे बगीचा है.
15. In or at the place of	के स्थान पर, की जगह	राम के स्थान पर श्याम खेलता है
16. Except	के अलावा, के सिवाय	मनीष के अलावा सब जाओ.
17. Apart from	से अलग	हमारे घर एक दूसरे से अलग हैं.
18. About, Regarding	के बारे में	तुम सोहन के बारे में क्या जानते हो?
19. For	के लिये	केला खाने के लिये है.

NOTE: Post-positions are with three exceptions, always preceded by के or से.
<u>The three exceptions are -</u>

a - Towards, In the direction of	की ओर, की तरफ़	Go in that direction.
b - Towards	की ओर, की तरफ़	Come in this direction.
c - Like, In the manner of	की तरह	Eat like this.

Hindi Postpositions are:

में   in

जार में क्या है?

पर   on

मेज पर कौन है?

के लिये   for

केला खाने के लिये है

के साथ   with

लड़की के साथ क्या है?

प्राथमिक हिन्दी Elementary Hindi

के ऊपर   above

बिल्ली कहाँ है?

के नीचे   under

कुत्ता कहाँ है?

के बाहर   outside

कार घर के बाहर है

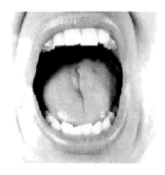

के अंदर   inside

मुँह के अंदर दाँत और

जीभ हैं

153

Some of the prepositions can be used as adverbs in which case के does not precede them.

a. Come near.	पास आओ.
b. Sit in front.	सामने बैठो.

The Post-position (FOR) के लिये - the post-position के लिये is one of the most common compound post-position in Hindi. A compound post-position functions exactly like a simple post-position such as से, में, पर. The only difference is that it is written as two words with the first word usually को, के or की. The postposition के लिये means FOR. It follows nouns, including verbal nouns and pronouns in the oblique case:

1. Candy is for eating.	मिठाई खाने के लिये है.
2. Clothes are for wearing.	कपड़े पहनने के लिये हैं.
3. This room is for cass.	यह कमरा क्लास के लिये है.
4. This home work is for today.	यह घर का काम आज के लिये है.
5. This girl is for Prakash.	यह लड़की प्रकाश के लिये है.
6. This fruit is for me.	यह फल मेरे लिये है.

Since the combination मैं + का is मेरा, it follows that मैं + के becomes मेरे (MY is no longer present in this instance).

A very common use of के लिये is with verbal nouns followed by verbs of motion in the sense of go to do and come to do.

a. Come see my home.	मेरा घर देखने (के लिये) आइये.
b. Go eat an apple.	सेब खाने (के लिये) जाओ.

With the verbs आना and जाना, के लिये is very commonly omitted, although the verbal noun which it follows remains in the oblique. With other verbs omission of के लिये is less common.

के पास near
कुत्ते के पास क्या है?

के पास in possession

के पीछे behind
के बिना without
के बाद without
के पहले before in front of
से पहले before

Exercise 1 - Translate the following.

a. The book is on (over) the counter.
b. The hospital is in front of the central station.
c. Those boys play under the tree.
d. There is a post office near my house.
e. He is sleeping outside the room.
f. Come inside the house.
g. There is a big tree behind the jail.
h. I go to school with Raheem.
i. Do you drink tea without sugar?
j. Gopal has a good pen.
k. Don't you get up before six o'clock?
l. Who knows this man except Abdul?
m. What do you know about Joseph?
n. Keep Ram in place of Gopal.
o. Gomati sings like Roma.

p. The police car is now going towards the east.
q. Get up before seven o'clock in the morning.
r. Rest after work.
s. Take that from her.

Exercise 2 - Fill in the blanks with the proper postposition.

१ - कमरे ...... नहीं सोओ.

२ - मैं बाज़ार ...... आरहा हूँ.

३ - तुम्हारे घर .... क्या है.

४ - हम उसके बारे ..... कुछ नहीं जानते हैं.

५ - तुम्हारी .... आजकल कौन काम करता है. (in your place)

Exercise 3 - Translate the following sentences including के लिये into Hindi.

a. This sari is for selling to a rich (अमीर) man.
b. This name is for giving to a beautiful child.
c. These students are in the class for speaking Hindi.
d. That fruitseller is in the bazaar for selling ripe mangoes.
e. This cold milk is for drinking in the hot weather.
f. That teacher is at the table for asking questions.
g. Go listen to the teacher.
h. Go take the book from him.
i. Come converse with us in good Hindi.
j. Sit down to drink that water.

Exercise 4 - Match the term at the right with the term which most closely matches it on the left. Use each term on the right only once.

१ - मिठाईवाला   १ - खाने के लिये है.

२ - गाहक   २ - रसगुल्ले - पेड़े बेचने के लिये है.

३ - शिक्षक   ३ - चीज़े खरीदने के लिये है.

४ - मिठाई   ४ - साड़ियाँ दिखाने के लिये है.

५ - फलवाला   ५ - पपीते - केले बेचने के लिये है.

६ - कपड़ेवाला   ६ - छात्र से सवाल पूछने के लिये है.

७ - दुकानदार   ७ - सब चीज़ें बेचने के लिये है .

Note: Postpositions are separate words when follow a noun. But in case of a pronoun these are partially assumed by the pronoun. This can be seen in compound post positions.
Examples:

For Sherin	शेरिन के लिये
For me	मेरे लिये
For him	उसके लिये
To GaNesh	गणेश को

In order to use the correct postposition in Hindi you have to go for the meaning or the sense it is used for when translating from English to Hindi. See details in the book

Use of 'To' –

Go to school   to – towards understood

Go to him   Go near him
उसके पास जाओ

Talk to him   Talk with him
उससे बात करो या उसके साथ बात करो

To me	मुझको
From Tim	टिम से
From her	उससे

Come see my home or
Come to see my home or
Come for seeing my home

मेरा घर देखने के लिये आओ   या
मेरा घर देखने आओ

I am going to tell him

मैं उससे कहने जारहा हूँ.

के लिये is understood

Eat bagel with cream cheese.

बेगल क्रीम चीज़ के साथ खाओ

Eat rice with a fork.
चावल फोर्क से खाओ

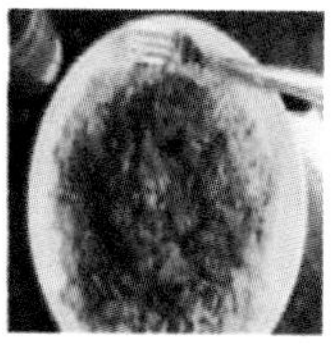

Exercise 5 - For each term below give the class it belongs to -

CLASS: फल, सब्ज़ी, मिठाई, लोग, कपड़ा, शहर, प्रदेश, देश, पैसा, फ़र्नीचर.

TERM: क - बेर ख - भारत ग - ब्लाउज़ घ - थैला

च - पपीता छ - प्याज़ ज - आनेजानेवाला झ - कलम
ट - ह्यूस्टन ठ - रसगुल्ला ड - कुरसी ढ - साड़ी त - दिल्ली

थ - रुपया द - गाजर ध - केला न - टेक्सस प - चीन
फ - जापान ब - पढ़नेवाले भ - गुलाब म - फूलगोभी

पेड़ा जलेबी गुलाबजामुन मूली गाजर
नाना - नानी मामा - मामी रिश्तेदार धोबी

डॉलर रूबल येन नेपाल श्रीलंका अमेरिका
केनडा पेरिस न्यूयॉर्क लॉस एन्जिलस इमली छात्र

नमस्ते जी
(namaste jii)

Ch7 L27

OBLIQUE CASE

Nouns, pronouns, and adjectives may be used in two cases in Hindi. The oblique is used for all members of a noun phrase in a postpositional phrase. Thus, all nouns, pronouns, and adjectives governed by a post position are in the oblique case.

The direct case is used when nouns, pronouns, and adjectives are not in a post-positional phrase, thus not governed by a postposition.

OBLIQUE SINGULAR FORMS

TYPE OF FORM	EXAMPLE	DIRECT END.	OBLIQUE END.
mas. marked noun	केला – आ	केला – ए	केले
mas. unmarked noun	सेब – x	सेब – x	सेब
fem. marked noun	कुरसी – ई	कुरसी – ई	कुरसी
fem. unmarked noun	दुकान – x	दुकान x	दुकान
marked adjective	अच्छा – आ	अच्छा ए	अच्छे

IMPORTANT NOTE: Only marked masculine nouns and marked adjectives change from अ to ए.

लड़का changes to लड़के   अच्छा changes to अच्छे

There is no change in the oblique singular for:

unmarked masculine nouns - सेब, गाहक

feminine nouns, marked or unmarked - लड़की, मेज़, छात्रा

feminine or plural forms of marked adjectives - पकी, छोटी, पके, छोटे

unmarked adjectives, masculine or feminine - खराब, बहुत

many pronouns - आप, हम

प्राथमिक हिन्दी Elementary Hindi

Oblique form of Pronouns: SEE CHART BELOW

DIRECT	OBLIQUE	FORMS WITH को	FORMS WITH का (declined like marked adj.)
मैं	मुझ	मुझको – मुझे	मेरा – मेरे – मेरी
तू	तुझ	तुझको – तुझे	तेरा – तेरे – तेरी
वह	उस	उसको – उसे	उसका – उसके – उसकी
यह	इस	इसको – इसे	इसका – इसके – इसकी
क्या	किस	किसको – किसे	किसका – किसके – किसकी
कौन	किस	किसको – किसे	किसका – किसके – किसकी
क्या plu.	किन	किनको – किन्हें	किनका – किनके – किनकी
कौन plu.	किन	किनको – किन्हें	किनका – किनके – किनकी
हम	हम	हमको – हमें	हमारा
तुम	तुम	तुमको – तुम्हें	तुम्हारा
आप	आप	आपको	आपका
वे	उन	उनको – उन्हें	उनका
ये	इन	इनको – इन्हें	इनका
कोई	किसी	किसी को	किसी का
कुछ	कुछ	–	–
जो	जिस	जिसको – जिसे	जिसका
जो plu.	जिन	जिनको – जिन्हें	जिनका

प्राथमिक हिन्दी Elementary Hindi

In these two examples, the oblique postpositional phrase is in bold face:

१ - उसको

२ - वह उस शहर के बड़े मकान में रहती है.

Note: The postpositional phrase उस शहर के बड़े मकान consists of the noun मकान governed by the post position में and modifiers बड़े and उस शहर के. The post position के governs the post positional phrase उस शहर.

The first pronoun in the sentence वह is not governed by a postposition and is therefore not in the oblique.

In these examples, the terms in the oblique are in **underlined bold face**:

DIRECT CASE	OBLIQUE CASE
यह छोटा फलवाला है.	<u>इस छोटे फलवाले</u> से बात कीजिये.
This is a little fruitseller.	Please converse with this little fruitseller.
दिल्ली का यह अच्छा कपड़ेवाला.	<u>दिल्ली के इस अच्छे कपड़ेवाले</u> को बताइये
This good Delhi clothseller	Please tell this good Delhi clothseller.
वह पका सेब	<u>उस पके सेब</u> का दाम क्या है ?
That ripe apple	What is the price of that ripe apple?
वह अच्छा छात्र	<u>उस अच्छे छात्र</u> का नाम क्या है
That good student	What's the name of that good student?

अभ्यास –१: Substitute each phrase into either (a) or (b) depending on the meaning.

(a) ------------ का दाम क्या है? (b) ----------- से बात कीजिये.

१- वह मँहगी साड़ी.

२- यह बड़ा गाहक.

३- यह छोटा फलवाला.

४- वह अच्छा सेब.

५- बम्बई का यह अच्छा कपड़ेवाला.

६- मेम साहब की वह अच्छी चीज.

७- कानपुर का वह प्रसिद्ध मोची.

८- वह गरम मीठा रसगुल्ला.

९- यह बड़ी इमारत.

१०- सुनार का यह सुन्दर गहना.

अभ्यास – २: Translate the following in Hindi.

1. Buy saris from this good Delhi clothseller.
2. What is the price of that blouse cloth?
3. Take the twenty rupee book.
4. Write with that green pen.
5. Listen to our Hindi teacher.
6. Ask this good friend of mine.
7. Tell that Hindi class student (about) the work.
8. What is the price of this shop's fresh orange?
9. Go to that big city.
10. Converse with that good Hindi class student on Friday.
11. That big building's room is my friend's.
12. Converse with our fruitseller's son.

OBLIQUE PLURAL

The oblique plural, like the oblique singular, is used when the nouns, pronouns, and adjectives are governed by any postposition. The oblique plural of all nouns is characterized by the ending ओं:

	masculine marked				masculine unmarked	
	singular		plural		singular	plural
direct	आ	लड़का	ए	लड़के	कागज़	कागज़
oblique	ए	लड़के	ओं	लड़कों	कागज़	कागज़ों

	feminine marked				feminine unmarked		
	singular		plural		singular		plural
direct	ई	लड़की	इयाँ	लड़कियाँ	औरत	एँ	औरतें
oblique	ई	लड़की	इयों	लड़कियों	औरत	ओं	औरतों

ADJECTIVE DECLENSIONS

	masculine				feminine	
	singular		plural		singular	plural
direct	आ	पुराना	ए	पुराने	ई	पुरानी	पुरानी
oblique	ए	पुराने	ए	पुराने	ई	पुरानी	पुरानी

THE DECLENSIONS

	singular	plural	singular	plural	singular	plural
direct	यह	ये	वह	वे	क्या	क्या
oblique	इस	इन	उस	उन	किस	किन

Note: The oblique plural of nouns indicates plural only; it cannot be used for politeness.

प्राथमिक हिन्दी Elementary Hindi

DIRECT:
singular meaning
plural

साहब अमरीका से हैं.
The gentleman is from America.
The gentlemen are from America.

oblique साहबों से बात कीजिये. Talk to the gentlemen. (plural only).

RULE: When adjectives are used as nouns, the noun endings are used.

छोटा फल, बड़ा फल.

छोटे सेब, बड़े सेब.

छोटे का दाम क्या है?
What is the price of the small one?

बड़ों का दाम क्या है?
What is the price of the bigger ones?

RULE: Nouns referring to quantities (of time or money) are most commonly used in the oblique singular when they do not refer to individual items.

ये दो रुपये के पपीते हैं.
These are two-rupee papayas.
(two rupee amount, not individual rupees)

वह दो दिन का काम है.
That's two days' work.
(two days in one stretch of time)

अभ्यास – १ (Practice): Answer the following questions using the superlative pattern:

क्या आप अमेरिका के सबसे बड़े शहर में रहते हैं?

क्या वह अमेरिका के सबसे बड़े प्रदेश में जा रहा है?

क्या तुम अमेरिका के सबसे पुराने शहर को देखने जा रहे हो?

भारत का सबसे नया शहर क्या है?

भारत की सबसे सुंदर इमारत क्या है?

भारत का सबसे नया प्रदेश क्या है?

क्या वह सबसे सुन्दर लड़की है?

क्या आप उस सबसे बड़े वाले घर में जा रहे हैं?

क्या आज सबसे अच्छे वाले छात्र हिन्दी पढ़ रहे हैं ?

क्या वह लंबा वाला लड़का कक्षा में बात करता है?

क्या माता पिता छोटेवाले बच्चे के साथ खेल रहे है?

क्या धोबी केवल बड़े वाले कपड़े धोरहे हैं?

क्या सुनार गहने बना रहे हैं?

क्या कुली बच्चों का सामान ले जा रहे हैं?

क्या तुम होलिका प्रोग्राम में डान्स कर रही हो?

Exercise - 2 Translate in Hindi

1. I am talking with the younger brother.

2. She is going with the older girl.

3. Is he the youngest child?

4. Eat the sweeter mango.

5. Please look at the better fruits.

6. He lives in a bigger home.

7. Give me the smaller one.

8. Bombay girls are taller.

9. There are better homes.

10. He is running on the longer road.

11. I am taller than you.

12. The faster running girl is coming to school.

13. John runs faster than Jason.

14. You are the most beautiful.

संख्या NUMBERS

0	1	2	3	4	5	6	7	8	9	10
०	१	२	३	४	५	६	७	८	९	१०
शून्य	एक	दो	तीन	चार	पाँच	छह	सात	आठ	नौ	दस

११ ग्यारह	१२ बारह	१३ तेरह	१४ चौदह
१५ पन्द्रह	१६ सोलह	१७ सत्रह	१८ अठारह
१९ उन्नीस	२० बीस	२१ इक्कीस	२२ बाइस
२३ तेइस	२४ चौबीस	२५ पच्चीस	२६ छब्बीस
२७ सत्ताइस	२८ अट्ठाइस	२९ उनतीस	३० तीस
३१ इकतीस	३२ बत्तीस	३३ तैंतीस	३४ चौंतीस
३५ पैंतीस	३६ छत्तीस	३७ सैंतीस	३८ अंड़तीस
३९ उन्तालीस	४० चालीस	४१ इकतालीस	४२ बयालीस
४३ तिरालीस	४४ चौआलीस	४५ पैंतालीस	४६ छियंलीस
४७ सैंतालीस	४८ अंड़तालीस	४९ उन्चास	५० पचास

५१ इक्यावन	५२ बावन	५३ तिरपन	५४ चौअन
५५ पचपन	५६ छप्पन	५७ सत्तावन	५८ अट्ठावन
५९ उनसठ	६० साठ	६१ इकसठ	६२ बासठ
६३ तिरसठ	६४ चौंसठ	६५ पैंसठ	६६ छाछठ
६७ संड़सठ	६८ अंड़सठ	६९ उनहत्तर	७० सत्तर
७१ इकहत्तर	७२ बहत्तर	७३ तिहत्तर	७४ चौहत्तर
७५ पछत्तर	७६ छिहत्तर	७७ सतहत्तर	७८ अठहत्तर
७९ उन्नासी	८० अस्सी	८१ इक्यासी	८२ बयासी
८३ तिरासी	८४ चौरासी	८५ पचासी	८६ छिआसी
८७ सत्तासी	८८ अट्ठासी	८९ नवासी	९० नब्बे
९१ इक्यानवे	९२ बानवे	९३ तिरानवे	९४ चौरानवे
९५ पंचानवे	९६ छिआनवे	९७ सत्तानवे	९८ अट्ठानवे
९९ निन्यानवे	१०० एक सौ	- सौ - hundreds - सैंकड़ों	

प्राथमिक हिन्दी Elementary Hindi

गणित - मैथमेटिक्स

$$3 + 1\tfrac{1}{2} = 4\tfrac{1}{2}$$
$$3 \times 1\tfrac{1}{2} = 4\tfrac{1}{2}$$

अंक गणित - अरिथमेटिक्स

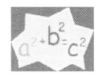

बीज गणित - ऐलजेब्रा

रेखा गणित - ज्यामेट्री

त्रिकोणमिति - ट्रिग्नोमेट्री

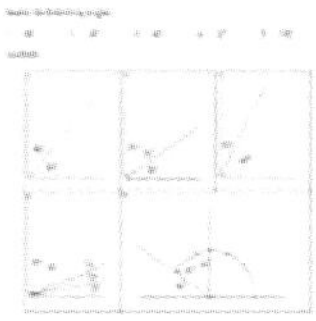

कैलकुलस - परिकलन

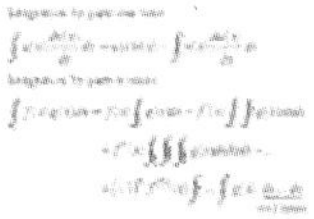

१,००० एक हज़ार - हज़ार	thousands - हजारों	१०,००० दस हज़ार	

१,००,००० एक लाख - लाख — lakhs (units of 100,000)

१०,००,००० दस लाख — one million (1,000,000)

१,००,००,००० एक करोड़ — ten million

१०,००,००,००० दस करोड़ — hundred million

१,००,००,००,००० एक अरब — thousand million or one billion

ORDINALS AND AGGREGATIVES:

#	CARDINALS		ORDINALS		AGGREGATIVES
१	एक	first	पहला		-
२	दो	second	दूसरा	both	दोनों
३	तीन	third	तीसरा	all three	तीनों
४	चार		चौथा		चारों
५	पाँच		पाँचवाँ		पाँचों
६	छह		छठा		छहों
७	सात		सातवाँ		सातों
८	आठ		आठवाँ		आठों
९	नौ		नौवाँ		नौवों
१०	दस		दसवाँ		दसों
११	ग्यारह		ग्यारहवाँ		ग्यारहों
५१	इक्यावन		इक्यावनवाँ		इक्यावनवों
१००	सौ		सौवाँ		सौवों

All other ordinals are formed by adding the suffix 'वाँ' to the cardinal to form a marked adjective with the normal adjective endings, except that they are all nasalized.
Example: 'tenth'

	masc.	fem.
sing.	दसवाँ	दसवीं
plur.	दसवें	दसवीं

The ordinals above are forms borrowed from Sanskrit and are commonly found in Hindi. Thus written references to railroad classes commonly refer to प्रथम श्रेणी 'first class' instead of पहला दर्जा. In the spoken language, the English form फ़र्स्ट क्लास would be most common. Lottery ads also use these forms:

प्रथम पुरस्कार first prize
द्वितीय पुरस्कार second prize
तृतीय पुरस्कार third prize

However, when the Urdu form for prize इनाम is used, the ordinary forms are used. Example: पहला इनाम दूसरा इनाम तीसरा इनाम.

First Prize
प्रथम पुरस्कार

Second Prize
द्वितीय पुरस्कार

Third Prize
त्रितीय पुरस्कार

Sometimes Sanskrit ordinals are also used in Hindi-

First Class
प्रथम श्रेणी

Second Class
द्वीतीय श्रेणी

Third Class
त्रितीय श्रेणी

नमस्ते जी
(namaste jii)

एक चौथाई

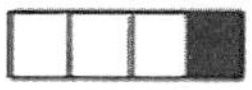

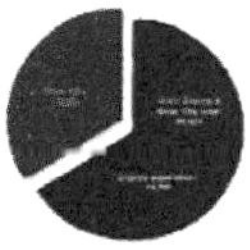

एक तिहाई

आधा

तीन चौथाई

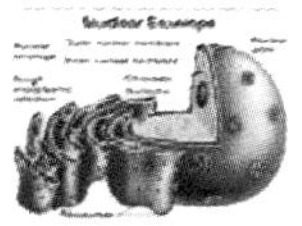

एक सही एक बटे चार   1 + 1\4

दो सही दो बटे तीन   2 + 2|3

पाँच सही तीन बटे आठ 5 + 3\8

दशमलव   decimal   2.3 or 3.45

एक दशमलव तीन   1.3

चार दशमलव शून्य दो   4.02

जोड़ना   Addition   3 + 2 = 5

घटाना   Subtraction 5 – 3 = 2

गुणा गुणा करना Multiplication 2 x 3 = 6

भाग भाग करना   Division 6 / 2 = 3

समीकरण   Equation 2a = 3a = 5a

वर्ग चौकोर

आयात

त्रिकोण त्रिभुज    रेखाचित्र

रेखा   ----

बिन्दु   .

MULTIPLICATIVES:

These forms, like the aggregatives are formed by adding the suffix - ओं to the cardinals numbers. They are, however, commonly used with certain larger numbers:

दसों	tens and tens	कोड़ों	scores and scores
सैंकड़ों	hundreds and hundreds	हज़ारों	thousands

Thousands are coming to see the five-legged pig.
हज़ारों पाँच पैरों वाले सुअर को देखने आ रहे हैं.

अभ्यास-१ Answer each question as in the example-

example: how much is ten and ten   twenty.

दस और दस कितने हैं?   बीस हैं.

१ - चार और पाँच कितने हैं?   ६ - उन्नीस और इक्कीस कितने हैं?
२ - आठ और सात कितने हैं?   ७ - बारह और तेरह कितने हैं?
३ - नौ और दस कितने हैं?   ८ - सोलह और तेरह कितने हैं?
४ - तीन और छह कितने हैं?   ९ - दस और बीस कितने हैं?
५ - पन्द्रह और अठारह कितने हैं?   १० - ग्यारह और सत्रह कितने हैं?

Note : How much - कितना   how many - कितने.

अभ्यास - २ Read the following in Hindi :

बनारस की आबादी ४४, ००, ००० है.
इलाहाबाद की आबादी १८, ००, ००० है.
१,००० डॉलर ३०, ००० रुपये हैं.
१,५०० और ८०० , २,३०० के बराबर है.
५,१५,००० और २,००,००० कितना है?

अभ्यास - ३ Translate in to Hindi

1. I want a second class ticket to Allahabad.
2. All five students are speaking Hindi.
3. Anita lives on 22nd street.
4. She is singing the third part of the song .
5. Hundreds are coming to listen to Mr. Sharma.

HINDI FRACTIONS:

1/2	आधा	आधा केला	half banana
3/4	पौन	पौन घंटा	three quarters of an hour
1 1/4	सवा	सवा डॉलर	$1.25
1 1/2	डेढ़	दाम डेढ़ रुपया है	price is Rs.1.50
2 1/2	ढाई	ढाई किलो बहुत है	2 1/2 kilos is enough

From this point on, all the fractions are formed regularly:

1 3/4 पौने दो   2 3/4 पौने तीन   3 3/4 पौने चार   2 1/4 सवा दो

3 1/4 सवा तीन 4 1/4 सवा चार   3 1/2 साढ़े तीन 4 2/4 साढ़े चार

5 1/2 साढ़े पाँच

NOTE: पौने means 'one quarter less than'. The fractions are considered singular up to and including 11/2 डेढ़ .

अभ्यास - ४: Answer in Hindi and translate in English.

१ - ढाई और डेढ़ कितने हैं?   २ - सवा बारह और साढ़े चार कितने हैं?

३ - साढ़े पाँच और पौने नौ कितने हैं?   ४ - ढाई और ढाई कितने हैं?

५ - पौन और डेढ़ कितने हैं?   ६ - सवा और सवा चार कितने हैं?

७ - पौने बारह और ढाई कितने हैं?   ८ - सवा तीन और साढ़े सात कितने हैं?

९ - पौने दो और पौने पाँच कितने हैं?   १० - साढ़े नौ और पौने पाँच कितने हैं?

HINDI TIME EXPRESSION

The Hindi equivalent of o'clock is बजा (singular)
बजे (Plural or adverbial)

'What time is it?' has many common equivalents:

कितने बजे हैं? क्या बजा है? कै बजा है?

क्या समय है? क्या वक्त है?

NOTE: 'Time' means समय or वक्त. क्या टाइम है?

These are the on-the-hour time expressions:

It's one o'clock to It's twelve o'clock.

एक बजा है. It's one o'clock.

दो बजे हैं. तीन बजे हैं. चार बजे हैं.

पाँच बजे हैं. छह बजे हैं. सात बजे हैं. आठ बजे हैं.

नौ बजे हैं. दस बजे हैं. ग्यारह बजे हैं. बारह बजे हैं.

The fractions are used in telling the quarter-time as follows:

It's quarter past	It's half past	It's quarter to
१:१५ सवा बजा है.	१:३० डेढ़ बजा है.	१२:४५ पौन बजा है.
२:१५ सवा दो बजे हैं.	२:३० ढाई बजे हैं.	१:४५ पौने दो बजे हैं.

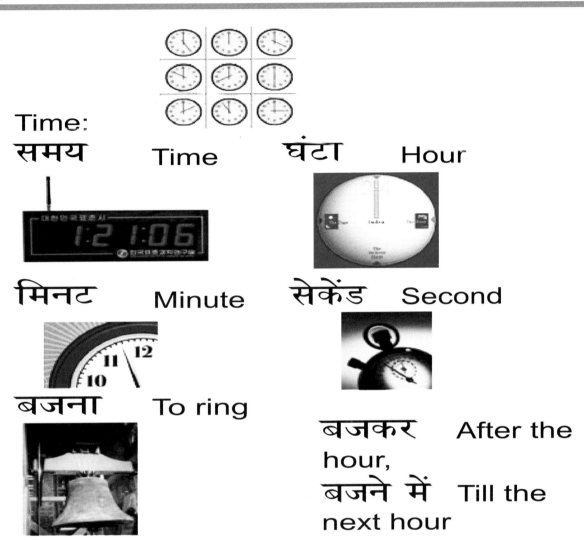

Time:

समय Time

घंटा Hour

मिनट Minute

सेकेंड Second

बजना To ring

बजकर After the hour,

बजने में Till the next hour

समय क्या है? What is the time?

क्या आपके पास समय है? Do you have time?

क्या बजा है What time is it?

प्राथमिक हिन्दी Elementary Hindi

एक बजकर पाँच   1:05 or 5 after 1

सात बजने में पच्चीस   25 till 7 or 6:35

दो बजकर दस   2:10 or 10 after 2

आठ बजने में दस   10 till 8 or 7:50

तीन बजकर बीस   3:20

चार बजकर चालीस   4:40 or 20 till 5

नौ बजने में तीन   3 till 9 or 8:57

176

३:१५ सवा तीन बजे हैं.   ३:३० साढ़ तीन बजे हैं.

२:४५ पौने तीन बजे हैं.   ४:१५ सवा चार बजे हैं.

४:५० साढ़े चार बजे हैं.   ३:४५ पौने चार बजे हैं.

There are general forms for telling time also, which can be used for all times. First of all, the universal forms such as 'two forty' can be translated directly:

2:40 दो चालीस   11:34 ग्यारह चौंतीस

Alternatively, the following are used:

> After the hour, the form of बजना used is "बजकरः usually with past verb form हुए or हो गए.

चार बजकर दस मिनट हुए   It is ten minutes after four.
    (four having rung, ten minutes occurred)

Or   चार बजकर दस मिनट.

> Before the hour, the form of बजना is बजने में, often with adverb बाकी 'remaining':

नौ बजने में पाँच मिनट बाकी हैं. It is five minutes before nine.
                    (in nine ringing, five minutes are left)
or नौ बजने में पाँच मिनट.

अभ्यास : १ - Using different cities and times, answer this question:

It's two o'clock in Chicago.   What time is it in Houston?

प्राथमिक हिन्दी Elementary Hindi

शिकागो में दो बजे हैं.

ह्यूस्टन में कितने बजे हैं?

ans. ह्यूस्टन में एक बजा है.

अभ्यास – २   Give the Hindi equivalent.

1- It is 8:30.   1- It is 6:15.   3 - It is 1:30.   4 - It is 2:30.
5 - It is 12:45. 6 - It is 7:45.   7 - It is 11:00.   8 - It is 5:15.
9 - It is 12:30. 10 - It is 2:45. 11 - It is 1:15.   12 - It is 11:45.

अभ्यास – ३   Give three Hindi equivalents for the following -

1- It is 8:15.   2 - It is 7:30.   3 - It is 1:30.
4 - It is 6:45.   5 - It is 11:45.   6 - it is 12:45.

CLOCK-TIME EXPRESSIONS (ADVERBIAL)

When clock times are used adverbially, the equivalent of English 'at' is expressed in various ways:

At what time does he come?   वह कितने बजे आता है?   या,

वह किस समय आता है ?   या,   वह किस वक्त आता है?

He comes at 3:30.   वह साढ़े तीन बजे आता है.
वह तीन बजकर तीस पर आता है.

At what time should I come?   मैं किस समय (पर) आऊँ?
मैं कब आऊँ ?

(You) Come at 2:30.   ढाई बजे आओ.

(You) Come at five to two.   दो बजने में पाँच मिनट पर आओ.

(You) Listen to the program at 9:20.   नौ बजकर बीस मिनट पर कार्यक्रम सुनो.

RADIO PROGRAM SUMMARY

| झरोखा |

आज के कायिक्रमों की रूपरेखा

"संगीत सरिता" कार्यक्रम में अब से कुछ देर बाद आप सुनेंगे, राग जौनपुरी में कुछ गीत.

-- सात बजकर चालीस मिनट पर "रंगावली", आठ बजे समाचार, और आठ दस पर भूले बिसरे गीत. -- साढ़े आठ बजे प्रोग्राम होगा "चित्रलोक"

-- आपके फ़र्माइशी फ़िल्मी गाने नौ बजे "अनुरोध" गीत में, एक बजे मन चाहे गीत, ढाई बजे मनोरंजन, और रात को साढ़े दस बजे "आपकी फ़र्माइश" में बजते हैं.

-- आपके अनुरोध के ग़ैर-फ़िल्मी गाने साढ़े बारह बजे "गान मंडली" में और दो बजे "रंगो-तरंग" में बजेंगे.

-- साढ़े तीन बजे "अनुरंजनी" में सुनिये रवि शंकर जी का सितार.

-- कर्नाटक संगीत सभा शाम पौने चार बजे से साढ़े पाँच बजे तक .

-- सवा छह बजे सांध्य गीत कार्यक्रम होगा.

-- पौने नौ बजे समाचार और नौ बजे "साज़ और आवाज़".

-- दस बजे सुनिये हमारा अन्तिम प्रोग्राम नाटक "कल आज और कल".

Ch8 L31 The planets

ग्रह

the solar system	sun	moon	earth
सौर-मण्डल	सूर्य / सूरज	चन्द्रमा / चाँद	पृथ्वी

Mars	Mercury	Jupiter	Venus	Saturn
मंगल	बुध	बृहस्पति	शुक्र	शनि

साल - महीने - दिन

year	month	week	day	today
साल / वर्ष	महीना	सप्ताह / हफ़्ता	दिन / दिवस	आज

yesterday	day before yesterday	two days before yesterday
कल	परसों	नरसों

tomorrow	day after tomorrow	two days after tomorrow
कल	परसों	नरसों

January	February	March	April	May
जनवरी	फरवरी	मार्च	अप्रैल	मई

June	July	August	September
जून	जुलाई	अगस्त	सितम्बर

October	November	December
अक्टूबर	नवम्बर	दिसम्बर

प्राथमिक हिन्दी Elementary Hindi

Planets **ग्रह** Solar System **सौर-मण्डल**

Sun **सूर्य-सूरज**

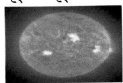

Moon **चाँद-चन्द्रमा** Earth **धरती-पृथ्वी** Star **तारा**

Mars **मंगल** Mercury **बुध** Jupiter **बृहस्पति** Venus **शुक्र**

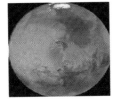  

Saturn **शनि** Year - **साल-वर्ष** Month **महीना**

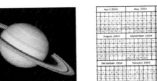  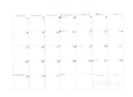

प्राथमिक हिन्दी Elementary Hindi

DAYS

Monday	Tuesday	Wednesday	Thursday
सोमवार	मंगलवार	बुधवार	गुरुवार - बृहस्पति वार

Friday	Saturday	Sunday	these days
शुक्रवार	शनिवार	रविवार / इतवार	आजकल

Independence day	Republic day	Christmas
स्वतंत्रता दिवस	गणतंत्र दिवस	बड़ा दिन

Thanksgiving धन्यवाद दिवस

Holiday छुट्टी - छुट्टी का दिन/ अवकाश दिवस

these days आजकल / ये दिन / इन दिनों

those days वो दिन / वे दिन / उन दिनों

this day यह दिन / इस दिन

that day वह दिन / उस दिन

on Monday सोमवार को

on any day कोई दिन / किसी दिन

everyday रोज़ / प्रतिदिन

rainy day बरसात का दिन

LEARN THESE -

Come on Monday. — सोमवार को आओ.
Take the money on the first. — पहली तारीख़ को पैसा लो.

Go to the Temple on Monday. — मंगलवार को मन्दिर जाओ.
Don't come to work on Independence Day.
स्वाधीनता दिवस पर / को / में काम पर न आओ.

Play a lot on Holi. — होली में खूब खेलो.

Holiday
छुट्टी का दिन

Free time
छुट्टी का समय

Independence day
स्वतंत्रता दिवस

Republic day
गणतंत्र दिवस

Thanksgiving
धन्यवाद दिवस

Christmas
बड़ादिन

These days
आजकल-ये दिन-इन दिनों

Those days
वे दिन-उन दिनों

छुट्टी में खूब मजा करो

रोज स्कूल जाओ आज क्या तारीख है?

अभ्यास - Look at the calender and answer the following questions:

१ - ग्यारह तारीख़ कौन-सा दिन है?
२ - तीस तारीख़ कौन-सा दिन है?
३ - तेईस तारीख़ कौन-सा दिन है?
४ - छब्बीस तारीख़ कौन-सा दिन है?
५ - पहली तारीख़ कौन-सा दिन है?
६ - चौबीस तारीख़ कौन-सा दिन है?
७ - कितने बुधवार हैं?
८ - कितने शनिवार हैं?
९ - यह नवम्बर क्यों नहीं है?
१० - यह क्या महीना है?
११- पच्चीस तारीख़ को देखिये?

Ch9 L32   THE PRO. PRESENT तात्कालिक वर्तमान काल

Like the habitual present, the progressive present consists of two words; the first word indicates the **aspect**, <u>progressive,</u> and the second marks the **tense**, <u>present.</u>

Habitual present
   stem

मैं जा + ता हूँ - मैं जाता हूँ

तुम जा + ते हो - तुम जाते हो

वह जा + ता है - वह जाता है

हम जा + ते हैं - हम जाते हैं

Progressive present
   stem

मैं जा + रहा हूँ - मैं जा रहा हूँ

तुम जा + रहे हो - तुम जा रहे हो

वह जा + रहा है - वह जा रहा है

हम जा + रहे हैं - हम जा रहे हैं

<u>RULE 1</u>- In progressive present tense, **रहा, रही या रहे** is added to the verb stem according to the person, number, and gender of the subject. रहा is added with masculine singular, रही with feminine singular or plural and रहे is added with plural and second person pronoun तुम.

<u>RULE 2</u> - Auxiliary verb, also called the tense marker, हूँ, हो, है or हैं is added according to the person and number of the subject. हूँ is added with मैं, हो is added with तुम, है is added with third person pronoun or noun and हैं is added with plural.

<u>RULE 3</u> - In this verb form, the stem is written as a separate word and not connected to the ending.

Examples - उदाहरण

१- मैं किताब पढ़ रहा हूँ.   २- मैं पुस्तक पढ़ रही हूँ.

प्राथमिक हिन्दी Elementary Hindi

३ - तुम क्या कर रहे हो?

४ - मैं पत्र लिख रहा हूँ.

५ - क्या तुम कक्षा में सो रहे हो?

६ - जी नहीं , मैं खाना खा रहा हूँ.

७ - तुम हिन्दी कक्षा में अँग्रेज़ी क्यों पढ़ रही हो?

८ - जी मैं अँग्रेजी नहीं, फिज़िक्स पढ़ रही हूँ.

९ - तुम सब कल कहाँ जा रहे हो?

१० - हम सब कल ऑस्टीन जा रहे हैं.

११ - क्या हो रहा है?

१२ - श्री प्रकाशजी, हम लोग कुछ नहीं कर रहे हैं.

१३ - तुम सब हल्ला क्यों कर रहे हो? जी, हम लोग शोर नहीं मचा रहे हैं.

शब्दवली: Vocabulary

उच्च शिक्षा - higher education   प्राप्त करना - to receive पुत्र - son   विदेश - foreign

छात्रवृत्तियाँ - scholarships   मिलना - available   होना - to happen

कुछ नहीं करना - to do nothing   हल्ला करना - to make noise शोर मचाना - to make noise

185

Progressive Present Tense in Hindi is formed by adding रहा, रहे or रही in the verb stem and using helping verb हूँ, हो, है, or हैं according to the subject.

आना   आ   + रहा - आरहा

खाना   खा   + रहा - खारहा

पढ़ना   पढ़   + रहा - पढ़रहा

जाना   जा   + रही - जारही

लेना   ल   + रहे - लेरहे

देना   द   + रहा - देरहा

पीना   पी   + रहा - पीरहा

186

३- तुम लिख रहे हो.

४- तुम लिख रही हो.

५- वह दौड़ रहा है.

६- वह दौड़ रही है.

७- हम खाना खा रहे हैं.

८- हम खाना खा रही हैं.

९- वे सो रहे हैं.

१०- वे सो रही हैं.

RULE 4 - The negative of the progressive present is formed by negative marker नहीं not, before the verb. Deletion of the tense marker in the negative of the progressive present is not as common as for the habitual present. In general, the progressive is not very commonly used in the negative.

Example - लड़कियाँ घर जा रही हैं.

लड़कियाँ घर नहीं जा रही हैं.

लड़कियाँ घर नहीं जा रही.

Note - रही changes to रहीं when the tense marker is dropped.

USES - 1. Note that the progressive present can be used to describe an action occurring in the future. This is especially common with verbs of motion.

वह आज आ रहा है. He's coming today.

आज खुल रहा है - बसंत एम्पोरियम. Opening today - Basant Emporium.

2. Most of the time, however, the progressive present is used for an action occurring in the present as in the following examples:

१ - उच्च शिक्षा प्राप्त करने के लिये उसका बेटा विदेश जा रहा है.

२ - इंडियन ऑयल की छात्रवृत्तियाँ मिल रही हैं.

पढ़ने का अभ्यास

राजू - सोनू , आज हमारे शहर में रिंगलिंग ब्रदर्स सर्कस आ रहा है .
सोनू - क्या तुम जा रहे हो?
राजू - हाँ ! मैं, पिताजी और बहन के साथ जा रहा हूँ . तुम भी जा रहे हो?
सोनू - नहीं, मैं नहीं जा रहा. मेरी छोटी बहन और भाई जा रहे हैं.
राजू - बहुत लोग जा रहे हैं. श्याम साइकिल से जा रहा है और रेखा-शिल्पा रिक्शा से जा रही हैं. सुनीता और कामिनी शाम को मेरे घर आ रही हैं. वे भी हमारे साथ जा रही हैं.

सर्कस में

राजू - अरे वो देखो, वो जोकर कितनी जोर - जोर से कूद रहा है और अपनी बातों से लोगों को हँसा रहा है.
राजू की बहन - हाँ, और वो देखो, उधर लड़कियाँ झूला झूल रही हैं. अब बन्दर बाइसिकिल चला रहे हैं.
राजू - बापरे, वह लड़की शेर के मुँह में अपना मुँह डाल रही है - उसको डर नहीं लग रहा है?
राजू का भाई - देखो राजू, अब सील अपनी नाक पर गेंद घुमा रही है.
बहन - भैय्या, मुझे तो सर्कस में बड़ा मजा आ रहा है. सब लोग कितना हँस रहे हैं .

PROGRESSIVE PAST   OR   PAST CONTINUOUS
तात्कालिक भूतकाल

To express continuity of a past action at a particular time, (रहा) is added in the verb stem, which changes into (रहे) in masculine plural, (रही) in feminine singular and plural. The rules are the same as in progressive present, only tense markers हूँ, हो, है, हैं are replaced by था, थे, थी or थीं.

उदाहरण -

१ - मैं दस साल से एक ही चाय का प्रयोग (इस्तेमाल) कर रही थी.
   I was using the same tea for ten years.

२ - धोबी गन्दे पानी में कपड़े धो रहा था.
   The washerman was washing the clothes in dirty water.

३ - मैडम सेन्ट्रल हिन्दी इन्स्टीट्यूट में अँग्रेज़ी बोल रही थीं.
   Madam was speaking English in the Central Hindi Institute.

४ - सब्ज़ीवाला विदेशी को ऊँचे दाम बता रहा था.
   The vegetable seller was telling high prices to the foreigner.

५ - स्टीवेन बायें हाथ से रसगुल्ला खा रहा था.
   Steven was eating rasgulla with left hand.

६ - लड़की कक्षा में देर से आरही थी.
   The girl was coming late in the class.

७ - शिक्षक बड़ी परीक्षा बना रहे थे.
   The teacher was making a big test.

८ - वे सुन्दर लड़कियों से बातें कर रहे थे.
   They were talking to pretty girls.

९ - हम पुस्तकें वापस कर रहे थे.
   We were returning the books.

Progressive Pat Tense in Hindi is formed by adding रहा, रहे,or रही,in the verb stem and using helping verb था, थे, or थी according to the subject.

Present progressive   Past Progressive

सबकुछ कैसा चल रहा है? / था?

आप क्या पढ़ रही हैं, / थीं?

वह पानी पी रही है / थी

हम खाना खा रहे हैं / थे

आप क्यों बोल रहे हैं? / थे?

सबलोग क्या कर हैं? / थे?

190

१० - विदेशी हिन्दी बोलने की कोशिश कर रहा था.

The foreigner was trying to speak Hindi.

११ - वह बोलना शुरु कर रही थी.

She was starting to talk.

१२ - एक छात्र सुबह सवा सात बजे स्कूल जा रहा था.

One student was going to school at 7:15 in the morning.

Exercise A : Translate into Hindi हिन्दी में अनुवाद कीजिये -

1- Sarah was reading the lesson.

2- Jordan was playing outside.

3- What were you doing there?

4- It was rainning heavily yesterday.

5- The birds were flying in the sky.

6- The washerman was washing the clothes.

7- The dog was running on the street.

8- The tailor was sewing the shirt.

9- The girls were talking in the class.

10- We were taking the test that day.

Exercise B: अँग्रेज़ी में अनुवाद कीजिये -

१- आप क्या कर रहे थे?

२- मैं पतंग उड़ा रहा था.

३- उस दिन हम घर जा रहे थे.

४- क्या मेड घर साफ़ कर रही थी?

५- एक लाख रुपयों की चीनी सड़ रही थी.

६- भारत के प्रधान मन्त्री अमेरिका आ रहे थे.

७- उन दिनों पानी बरस रहा था.

८- हम सब आपका इन्तज़ार कर रहे थे.

९- क्या हो रहा था?

१०- तुम क्या खा रहे थे?

११- हल्ला क्यों हो रहा था?

१२- लड़के - लड़कियाँ परीक्षा ले रहे थे.

१३- सब छात्र स्कूल से लौट रहे थे.

१४- उसकी बहिन दरवाज़ा बन्द कर रही थी.

१५- मोची जूते बना रहा था.

१६- माता बच्चे को दूध पिला रही थी.

१७- मछेरे मछलियाँ पकड़ रहे थे.

१८- मेरा दोस्त ऑफ़िस जा रहा था.

शब्दावली - Vocabulary

पतंग - kite, उड़ाना - to fly, साफ़ करना - to clean, चीनी - sugar, सड़ना - to rot,

प्रधान मंत्री - prime-minister, उन दिनों - those days, पानी बरसना - to rain,

इन्तज़ार करना - to wait, परीक्षा - test, लौटना - to return, बन्द करना - to close,

बनाना - to make, पिलाना - to make someone drink (direct causative),

मछेरे - fisherman, मछली पकड़ना - to catch fish.

Ch10 L33 THE SIMPLE FUTURE OR FUTURE INDEFINIT

भविश्यकाल

The tense markers for future tense are गा, गे, गी and गीं added to the verb stem after adding ऊँ, ओ, ए or एँ in the verb stem according to the number and gender of the subject. Look at the following:

SUBJECT	VERB	STEM	+	+	FUTURE VERB FORM
मैं	जाना	जा	ऊँ	गा	जाऊँगा
मैं	जाना	जा	ऊँ	गी	जाऊँगी
तुम	जाना	जा	ओ	गे	जाओगे
तुम	जाना	जा	ओ	गी	जाओगी
हम / वे	जाना	जा	एँ	गे	जाएँगे / जायेंगे
हम / वे	जाना	जा	एँ	गी	जाएँगी / जायेंगी
वह	जाना	जा	ए	गा / गी	जायेगा / जायेगी

NOTE: A buffer consonant य is used when the stem ends in a maatra other than अ

193

प्राथमिक हिन्दी Elementary Hindi

मैं किताब पढ़ूँगा-पढ़ूँगी I will read the Book

मैं जूस पीयूँगा-पीयूँगी I will drink juice

What will you do?
तुम क्या करोगे – करोगी?

Will you go home?
क्या तुम घर जाओगे – जाओगी?

194

Subject: Third Person Noun or Pronoun
He/She/That/This- वह – यह

	Stem	Ending M - F
वह	जा	एगा–एगी	जाएगा–जाएगी

 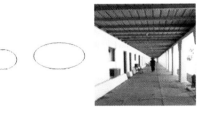

| यह | पढ़ | एगा–एगी | पढ़ेगा–पढ़ेगी |

With Special verbs:

वह	ले	लेगा	–	लेगी
	दे	देगा	–	देगी
	पी	पीयेगा	–	पीयेगी
	कर	करेगा	–	करेगी
	हो	होगा	–	होगी

What will he/she do?

वह क्या करेगा – करेगी?

He/She will play tennis.

वह टेनिस खेलेगा – खेलेगी

195

MORE EXAMPLES: To drink **पीना**

SUBJECT	STEM	+	+	FUTURE VERB FORM
मैं	पी	ऊँ / यूँ	गा / गी	पीऊँगा / पीऊँगी
			or	पीयूँगा / पीयूँगी
तुम	पी	ओ / यो	गे / गी	पीओगे / पीओगी
			or	पीयोगे / पीयोगी
वह	पी	ए / ये	गा / गी	पीएगा / पीएगी
			or	पीयेगा / पीयेगी
वे / हम	पी	एँ / यें	गे / गी	पीएँगे / पीएँगी
			or	पीयेंगे / पीयेंगी

चलना :

subject	masc.	fem.
मैं	चलूँगा	चलूँगी
तुम	चलोगे	चलोगी
वह	चलेगा	चलेगी
वे / हम	चलेंगे	चलेंगी

The verbs **लेना** and **देना** drop the stem vowel **ए** but have the same endings:

	लेना		देना	
मैं	लूँगा	लूँगी	दूँगा	दूँगी
तुम	लोगे	लोगी	दोगे	दोगी
वह	लेगा	लेगी	देगा	देगी
वे/आप/हम	लेंगे	लेंगी	देंगे	देंगी

The verb होना has somewhat irregular endings:

मैं	हूँगा	हूँगी
तुम	होगे	होगी
वह	होगा	होगी
वे / हम	होंगे	होंगी

अनुवाद कीजिये - Translate.

१ - मैं कल मैसूर जाऊँगा.

२ - मैं आपके घर शाम को आऊँगा.

३ - वे कल तुम्हारे स्कूल आयेंगे.

४ - क्या आप मेरे साथ चलेंगे?

५ - वह आज स्कूल नहीं जायेगा.

६ - वह सुबह नहीं नहायेगा.

७ - तुम मेरे लिये यह काम करोगे.

८ - सीता आज नहीं पढ़ेगी.

९ - हम कल नहीं खेलेंगी.

१० - तुम आज रात को कहाँ जाओगे.

1 - What will he give?
2 - He will give you a mango.
3 - Why will we not eat and sleep tomorrow?
4 - Tomorrow we will watch a game and will sing a song.
5 - We will listen to the teacher in the class.
6 - We will speak Hindi in the third period.
7 - They will go to New York and Washington for three days.
8 - When will she come back from India?
9 - I will ask her.
10 - Mr. Prakash will not teach English this year.
11 - Will you come with us to see the film tomorrow?
12 - I will not come with you.

प्राथमिक हिन्दी Elementary Hindi

13 - Everyone will go.
14 - Nobody will talk.
15 - Nothing will happen.
16 - We will catch some butterflies.
17 - Cool air will blow.
18 - It will rain.
19 - The whether will be very hot.
20 - Will it work?

=============

<u>बातचीत</u>

मोहन - शाम को फ़िल्म हॉल में एक अच्छी फ़िल्म है. क्या तुम लोग चलोगे?
राधा - हाँ भैय्या, मैं चलूँगी.
अशोक - मैं भी चलूँगा.
विमल - मैं नहीं जाऊँगा, मैं पढ़ूँगा.
गीता - मैं टी.वी. देखूँगी.
मोहन - अच्छा, तुम दोनों मेरे साथ चलोगे.
राधा - हम लोग कब जायेंगे?
मोहन - बीस मिनट में चलेंगे.
अशोक - भैया हम लोग कैसे जायेंगे?
मोहन - हम बस से जायेंगे.

888888888888888

अहमद - मोहन, एक कप चाय पीओगे?

मोहन - हाँ, पीऊँगा. मैं एक गिलास पानी भी पीऊँगा और फिर हम गाना सुनेंगे.

माताजी - तुम लोग कब आओगे?

मोहन - हम लोग रात को दस बजे आयेंगे.

माताजी - ठीक है, मैं खाना बनाऊँगी और हम सब एक साथ खाएँगे. हम सब बारह बजे सोयेंगे. मैं सबेरे छह बजे उठूँगी, तुम सब देर तक सोना.

शिक्षक - अनीता , तुम कल कब आओगी?

अनीता - जी, मैं कल आठ बजे आऊँगी.

शिक्षक - ठीक है, कल तुम्हारी परीक्षा होगी. ठीक समय पर आना. शुभ कामनायें.

अनीता - जी धन्यवाद, परीक्षा में क्या पूछेंगे?

शिक्षक - परीक्षा में स्वर, मात्रा, अक्षर, व्यंजन, हेबीचुअल प्रेज़ेन्ट, सब कुछ होगा.

अनीता - परीक्षा कब समाप्त होगी?

शिक्षक - परीक्षा साढ़े बारह बजे खत्म होगी.

अनीता - अच्छा नमस्ते, अब मैं घर जाऊँगी और ठीक से पढ़ूँगी.

क्ष

९१	९२	९३	९४	९५	९६	९७	९८	९९	१००
इक्यानबे	बानबे	तिरानबे	चौरानबे	पंचानबे	छियानबे	सत्तानबे	अट्ठानबे	निन्यानबे	सौ

Ch11L34

सामान्य भूतकाल या पूर्णकाल

PAST INDEFINITE OR SIMPLE PERFECT

Past indefinite (or simple perfect) is a past tense which refers to a single completed action in the past. In Hindi, it must be distinguished from the habitual past tense.

For example:

I went to school.
मैं स्कूल गया.
Did you eat something?
क्या तुमने कुछ खाया?
What happened?
क्या हुआ?
We went to school.
हम स्कूल गये.
She ate an apple.
उसने एक सेब खाया.
We learned Hindi.
हम ने हिन्दी सीखी.

I used to go to school.
मैं स्कूल जाता था.
Did you use to eat something?
क्या तुम कुछ खाते थे.
What did use to happen?
क्या होता था?
We used to go to school.
हम स्कूल जाते थे.
She used to eat an apple.
वह एक सेब खाती थी.
We used to learn Hindi.
हम हिन्दी सीखते थे.

Sentences at the left refer to single, completed actions and the sentences on the right, reflect ot habitual actions.

The simple perfect or past indefinite is formed by adding the following ending to the verb stem.

	MASCULINE	FEMININE
Singular	आ	ई
Plural	ए	ईं

EXAMPLE:

To speak	बोलना	Sing.	बोला	बोली
		Plu.	बोले	बोलीं

When the verb stem ends in a vowel, a buffer consonant य must be inserted between the stem and the ending in the masculine singular; the buffer consonant is optional in the other endings.

EXAMPLE:

	Infinitive	Stem		Masculine	Feminine
To come	आना	आ	Sing.	आया	आयी / आई
			Plu.	आये / आए	आयीं / आईं
To lose	खोना	खो	Sing.	खोया	खोयीं / खाईं
			Plu.	खोये / खोए	खोयीं / खाईं

NOTE: A few verbs are somewhat irregular and these do not follow the above rules. These verbs are:

			Masculine	Feminine
To go	जाना	Sing.	गया	गयी / गई
		Plu.	गये / गए	गयीं / गईं
To occur / To become	होना	Sing.	हुआ	हुई
		Plu.	हुए	हुईं
To do	करना	Sing.	किया	की
		Plu.	किये / किए	कीं
To drink	पीना	Sing.	पिया	पी
		Plu.	पिये / पिए	पीं
To take	लेना	Sing.	लिया	ली
		Plu.	लिये / लिए	लीं
To give	देना	Sing.	दिया	दी
		Plu.	दिये / दिए	दीं

Intransitive verbs are the verbs which can't take direct objects. In general, verbs which are intransitive in English are also intransitive in Hindi. There are some exceptions: Thus meet and fear are transitive in English but are intransitive in Hindi.

a. I met with him. मैं उससे मिला.

b. I got scared मैं डर गया.

Look is intransitive in English, (Look at something, someone) but (देखना) is transitive in Hindi. कुछ देखना, किसी को देखना.

I saw a horse. मैं ने घोड़ा देखा. He saw a girl उसने लड़की देखी.

Transitive verbs are the verbs which may take direct objects, usually the same verb in English and Hindi. Some verbs in English are both transitive and intransitive, such as open.

1. He opened the door. उसने दरवाज़ा खोला. (Transitive)

2. The door opened. दरवाज़ा खुला. (Intransitive)

The best way to ascertain whether the verb is transitive or intransitive is by putting the question 'What' or 'Whom' before the verb. If there is an answer, the verb is transitive' otherwise it is intransitive.

Past indefinite or simple perfect with intransitive verbs:

1. I got up at five in the morning.
मैं पाँच बजे सुबह उठा

2. Where did you stay in Washington?
तुम वाशिंगटन में कहाँ ठहरे / रुके?

3. At what time did you go to school?
तुम किस समय / कितने बजे स्कूल बये?

4. We stayed there in a hotel.
हम वहाँ होटल में ठहरे.

5. Ron and Tom did not play tennis today.
रॉन और टॉम आज टेनिस नहीं खेले.

6. Both the children ran fast.
दोनों बच्चे तेज़ दौड़े.

7. My sister slept at ten.
मेरी बहन दस बजे सोयी.

8. The plane arrived on time.
हवाई जहाज ठीक समय से आया.

9. I went to Austin from Houston.
मैं ह्यूस्टन से ऑस्टीन गया.

10. When did father come home?
पिताजी कब घर आये?

नमस्ते जी
(namaste jii)

Past indefinite or simple perfect with transitive verb.

a. I saw.	मैंने देखा.
b. We did not eat yesterday.	हमने कल नहीं खाया.
c. Did Cindy write a letter to her mother?	क्या सिन्डी ने अपनी माताजी को चिट्ठी लिखी?
d. When did you buy this watch?	तुमने यह घड़ी कब खरीदी?
e. Why did father call Jenny?	पिताजी ने जेनी को क्यों बुलाया?

RULES:

1. When the verb is transitive (ने) is added to the subject, and when object is not expressed, the verb is used in the masculine third person singular form (Neutral form).

a. I saw something.	मैं ने कुछ देखा.
b. I gave him a book.	मैं ने उसको एक किताब दी.
c. He did a good job.	उसने अच्छा काम किया.

NOTE: In Hindi, (बोलना) To speak, (लाना) To bring, (भूलना) To forget are treated as intransitive verbs for the purpose of the above rules.

a. Rafi brought a watch.	रफ़ी घड़ी लाया.
b. Did you talk to him?	क्या तुम उससे बोले.
c. I did not forget you.	मैं तुमको नहीं भूला.

When (ने) is added, the following changes take place in the form of the pronouns:

वह + ने = उसने	वे + ने = उन्होंने
यह + ने = इसने	ये + ने = इन्होंने
कौन + ने = किन्होंने (Plu.),	किसने (sing.)
कोई + ने + किसीने	जो + ने = जिसने (sing.) जिन्होने (plu.).

2. After (ने) is added to the subject, the verb in the past tense agrees with the object in number and gender and not with the subject.

a. I saw a horse.	मैंने घोड़ा देखा.
b. He saw two men.	उसने दो आदमी देखे.
c. She ate three carrots.	उसने तीन गाजरें खायीं.

3. When the object is not explicitly expressed or when the object is followed by a case ending (को), the verb remains in the masculine singular, without regard to number and gender of the subject or object.

NOTE: IN CASE OF TRANSITIVE VERBS, (को) MUST BE ADDED TO ANIMATE OBJECTS:
I saw a woman. मैंने एक औरत को देखा. मैंने एक औरत देखी (is faulty usage).

(को) is added to inanimate object also, when we PARTICULARIZE the object:

1. I saw this chair.	मैंने इस कुर्सी को देखा.
2. I saw.	मैंने देखा.
3. She ate.	उसने खाया.
4. We heard something.	हमने कुछ सुना.
5. Sheena said this.	शीना ने यह कहा.
6. I gave an apple to Radha.	मैंने राधा को एक सेब दिया.
7. He saw us.	उसने हमको देखा.
8. Why did you spank the boys?	तुमने लड़कों को क्यों मारा?
9. Why did he yell at the girls?	वह लड़कियों पर क्यों चिल्लाया?

In sentences one through four, although the subject is in different genders and numbers, the verb is in the masculine singular form because the object is not explained explicitly. In sentences five through eight, although the object is mentioned and is in different numbers and genders, the verb is in the masculine singular form because the object is followed by the case-ending (को).

Exceptions to ने

ख. जस्टिन एक घड़ी लाया.
ग. क्लिंटन आपसे क्या बोले?
ख. टिम दूध लाया.
घ. मैं उस को नहीं भूला.

पढ़ो और समझो -

	SUBJECT	TIME ADVERB	PLACE ADVERB	VERB
१	साहब	सवेरे	स्टेशन में	आये.
	The gentleman came into the station in the morning.			
२	रिक्शेवाला	जल्दी	किले	गया.
	The rickshaw driver went to the fort early.			
३	सब लोग	आठ बजे	कमरे में	बैठे.
	All the people sat down in the room at eight o'clock.			
४	मैं	दस दिन	भारत में	रहा.
	I stayed in India (for) ten days.			
५	मेम साहब	उस रात	शहर में	पहुँचीं.
	The lady arrived in the city that night.			
६	रिक्शेवाले	कल	उस जगह	रुके.
	The rickshaw drivers stopped at that place yesterday.			
७	हम	दो दिन	होटल में	ठहरे.
	We stayed in the hotel (for) two days.			
८	जहाज	अभी	पालम से	उड़ा / उठा.
	The plane just took off from Palam (Delhi airport).			
९	लड़कियाँ	आज	आगरा में	घूमीं.
	The girls toured Agra today.			
१०	मेरे दोस्त	कल	सिनेमा	गये.
	My friends went to the movie yesterday.			

	SUBJECT	TIME ADVERB	PLACE ADVERB	DIRECT OBJECT	VERB.
११.	हम लोग	आज	कक्षा में	हिन्दी	बोले.
	We spoke Hindi in the class today.				
१२.	तांगे वाला	बाद में	स्टेशन से	साहब को	ले गया.
	Later, the Tonga driver took the gentleman from the station.				
१३.	कुली	पहले	वहाँ से	सामान	ले गया.
	The porter took the luggage from there first.				

EXAMPLES OF ने (NE) VERBS IN THE SIMPLE PERFECT OR PAST INDEFINITE.

Remember that the verb agrees with the direct object unless there is no direct object or the direct is used with postposition को. In those cases the verb is in the neutral (= masculine Singular) form.

	SUBJECT	DIRECT OBJECT	VERB
१ -	आदमियों ने	कमीज़ें	देखीं.
	The men saw the shirts.		
२ -	धोबी ने	कपड़े	गिने.
	The washerman counted the clothes.		
३ -	साहब ने	कुलियों को use of Ko	बुलाया. Verb = masculine singular.
	The gentleman called the porters.		
४ -	गाहक ने	सब कपड़े Masculine plural.	धुलाये.
	The customer had all the clothes washed.		
५ -	हम ने	कमीज feminine singular	धोयी.
	We washed the shirt.		
६ -	उन्होंने	एक रुपया masculine singular.	लिया.
	They took a rupee.		

	SUBJECT	DIRECT OBJECT	VERB
७ –	गाहकों ने	मिठाइयाँ feminine plural	खरीदीं.
	The customers bought sweets.		
८ –	साहब ने	रसगुल्ला masculine singular	खाया.
	The gentleman ate a Rasgulla (a kind of sweet).		
९ –	छात्रों ने	शिक्षक को neutral agreement	सुना.
	The students listened to the teacher.		
१० –	मैं ने	सब पैसे masculine plural	रखे.
	I kept all the money.		
११ –	लड़कों ने	हिन्दी Feminine singular	पढ़ी.
	The boys studied Hindi.		
१२ –	शिक्षकों ने	कॉफ़ी Feminine singular	पी.
	The teaches drank coffee.		
१३ –	कुलियों ने	सामान masculine singular	उठाया.
	The porters lifted the luggage.		
१४ –	गांधी जी ने	अँग्रेज़ों को neutral agreement	निकाला.
	Gandhi threw out the British.		
१५ –	शिक्षक ने	परीक्षाएँ feminine plural	लीं.
	The teacher gave (lit. - took) exams.		

B. SIMPLE VERBS - DOUBLE OBJECT (SAME AGREEMENT PATTERN).

	SUBJECT	IND. OBJECT	DIRECT OBJECT	VERB.
१६ –	लड़की ने	महिला को	दो चिट्ठियाँ feminine plural	लिखीं.
	The girl wrote the lady two letters.			

	SUBJECT	IND. OBJECT.	DIRECT OBJECT	VERB.
१७ -	गाइड ने	हमको	इमारतें feminine plural	दिखाईं.
	The guide showed us the buildings.			
१८ -	औरत ने	लड़की को	दो साड़ियाँ feminine plural	दीं.
	The woman gave the girl two saris.			
१९ -	फलवाले ने	गाहकों को	कच्चे केले masculine plural	बेचे.
	The fruitseller sold the customers unripe bananas.			
२०-	औरतों ने	लड़कों को	खीरे masculine plural	खिलाये.
	The women gave the boys cucumbers to eat.			
२१ -	आपने	हमसे	क्या masculine singular	कहा?
	What did you say to us?			
२२ -	छात्रों ने	शिक्षक से	बहुत सवाल masculine plural	पूछे.
	The students asked the teacher a lot of questions.			

C. NON - FUNCTIONAL COMPLEX VERBS (SAME AGREEMENT AS IN B).

	SUBJECT	IND. OBJECT	DIRECT OBJECT	VERB
२३ -	बैरों ने	-	होटल masculine singular	साफ़ किया.
	The bearers cleaned the hotel.			
२४ -	मोची ने	-	ये काम masculine plural	शुरू किये.
	The cobbler began these tasks.			
२५ -	सरकार ने	-	सब दाम masculine plural	कम किये.
	The government reduced all the prices.			
२६ -	लड़कों ने	मुझे	किताबें feminine plural	वापस कीं.
	The boys returned the books to me.			

D: FUNCTIONAL COMPLEX VERBS (VERB AGREES WITH PREVERB)

	SUBJECT	PREVERB	VERB
२७ –	लोगों ने	जल्दी *feminine singular*	की.

The people hurried.

२८ –	उसने	बेचने की *feminine singular*	कोशिश की.

He/she tried to sell.

२९ –	किसने	आपकी मदद *feminine singular*	की.

Who helped you?

३० –	किसी ने	शिक्षक से बात *feminine singular*	की.

Someone conversed with the teacher.

३१ –	सब ने	गाहकों का इन्तज़ार *masculine singular*	किया.

Everyone waited for the customers.

Question: आपने कल क्या किया?
Intransitive: मैं कल घर में सोया.
Transitive: मैं ने कल स्कूल में हिन्दी सीखी.
Question: उसने कल क्या किया?
Intransitive: वह मॉल में सिनेमा गया.
Transitive: उसने घर में खाना खाया और कॉफ़ी पी.

209

क्रियाएं– Verbs

Intransitive - अकर्मक - Do not need an object.

जाना	आना	चलना	दौड़ना	टहलना	रेंगना
to go	to come	to walk	to run	to walk	to crawl

वापस आना		उड़ना	तैरना	उछलना	कूदना
to return/to come back		to fly	to swim	to hop	to jump

भाग जाना   या, भागना   या, भागकर जाना   या, भागते हुए जाना
to run away

भाग आना   भागकर आना   भागते हुए आना
to come back running

लेटना	सोना	बैठना	ऊँघना	जागना
to lie down	to sleep	to sit	to doze	to wake up

उठना	खड़ा होना	उबलना	टूटना
to get up	to stand up	to boil	to break

जलना	फूटना	बदल जाना	सूखना	जमना
to burn	to burst	to change	to dry	to freeze

बाहर निकलना	बढ़ना	हँसना	मिलना	सरकना
to get out	to grow	to laugh	to meet	to move

खुलना	लौटना	चढ़ना	सवार होना	हिलना
to open	to return	to climb	to ride	to move

ठहरना	रुकना	रोना	चिल्लाना
to stay	to stop	to cry	to yell or to shout

210

Some common transitive verbs:

देखना	लाना	बुलाना	धोना	देना	खाना
to see, look at	to bring	to call	to wash	to give	to eat

बताना	सुनना	पढ़ना	पूछना	दिखाना	गिनना
to tell	to listen	to read	to ask	to show	to count

धुलाना	लेना	समझना	लिखना	बोलना
cause to wash	to take	to understand	to write	to speak

कहना	साफ करना	कम करना	वापस करना
to say	to clean	to reduce	to return

माफ़ करना	शुरू करना	इन्तज़ार करना	मदद करना
to excuse	to start, begin	to wait	to help

कोशिश करना	मरम्मत करना	ठीक करना
to try	to repair, to spank	to correct, to repair

INTRANSITIVE VERBS: (Exceptions) are those verbs which cannot take direct objects. In general, verbs which are intransitive in English are also intransitive in Hindi other than a few exceptions like:

meet	transitive in English	मिलना intransitive in Hindi.
fear	transitive in English	डरना intransitive in Hindi.
look	intransitive in English	देखना transitive in Hindi.

प्राथमिक हिन्दी Elementary Hindi

बातचीत Perfective Tenses
सुशीला भारत आयी

राधा - अरे सुशीला तुम! तुम भारत कब आयीं? व्हॉट ए सरप्राइज़.
सुशीला - मैं दो दिन पहले (ago, before) न्यू यॉर्क से मुम्बई पहुँची और आज तुमसे मिलने आयी हुँ.

राधा - तुमने मुझको चिट्ठी क्यों नहीं लिखी? अच्छा आओ, बैठो, कुछ पीयो फिर बातें करेंगे.
सुशीला - मैं तुमको सरप्राइज़ करना चाहती थी, इसीलिये (that's why) चिट्ठी नहीं लिखी.

राधा - तुम ह्यूस्टन से यहाँ कैसे पहुँची?
सुशीला - मैं पहले (first) न्यू यॉर्क में अजय अंकल के पास रही. वहाँ से जर्मनी में शोभा बुआ के घर गयी और जर्मनी में घूमी. एक हफ़्ते वहाँ रहने के बाद अब मुम्बई आयी हूँ.

राधा - क्या तुम लंडन में विजय ताऊ जी के पास नहीं गयीं?
सुशील - उनके पास पिछले साल (last year) गयी थी और दो हफ़्ते रही थी. उस समय विजय ताऊ जी इंगलैन्ड में दो तीन जगहों के टूअर पर गये थे. मैं उनके साथ गयी थी. हमने अच्छे होटलों में खाया और बहुत मज़ा किया.

राधा - अच्छा चलो, पहले खाना खायें और तब (then) मुझे अपना मुम्बई का प्रोग्राम बताओ.
सुशीला - वाह राधा! तुम तो एक्सपर्ट हो, बहुत अच्छा खाना बनाया है.

राधा - लेकिन (but) मेरे पति (my husband) रमेश ने ऐसा (like this) कभी नहीं (never) कहा.
सुशीला - पतियों की बात नहीं करो (don't talk about husbands). वे लोग हमेशा झूठ बोलते हैं.

राधा - तुम कितने दिन मुम्बई में रहोगी?
सुशीला - कम से कम (at least) एक महीना तो रहूँगी. मुझे यहाँ बहुत अच्छा लगता है. उसके बाद बनारस और दिल्ली जाऊँगी. बनारस में गंगा जी में नहाऊँगी (will bathe), शिव जी के मंदिर जाऊँगी और दो महीने बाद ह्यूस्टन वापस (back to) जाऊँगी.

Vocab: शब्दावली: बातचीत

दो दिन पहले	तुमसे मिलने आयी हूँ	सरप्राइज़ करना	इसीलिये
two days ago	have come to meet you	to give surprise	that's why

पहूँचना to reach	रहना to live	घूमना to tour	रहने के बाद after living	पिछले साल last year
दो तीन जगहों के of two three places		बहुत मज़ा किया had lot of fun	पहले before / first	तब then

बताना to tell	पति husband	ऐसा कभी नहीं कहा never said so		पतियों की बात नहीं करो do not talk about husbands
झूठ बोलना to lie	कम से कम at least	तो indeed	उसके बाद after that	गंगा जी river Ganges

नहाना to bathe	नहाऊँगी will bathe	शिव जी का मंदिर Lord Shiva's Temple	वापस back to

Exercise 1: Translate the following dialogue.

जेन्सी - कहो ब्लॉसम, तुम दिल्ली कब पहुँची (reached)?
ब्लॉसम - मैं कल ही (only) आयी. पर सीधे (straight) लन्दन से नहीं आयी, पहले (first) बंबई गई थी.

जेन्सी - अच्छा, बंबई क्यों गई थीं? वहाँ तुमने क्या किया?
ब्लॉसम - चाचा जी ने मुझे बुलाया था, इसलिये मैं पन्द्रह दिन उनके यहाँ ठहरी (stayed).

जेन्सी - मैं ने तो (indeed) सुना था कि आपके चाचा जी लखनऊ जानेवाले (about to go) थे. वे नहीं गये क्या?
ब्लॉसम - अभी तो (right now) वे नहीं गये हैं, इसी महीने के अंत (at the end of this month only) में जानेवाले होंगे.

जेन्सी - अब मैं समझी. तो ;वद्ध बबंई में तुमने क्या देखा? तुमने बहुत सी जगहें (a lot of places) देखी होंगी?
ब्लॉसम - देखी तो (indeed) थीं, पर असल (but in fact) में मुझे दिल्ली ज़्यादा पसंद है. बबंई में गरमी बहुत ज़्यादा पड़ती है.

जून्सी - दिल्ली के बारे में तुमने थोड़ा - बहुत (a little) सुना होगा?
ब्लॉसम - जी हाँ, मेरे यहाँ आने से पहले (before coming here) रिंन्सी ने मुझे बहुत कुछ (a lot) बताय था. वह हर (every) महीने मुझे चिट्ठी लिखती थी. और लन्दन में ही मैं ने दिल्ली के बारे में एक किताब भी पढ़ी थी.

जेन्सी – तो तुम भारत में कितने महीने रहोगी?

ब्लॉसम – मैं कम से कम दो तीन महीने (2-3 months) रहना चाहती हूँ. रिन्सी चाहती है कि मैं
मार्च तक (until March) रहूँ. मैं ने सुना है (I have heard) कि मार्च तक मौसम काफ़ी
सुहावना होता है (that the weather remains very pleasant until March)

शब्दावली– Vocabulary

पहुँचना	ही	सीधे	पहले	बुलाया	ठहरना	जानेवाले	तो
to reach	only	straight	first	called	to stay	about to go	indeed
अंत में		जगहें	पर असल में		ज्यादा	हर	पत्र
at last / in the end		places	in fact		more	every	letter
कम से कम		तक	मौसम		सुहावना		
at least		until	weather		pleasant		

अभ्यास : २ Exercise - 2

<u>१ – हिन्दी–२ बातचीत १ की सब क्रियाओं के इनफ़िनिटिव फ़ॉर्म लिखिये.</u>

<u>२ – नीचे लिखे शब्दों को वाक्यों में प्रयोग use कीजिये.</u>

क – कम से कम   ख – ज़्यादा से ज़्यादा   ग – कुछ न कुछ   घ – थोड़ा - बहुत
   at least   at the most   something or the other   a little bit

च – बहुत कुछ   छ– बहुत सी   ज– थोड़ी सी   झ– कल ही
  a lot (about something)   a lot   a little   yesterday/tomorrow only

ट – सीधे   straight (from a place or like straight forward peronality)

<u>३ – प्रश्नों के उत्तर दीजिए –</u>

अ – ब्लॉसम कहाँ से आई?   आ – ब्लॉसम किसके साथ बात कर रही है?

इ – ब्लॉसम के चाचा जी कहाँ जाने वाले थे?   ई – क्या ब्लॉसम को बम्बई ज़्यादा पसन्द है?

उ – ब्लॉसम भारत में कितने दिन रहना चाहती है?

ऊ – मौसम कब तक (until when) सुहावना रहेगा?

४ Please Translate as needed:

तुमने सुबह क्या किया?   वह कल घर क्यों नहीं गया?

मेम साहब को ब्लाउज़ का कपड़ा पसंद है?   आपने कल किसके साथ खाना खाया?

मै ने कल सुबह शीला के साथ बातचीत की.   २:३० पर हिन्दी पढ़िये.

आज आपने क्या किया.   आप कल कितने बजे स्कूल गये?

कल वे कहाँ गये?   वे कब आये?   तुम सुबह स्कूल क्यों नहीं आये?

हम सब दस बजे सुबह बाजार गये और पौन छह बजे शाम को घर आये.

कल शिक्षक और छात्र हिन्दी बोले.   कल बहुत हवा चली.

उसने दरवाज़ा खोला.   मैं दो दिन के लिए होटल में ठहरा.

मैं ने उसको एक मिठाई दी.   छात्र जल्दी स्कूल गये.

कुली कब सामान ले गया?   क्या फल वाले ने कच्चे केले बेचे?

उसने हिन्दी पढ़ने की कोशिश नहीं की.   सब ने शिक्षक का इन्तज़ार किया.

तुम ने क्या पढ़ा?   Did you go there?

Why did they not come to Hindi class?

What time did you go home?   Where did you come from?

The train reached on time.   Did she run one mile?

We did not stop at (on) the shop.

The bus stopped at seven in the morning.

Did you go to class?

We spoke in Hindi with the friends.

Exercise 1 - Translate in English अँग्रज़ी में अनुवाद कीजिये -

क. माता जी ने आज रोटी नहीं बनायी.

ख. टॉम हिन्दी की किताब लाया.

ग. कल हमने रास्ते में (on the way) क्रिस को देखा.

घ. उन्होंने (they - oblique case) हम से कुछ नहीं कहा.

च. मैं ने एका साड़ी (Sari) खरीदी.

छ. तुमने यह किताब कहाँ खरीदी?

ज. मैं ने इसको (this) न्यू जर्सी में ख़रीदा.

झ. उसने कल रोटी खायी.

ट. जेसन ने एक पेपर लिखा.

ठ. रवि ने कुछ फल लिये.

ड. एल्टन घर गया.

ढ. कल अविनाश ऑफ़िस देर से क्यों आये?

ण. तुम इतनी देर से (so late) क्यों आये?

तेज पत्ता

जीरा

इलायची

दालचीनी

लौंग

अदरख

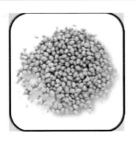

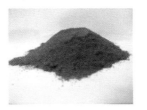

धनिया

मिर्च

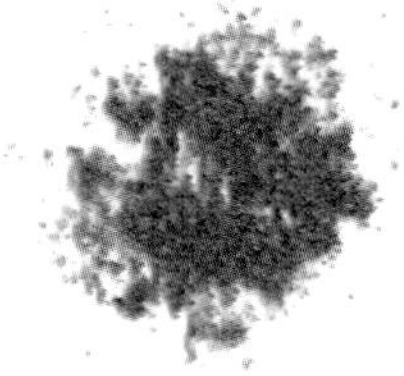

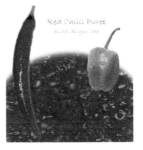

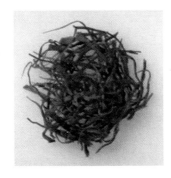

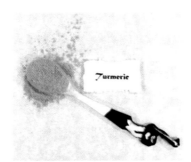

केसर

हल्दी

Ch12L35 आसन्न भूतकाल PRESENT PERFECT TENSE

a. Jim has come here.	जिम यहाँ आया है.
b. Simona has gone out.	सिमोना बाहर गयी है.
c. I have spoken in the class.	मैं क्लास में बोला हूँ.
d. From where have you brought this?	तुम इसको कहाँ से लाये हो.
e. Father has brought fruits for us.	पिताजी हमारे लिये फल लाये हैं.
f. We have not gone to Austin.	हम ऑस्टीन नहीं गये हैं.
g. I have seen him somewhere.	मैं ने उसको कहीं देखा है.
h. He has sent this man.	उसने यह आदमी भेजा है.
i. She has seen me before.	उसने मुझे पहले देखा है.
j. He (respect) has bought this book.	उन्होंने यह किताब खरीदी है.

RULE 1: The present perfect tense of intransitive verbs is formed by adding है and हैं to the Past Indefinite, also called simple perfect form. हूँ with मैं and हो with तुम are added, and feminine is formed by changing the final आ or या into   or यी .

EXAMPLES:

SIMPLE PERFECT	PRESENT PERFECT
मैं स्कूल में बोला.	मैं स्कूल में बोला हूँ.
I spoke in the school. (m.)	I have spoken in the school.
मैं ऑस्टीन गयी.	मैं ऑस्टीन गयी हूँ.
I went to Austin. (f)	I have gone to Austin.
वह सोया.	वह सोया है.
He slept. (m)	He has slept.

219

प्राथमिक हिन्दी Elementary Hindi

RULE 2 A: The present perfect tense of a transitive verb is formed by adding है or हैं to the simple perfect. The form of the verb will agree with the number and gender of the object.

ROLE 2 B: If the object is not mentioned or is followed by the case ending को , only the masculine third person singular form of the verb (also called NEUTRAL form) is used, without regard to the gender and number of the subject.

१. मैंने देखा है.   I have seen.
(Object not given, verb is in neutral form).

२. मैंने औरत को देखा है.   I have seen the woman.
(Object is followed by को, verb is in neutral form).

३. मैंने घड़ी खरीदी है.   I have bought a watch.

४. उसने दो किताबें बेची हैं.   He has sold two books.

५. जेन ने आज रोटी नहीं खायी.   Jane has not eaten bread today.

(In sentences 3,4,and 5 object is given and is not followed by को. Therefore, the verb is according to the number and gender of the object).

Exercise 1:   Translate:

१ - लड़के ने किताबें पढ़ी हैं.   २ - लड़की दुकान (shop) गयी है.
३ - मैं ने आपको कहीं (somewhere) देखा है.   ४ - आपने मुझे कहाँ देखा है ?
५ - मैं ने एक पैन्ट खरीदी है.   ६ - तुम इतनी देर (late) से क्यों आये हो?
७ - उन्होंने मुझसे कुछ नहीं कहा है.   ८ - आपने उससे क्या कहा है.
९ - निक घर गया है.   १० - आज एरिक जी ऑफ़िस क्यों नहीं आये हैं?

Exercise 2: Translate -

1. Who has brought this letter?
2. Where has he gone?
3. I have written to them.
4. They have seen your book.
5. We have come from Delhi today.
6. What has happened? to happen - होना
7. Nothing has happened.
8. Something has happened.
9. Why have you come late?
10. Have you finished this work?
11. I have just come to the class.
12. He has taken the test.
13. He has gone out of country.
14. What have you done?
15. He has done nothing.

Exercise 3:   Correct the following sentences.

१ - उसने हिन्दी में बोली है.   He has spoken in Hindi.

२ - रिन्सी जेन्सी को देखी है.   Kamala has seen Sita.

३ - मैं आपको देखा है.   I have seen you.

४ - मेरी ने सोयी है.   Mary has slept.

५ - वह ने मुझे क्यों बुलायी है .   Why has she called me?

Exercise 4: Complete the following sentences.

1 - Where has your father gone?   तुम्हारे पिताजी कहाँ . .

2 - Who said this to you?   यह आपसे किसने .

3 - Where have you seen this?   तुमने इसको कहाँ . . ?

4 - Who has just left?   अभी   . गया है ?

5. Have you written the letter?   . तुमने पत्र . . ?

पूर्ण भूतकाल

PAST PERFECT TENSE

RULE 1 - All the rules of simple perfect are applied in forming a sentence in the past perfect tense.

RULE 2 - The past perfect tense of an intransitive verb is formed by adding to the simple perfect tense था, थे, थी, or थीं according to the main verb form.

EXAMPLES-

SIMPLE PERFECT	PAST PERFECT
वह कल शहर गया.	वह कल शहर गया था.
He went to the city yesterday.	He had gone to the city yesterday.
वह कक्षा में बोला.	वह स्कूल में बोला था.
He spoke at the school.	He had spoken in the school.
मैं गया.	मैं गया था.
I went.	I had gone.
हम गये.	हम गये थे.
We went.	We had gone.
रीता गयी.	रीता गयी थी.
Rita went.	Rita had gone.
वे गयीं .	वे गयीं थीं.
They went.	They had gone.
लड़का दुकान गया.	लड़का दुकान गया था.
The boy went to the shop.	The boy had gone to the shop.

NOTE: Remember that the past perfect in Hindi indicates an action further in the past than the simple perfect and is not always translated with the 'previous to past' English past perfect with had.

RULE 3 - The past perfect tense of a transitive verb is formed by adding था, थे, थी, or थीं in the simple perfect form of the verb according to the number and gender of the object if the object is given or it simply follows the form of the main verb.

RULE 4 - When the object is not expressed explicitly, or when the object is followed by the case ending को, the verb remains in the third person masculine singular form (neutral form).

SIMPLE PERFECT	PAST PERFECT
लड़के ने किताबें पढ़ी.	लड़के ने किताबें पढ़ी थीं.
	verb according to object.
The boy read the books.	The boy had read the books.
हमने एक घोड़ा देखा.	हमने एक घोड़ा देखा था.
	verb according to object. mas. sing.
We saw a horse.	We had seen a horse.
मैं ने लिखा.	मैं ने लिखा था.
	no object, verb in neutral form.
I wrote.	I had written.
मैं ने चिट्ठी लिखी.	मैं ने चिट्ठी लिखी थी.
	verb f.s. according to object.
I wrote a letter.	I had written a letter.
मैं ने दो चिट्ठियाँ लिखीं.	मैं ने दो चिट्ठियाँ लिखीं थीं.
	verb f. plu.
I wrote two letters.	I had written two letters.
क्या उसने दस घोड़े देखे?	क्या उसने दस घोड़े देखे थे?
	verb mas. plu.
Did he see ten horses?	Had he seen ten horses?

प्राथमिक हिन्दी Elementary Hindi

क्या सबने हाथियों को देखा?

Did everyone see the elephants?

क्या सबने हाथियों को देखा था?

verb in neutral because of ' Ko'
Had everyone seen the elephants?

सोहेल ने कब खाना खाया?

When did Sohail eat the food?

सोहेल ने कब खाना खाया था?

verb mas. sing.
When had Sohail eaten the food?

तुम ने यह काम कब किया.

When did you finish this work?

तुम ने यह काम कब किया था?

verb in mas. sing.
When had you finished this work?

उन्होंने केलों को कब खाया?

When did they eat the bananas?

उन्होंने केलों को कब खाया था?

verb in neutral because of 'Ko'.
When had they eaten the bananas?

तुमने किताब को क्यों पढ़ा?

Why did you read the book?

तुमने किताब को क्यों पढ़ा था?

verb in neutral because ok 'Ko'.
Why had you read the book?

उसने घड़ी कहाँ खोयी?

Where did she lose the watch?

उसने घड़ी कहाँ खोयी थी?

verb in fem. sin.
Where had she lost the watch?

क्या कुछ हुआ?

Did something happen?

क्या कुछ हुआ था?

no explicit object, verb in neutral.
Had something happened?

क्या कोई आया?

Did somebody come?

क्या कोई आया था?

no explicit object, verb in neutral.
Had somebody come?

क्या हवा चली?

Did the wind blow?

क्या हवा चली थी?

verb in fem. sin.
Had the wind blown?

224

Exercise: Translate -

1. Had she gone to Delhi?

2. What had happened?

3. Nothing had happened.

4. Had it rained? (to rain - पानी बरसना - बारिश होना)

5. Who had come to your house?

6. Some relatives (रिश्तेदार) had come to my house?

7. Had the students asked questions?

8. Yes, they had asked several (कई)questions.

9. Had you gone somewhere (कहीं)?

10. No, I had gone nowhere (कहीं नहीं).

11. Had she written four letters?

12. She had written only (केवल) two letters.

13. Had she played?

14. Had he taken this test?

15. Had the teacher answered all the questions correctly (ठीक)?

16. Had they asked good questions?

धोबी

कमला - रामलाल कपड़े देर में क्यों लाये हो?

राम लाल - क्या करूँ बीबी जी (madam, sister) बीमार हो गया था.

कमला - तुमको क्या हुआ था?

राम लाल - बीबी जी जुकाम (cold) था और बुखार-खाँसी (fever- cough) इसीलिये (that's why) देर हो गयी. (देर होना - to get late)

कमला - अच्छा कपड़े गिनो. पूरे लाये हो? (गिनना - to count, पूरे - all, entire, whole)

राम लाल - जी हाँ बीबी जी, दो चादर (bed sheet) चार गिलाफ़ (pillow cover) पाँच कमीजें, सात सलवार, तीन पैन्ट और चार छोटे कपड़े.

कमला - देखो यह कपड़ा साफ़ (clean) नहीं है. इसको ले जाओ (take away) और फिर से धोओ.

राम लाल - अच्छा बीबी जी, इस हफ़्ते के कपड़े दीजिये.

कमला - ये लो. बीस कपड़े हैं. ठीक से धोना और खराब नहीं करना. और देखो, देर नहीं करना (do not be late) समय से लाना. इस कमीज का बटन भी टूटा (broken) है.

राम लाल - अच्छा बीबी जी. धुलाई के पैसे (washing charges) दीजियेगा?

कमला - हाँ, कितने पैसे हुए.

राम लाल - बारह रुपये चार आने.

कमला - ये लो दस रुपये, बाकी (remaining) पैसे बाद में (later) लेना. अब तुम जाओ.

राम लाल - ठीक है बीबी जी. नमस्ते.

Vovab: शब्दावली: बातचीत - धोबी

देर में	क्या करूँ	बीमार हो जाना	देर होना	गिनो	गिनना
late	what to do	to get sick	to be late	count	to count
पूरा	चादर	गिलाफ़	साफ़	ले जाओ	फिर से	समय से
whole, all	bed sheet	pillow cover	clean	take away	again	on time
टूटना	धुलाई	बाकी	बाद में			
to break	washing charges	remainder	later			

धोबी

धोबी कपड़े धो रहा है

पैंट

कपड़े

बनियान

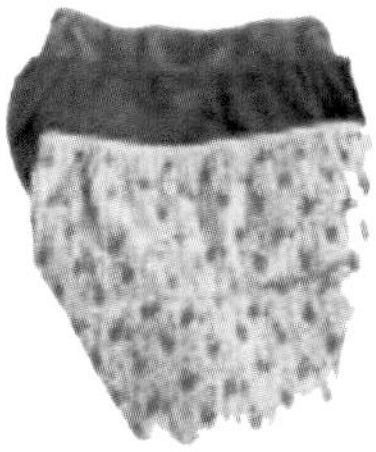

चड्ढी

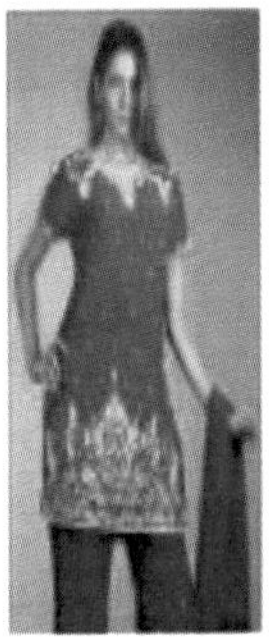

कुरता सलवार

साड़ी

कमीज

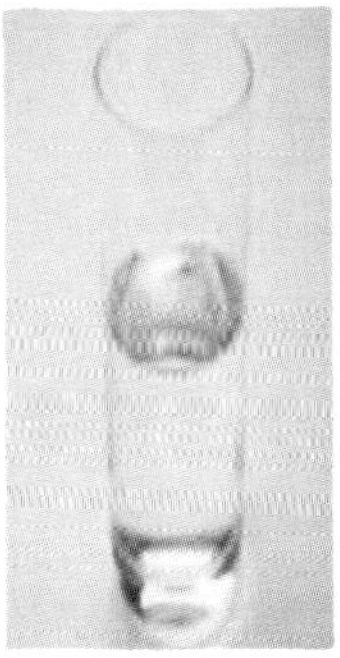

पानी

साबुन

227

CH13L36 — Infinitives and Uses of Infinitives

Infinitive forms of Hindi verbs end in **'ना'** जैसे – खाना, पीना, पढ़ना, लिखना, सोना.

There are many uses of infinitive forms of Hindi verbs. In this chapter we will learn these uses.

1. As a noun:

राम का पढ़ना अच्छा है.
> Ram's reading is good.

मैं मूवी देखने आया हूँ. मैं मूवी देखने के लिये आया हूँ.
> I have come to watch the movie.

उसने मेरा कहना नहीं माना. उसने मेरी बात नहीं मानी.
> She did not listen to me or to my words.

मैं टहलने जाता हूँ.
> I go for a walk.

वह दौड़ने जा रहा है.
> He is going for a jog.

2. As a verb,

It is used in second person, that is, with **तू या तुम** as subject to give advice or order, for the future.

कभी शराब नहीं पीना.
> Never drink liquor. Never consume alcohol.

एक गिलास पानी लाना.
> Bring a glass of water. (neutral imperative)

झूठ नहीं बोलना
> Do not tell a lie.

3. As an adjective:

some infinitives are used as adjectives to show habitual behavior.

रोना बच्चा.
> A child prone to cry.

रोगी सूरत.

A dejected appearance

फँसनी चाबी.

A key which gets stuck

चिढ़ने तो बीमारी में सभी हो जाते हैं.

All become irritable in sickness.

4.

a. Infinitive with पर along with था, या है has the force of 'on the point of'

वह लड़ने पर (for a light) उतारू (ready) हो गया.

He was ready to fight.

रेलगाड़ी आने पर (about to come)

The train is on the point of coming.

b. Infinitive with 'वाला' along with है या था. has the force of 'about to' or 'want to'

मैं उसको एक किताब भेजने वाला (about to send) हूँ.

I am about to send hims a book.

उसका घर बिकने वाला (about to be sold) है.

His house is about to be sold.

c. Infinitive with 'वाला' is also used as a noun or as an adjective and is very helpful in translating adjectival clauses or phrases.

यहाँ रहने वाले (habitants) सब व्यापारी हैं.

The people living there are all traders.

देर से आने वालों (those who came late) को बैठने की जगह नहीं मिली..

Those who came late did not get a place to sit..

बाहर आने वाली (coming from outside) वस्तुओं (things) पर एक नया कर (tax) लगाया गया (imposed) है.

A new tax has been levied on the goods imported from abroad.

झूठ बोलने वाले पकड़े जाते हैं.

Those who lie are caught.

बहुत दूर (far away) के गाँवों (villages) में रहने वाले समय पर नहीं पहुँच सके.
Those who lived in the far away villages could not reach on time.

कल बाजार में बिकने वाले (which sold) बहुत से फल सड़े थे.
A great deal of the fruits which were sold in the market yesterday were rotten.

Note - टिप्पणी:– "वाला" suffix has many more uses which are discussed in a separate chapter.

d.
i. An infinitive as a nount with था connected to another sentence with कि has the force of 'as soon as'

इतना सुनना था (it was heard), कि वह क्रोध (anger) से लाल (flush) हो गया.
The moment he heard this, he became flushed with rage.

ii. When connected to देर with कि and having है or था as the verb, the infinitive has the force of 'as soon as' also.

समाचार (news) सुनने की देर थी (moment heard) कि वह प्रसन्नता (joy, happiness) से नाचने लगी.
The moment she heard the news, she began to dance with joy.

e. An infinitive with योग्य या लायक has the same meaning as a present participle governed by 'worth' has in English.

यह जगह (place) देखने योग्य (worth) है.
This place is worth seeing.
यह किताब पढ़ने लायक (worth) है.
This book is worth reading.

f. Infinitive with से along with रहना in past tense, has negative sense:

तुम तो जाने से रहे (indeed would not), इसे भी (him or her or this) मना कर (forbid) रहे हो.
You, indeed, would not go, (but you) are forbidding him also (from going).

ये पहाड़ से दिन तो बीतने से रहे, रात अलग बैठी है.
These heavy (like a mountain) days are indeed difficult to pass, and night is also there (to pass).

g. Infinitive with नाम न लेना

वह यहाँ से जाने का नाम (mention or intent of leaving) ही (even) नहीं लेता है.
   He does not even think of going from here.
लड़का पढ़ने का नाम (intention to study) ही नहीं लेता है.
   The boy does not even think of studying.

h. Use of infinitive in compulsion construction:

उसको सितार का कार्यक्रम (program) देना था.
मुझको अभी जाना है.
बचपन (childhood) में हमको बहुत पढ़ना पड़ता था.
हमको रोज हिन्दी में भाषण (lecture) सुनना पड़ता है.
माली (gardener) को पेड़-पौधों (trees & plants) में पानी देना होता है.
कुली (porter) को भारी (heavy) सामान उठाना (lift) होता था.
मुझको सड़ा (rotten) खाना खाना पड़ रहा है.
20 आदमियों को एक कमरे में रहना पड़ रहा था.
मुझको उसकी बात माननी पड़ी. बात मानना – to listen, to agree
आपको समय पर दवा (medicine) खानी चाहिये.
शिक्षक को सुनना अच्छी बात है.
आपको ताज महल देखना चाहिये.

i. Use of infinitive in 'को' verb पसंद

मुझको टीवी देखना बहुत पसंद है.
उसको यात्रा करना पसंद है.

Exercise: Translate as needed.

1. The train about to leave (जानेवाली) for Banaras
2. I was about to call you.

3. People who (जो) go to Houston
4. The plane going (जानेवाला) to Delhi

5. The Hindi news paper published (छपनेवाला, निकलनेवाला) from Houston
6. Students who study hard (मेहनत से पढ़नेवाले छात्र) do well (अच्छा करना) on the tests.

7. Knowing (जानना) some Hindi is good.
8. I like to gamble (जूआ खेलना).

9. We did not want to go there, but we had to go.
10. Do not forget to take your umbrella.

१. उसके साथ कहीं भी (anywhere) जाना मुझको पसंद नहीं है.
२. ये सब लोग भारत जाने वाले हैं.

३. कल खुलने वाली (opening) दुकान.
४. दौड़ना अच्छा व्यायाम (exercise) है.

५. यह रास्ता (way, road) आने के लिये है और वह जाने के लिये.
६. उसका आना (his coming) हमारे लिये बहुत अच्छा था.

७. क्रिसमस आने ही वाला है.
८. पानी बरसने वाला है.

९. जाने वाले को (the one who has to go) कौन रोक सका है.
१०. बनारस में बहुत लोगो का आना–जाना (coming & going) होता है.

नमस्ते जी
(namaste jii)

बाजरा

कालीमसूर दाल

चना दाल

चना

मक्का

दाल

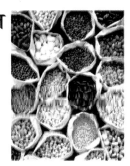

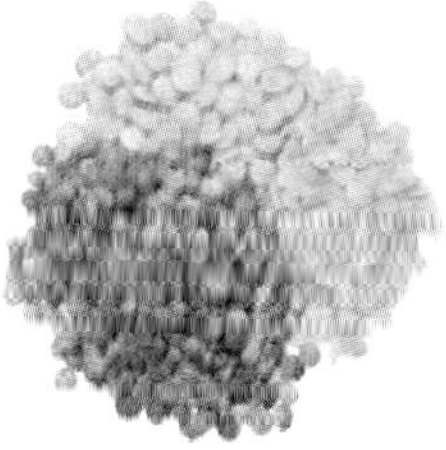

प्राथमिक हिन्दी Elementary Hindi

मसूर दाल

मूंग

मटर

तूर दाल

उरद दाल

गेहूँ

प्राथमिक हिन्दी Elementary Hindi

नमस्ते जी
(namaste jii)

चावल

तिल

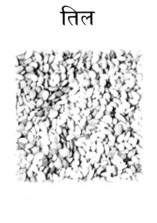

सूजी

आटा

घी

तेल

मक्खन

235

प्राथमिक हिन्दी Elementary Hindi

Ch14L37

Possessive Pronoun & Use of Possessive Adjective 'Apanaa'

I - Pronouns have their own marked adjectival forms to express possession. Since these are marked adjective forms, these agree with the subject in number and gender. English examples are: your, his, my, mine.

Pronoun	Adj. form.	
मैं	मेरा - मेरे - मेरी	I - My
तुम	तुम्हारा - तुम्हारे - तुम्हारी	You - Your
वह	उसका - उसके - उसकी	He/She/ - His/Her
हम	हमारा - हमारे - हमारी	We - Our
वे	उनका - उनके - उनकी	They - Their
ये	इनका - इनके - इनकी	They - Their
कौन	किसका - किसके - किसकी	Who - Whose
आप	आपका - आपके -आपकी	You - Your (respect)
कौन	किनका - किनके - किनकी	Who - Whose (plural)

उदाहरण:

आपका घर कहाँ है?
Where is your house?

यह सब कुछ मेरा है.
This all is mine.

क्या वह स्कूल हमारा है?
Is that our school?

उसका नाम क्या है?
What is her name?

कल किसकी परीक्षा है?
Whose test is tomorrow?

यह संतरा किसका है?
Whose orange is this?

तुम्हारा नाम क्या है?
What is your name?

ये किनके घर हैं?
Whose homes are these?

उसकी माता जी भारत में हैं.
His mother is in India.

कल हमारी बारी (turn) है.
Tomorrow is our turn.

The possessive adjective अपना 'one's own' is used when the thing which is possessed belongs to the subject of the verb in the same clause.

वह अपने घर में थी.
She was in her house.

मैं उसको अपनी किताब देता हूँ.
I give him my (own) book.

वह मुझको अपना काम देता है.
He gives me his work.

वह अपने बच्चों के साथ भारत जा रहा है.
He is going to India with his children.

आदमी अपनी पत्नी के साथ बाहर है. The man is out with his wife.

अपने अंगूर खाइये. (You) Please eat your grapes.
अपना खाना खाओ. (You) Eat your food.

मुझे अपना घर पसन्द है. I like my house.
उसको अपनी किताब चाहिये. He needs his book.

हमें अपना फ़र्ज़ (duty, responsibility) मालूम हैं. We know our duty.
तुमको अपनी लड़की को घर पहुँचाना (to make one reach, to help reach) होगा.
You will have to take your daughter home.

उनको अपने लिये मिठाइयाँ लानी पड़ेंगी.
They will have to bring sweets for themselves.

वह अपना घर साफ़ कर रहा होगा. He will be cleaning his house.
लड़की अपना पाठ याद करेगी The girl will memorize her lesson.

तुम्हें अपनी कमीजें धोनी हैं. You have to wash your shirts.
मैं अपना काम करता हूँ. I do my work.

Note: 'He is doing his work' is ambiguous in English.

He is doing his (his own) work. वह अपना काम कर रहा है.

He is doing his (third person) work. वह उसका काम कर रहा है.

Use of **'अपने आप'** - English use of myself, yourself, ourselves etc. changes to **अपने आप** in Hindi.

Examples:

I clean my shirt by <u>myself</u>. मैं अपनी कमीज़ <u>अपने आप</u> साफ़ करता हूँ.

He eats by himself. वह अपने आप खाता है.

You read your book by yourself. तुम अपनी किताब अपने आप पढ़ते हो.

They are going home by themselves. वे अपने आप घर जा रही हैं.

We do everything by ourselves. हम सब कुछ अपने आप करते हैं.

Eat by yourself. अपने आप खाओ.

Study by yourself. अपने आप पढ़िये.

Go by yourself. अपने आप जाओ.

She comes here by herself. वह अपने आप यहाँ आती है.

He drives by himself. वह गाड़ी अपने आप चलाता है.

<u>Note: Ambiguous:</u>

He works there by himself. वह वहाँ अपने आप काम करता है.

He works there by himself. (alone) वह वहाँ <u>अकेले</u> काम करता है.

She is going by herself. वह अकेले जा रही है.

वह <u>स्वयं</u> जा रही है.

Sanskrit word for **'अपने आप'** is **' स्वयं '** and is used too.

Compound PostPositions and Use of Possessive Adjective Apanaa.

शिमला शहर

अमर - बेटे यहाँ आओ, तुम अभी क्या कर रहे हो?
अमित - मैं अपना काम कर रहा हूँ पिताजी.

अमर -ठीक है और तुम्हारे बहिन - भाई क्या कर रहे हैं?
अमित - वे भी अपना होम वर्क कर रहे हैं.

अमर - मैं बाजार जा रहा हूँ. तुमको अपने लिये कुछ चाहिये?
अमित - जी हाँ मुझको बाजार से साबुन, तेल, कंघा और टूथ ब्रश चाहिये. हमलोग एक हफ्ते के लिये शिमला जा रहे हैं. वहाँ अपने एक दोस्त के घर रहेंगे और हिमालय पहाड़ देखेंगे.

अमर - तुम्हारा दोस्त कहाँ रहता है?
अमित - वह शिमला में अपने माता-पिता और भाई-बहिन के साथ रहता है.

अमर -उसका घर कैसा है?
अमित -उसका घर बहुत बड़ा है. घर के आगे सुन्दर बगीचा है और घर के पीछे हिमालय पहाड़ है. बरामदे (hallway) और खिड़कियों से सब कुछ दिखाई देता है. वह कह रहा था कि सारा (entire, whole) शहर उसके घर के नीचे है.

अमर - तुम्हारे दोस्त के पिता जी क्या करते हैं?
अमित - उनका रीयल इस्टेट का बिज़नेस है. वे लोग बहुत अमीर हैं. मेरा दोस्त अपने घर के पास एक प्राइवेट स्कूल में पढ़ता है.

अमर - अच्छा अब तुम जाओ और अपना काम करो. शिमला बहुत सुन्दर शहर है. वहाँ का मौसम भी बहुत अच्छा है. मैं बाजार से तुम्हारा सामान लाऊँगा. सूटकेस के अन्दर अपनी सब चीजें (things) और कपड़े ठीक से रखना.

शब्दावली: बातचीत
अपना-अपने-अपनी - one's own, my own, your own, his/her own etc.
अपने लिये for oneself, for myself, for herself, etc

साबुन	तेल	कंघा	पहाड़	के आगे	के पीछे
soap	oil	comb	mountain	in front	behind

बरामदा	दिखाई देना	के नीचे	अमीर	मौसम	सामान
hallway	shown / seen	under	rich	weather	things/luggage

लाना	के अन्दर	चीज़	रखना
to bring	inside	things	to put / to keep

Exercise1- Match and learn the following words: Example given

h<u>ill</u> 1	weather	like	outside	inside	it seems	snow	sometimes	near

all the time	whole	below	in front of	wide	behind	garden	only

other	guest	alone	to ask	to listen	after	kind

हमेशा	ऐसा लगता है	के बाहर	मौसम	के अन्दर	पहाड़ १	पसन्द	बरफ

मेहरबानी	सुनना	पूछना	के बाद	केवल	के पास	अकेले	पूरा	चौड़ा

के आगे	के नीचे	बगीचा	के पीछे	मेहमान	कभी-कभी	दूसरा

Exercise - 2 Translate as needed

I am glad that you too go to school.

We don't say anything about ourselves(अपने बारे में).

Do they say anything about us (हमारे बारे में)?

She doesn't live in her (own) house.

She lives in her sister's (अपनी बहन) house.

Come to our home tomorrow, and bring your children (अपने बच्चों को)too.

Does he not know that there are only seven days in a week?

मेरे पास आओ।	अपने लिये खाना लीजिये।
उसको हमारे बारे में बताओ।	वह मेरे लिये चाय लाता है।
आप भी हमारे साथ आइये।	नया मकान तुम्हारे सामने (in front of you) है।

240

प्राथमिक हिन्दी Elementary Hindi

१. यह मेरा घर है.

२. मैं यहाँ अपने कुछ दोस्तों के साथ रहता हूँ.

३. मेरे घर के सामने मेरे छोटे भाई का घर है.

४. मेरी माता जी अब हमारे साथ नहीं रहतीं.

५. वे एक दूसरे मकान में रहती हैं.

६. उनका नया मकान इस मकान से बहुत छोटा है.

७. आजकल मकान बहुत महँगे होते हैं.

८. इसलिये ज़्यादा लोग छोटे मकानों में रहते हैं.

९. मेरी माता जी की तबियत अच्छी नहीं है.

१०. इसलिये उनके पड़ोसी उनके लिये खाना बनाते हैं, और दुकानों से चीज़ें लाते हैं.

११. वे अपने लिये सिर्फ़ चाय बनाती हैं.

१२. कभी कभी मेरे भाई के पत्र (letters) लंडन से आते हैं.

१३. माता जी मुझसे इंग्लैंड के बारे में पूछती हैं.

१४. माता जी अँग्रेज़ी नहीं बोलतीं, केवल (only) हिन्दी बोलती हैं.

१५. वे कपड़े मेरे हैं.

Ch15L38

Compulsion Construction

In English 'have to,' 'must,' 'should,' etc. are used to form compulsion sentences. In Hindi, compulsion verbs होना, (verb to be) पड़ना, चाहिये (ought or should) are used with the infinitive form of main verb. Rules of forming the compulsion sentences in Hindi are as follows:

1. Subject always takes 'को' and therefore, it is in oblique case.

2. In the absence of direct object, both the infinitive and compulsion verbs take masculine singular form.

3. In the presence of a direct object, both the infinitive and compulsion agree with the direct object in number and gender.

4. Compulsion sentences are categorized as internal compulsion, external compulsion, and moral compulsion.

Examples of internal compulsion using the verb to be 'होना':

१. मुझको बहुत काम करना है.	I have to do a lot of work.
२. मुझको घर जाना है.	I have to go home.
३. उसको बहुत पढ़ना था.	He had to study a lot.
४. धोबी को कपड़े धोने हैं.	The washer man has to wash clothes.
५. लड़के को सुबह घर जाना था.	The boy had to go home in the morning.
६. तुम को रोज़ एक मील दौड़ना है.	You have to run a mile everyday.
७. हमको अंगूर खाने हैं.	We have to eat grapes.
८. उनको चिट्ठियाँ लिखनी थीं.	They had to write letters.
९. तुम को रोज़ दवाई खानी है.	You have to take medicine everyday.

Note: The होना construction above expresses one time action unless specified as in example 6 and 9. होना construction can also be used to express a desire:

आज मुझे सोना है.	Today I have to sleep.
तुम को रोटी खानी है?	Do you want to eat bread?

Examples of external compulsion: Using होना, and पड़ना verbs in the habitual forms.

मुझको बहुत काम करना पड़ता है.   I have to do a lot of work.

मुझको बहुत काम करना होता है.   I have to do a lot of work.

उसे रोज़ पढ़ना पड़ता है.   She has to study everyday.

हमको रोटियाँ खानी पड़ती थीं.   We had to eat bread.

उसे रोज़ एक मील दौड़ना होता है.   He has to run a mile everyday.

उसे रोज़ मिठाइयाँ बनानी पड़ती थीं.   She had to make sweets everyday.

शिक्षक को रोज़ हिन्दी पढ़ानी (to teach - f. form) पड़ती है.

The teacher has to teach hindi everyday.

छात्रों को कक्षा में समय से आना पड़ता है.

The students have to come to class on time.

मुझको बस से जाना होता है.   I have to go by bus.

Moral compulsion: Using 'चाहिये' (should or ought to). Verb चाहिये has only one form.

हमको वहाँ जाना चाहिये.   We should go there.

उस को बहुत पढ़ना चाहिये.   She should study a lot.

हमको दाल खानी चाहिये.   We should eat lentils.

सब को सच बोलना चाहिये.   Everyone should tell the truth.

आपको यह किताब खरीदनी चाहिये.   You should buy this book.

Important: When object is also in oblique case with 'को', verb remains in masculine singular form (neutral).

उसको बेटी को स्कूल पहुँचाना है.   He has to take the daughter to school.

मुझे कुत्ते को खाना देना है.   I have to feed (give food) the dog.

तुम को लड़के को पानी देना है.   You have to give water to the boy.

प्राथमिक हिन्दी Elementary Hindi

बातचीत

Should - Ought - Must - Have to

<u>Picnic</u>

राज - बच्चों याद है न! (don't you remember) आज हम सब को पिकनिक पर जाना है.

अलीशा - हाँ पिताजी. हमलोग पीच ऑर्चर्ड में पिकनिक करेंगे न? न - is it not

राज - हाँ. तुम लोगों को मालूम है न कि (that) आज तुम को क्या करना है?

नीना - जी हाँ, हम को अपना होम वर्क करना होगा. खाने की सब चीजें ठीक से कार में रखनी पड़ेंगी और कुत्ते-बिल्ली और चिड़िया का खाना-पानी रखना होगा.

राज - अब तुम लोग जाओ. मुझको जल्दी से घास काटनी (to cut) है, जरूरी चिट्ठियाँ लिखनी हैं. फिर बाजार जा कर कुछ चीज़ें भी लानी हैं. जीतू तुम ने कार साफ़ की?

जीतू - नहीं पिता जी, मैं भूल गया था. अभी साफ़ करता हूँ.

राज - तुम्हें कार कल ही साफ़ करनी चाहिये थी. तुम को सब काम ठीक समय पर करना चाहिये वरना किसी दिन परेशानी में पड़ोगे.

जीतू - कल मेरे पेट में दर्द था. माँता जी के साथ डॉक्टर के पास जाना पड़ा फिर होम वर्क भी करना था.

राज - मम्मी से कहो कि मुझको चाय पीनी है. सब काम करके हम पिकनिक के लिये चलेंगे और रास्ते में किसी अच्छे होटल से समोसे, पकौड़े खरीदेंगे. पिकनिक पर खाने में खूब मज़ा आयेगा. हम ताजी पीच भी तोड़ कर खायेंगे.

ललिता - क्या मुझको भी पिकनिक पर चलना पड़ेगा?

Con. Vocab:

याद	याद है न	रखना होगा	घास काटना	जरूरी
remember	don't you remember	have to put/keep	to cut grass	necessary
भूल गया	साफ़ करना	ठीक समय पर	किसी दिन	परेशानी	तोड़ना
forgot	to clean	on time	some day	trouble	to pluck

परेशानी में पड़ोगे	वरना	पेट	दर्द	मज़ा आना	ताज़ी
will get in trouble	otherwise	stomach	pain / ache	to have fun	fresh
कुत्ता	बिल्ली	चिड़िया
dog	cat	bird

(namaste jii)

अभ्यास - बातचीत

राज - सुनो हसन, आज तुमको क्या करना है?

हसन - अभी तो मुझको कुछ ज़रूरी ख़त लिखने हैं, फिर मुझको बाजार से कुछ चीज़ें लानी हैं. तुम्हें याद है न, शनिवार को मुझे हमेशा बाजार जाना पड़ता है.

राज - पर उन पत्रों को तुम्हें कल ही लिख देना चाहिये था - तुम्हें हर काम ठीक समय पर करना चाहिये, नहीं तो दिक्कत में पड़ जाओगे.

हसन - हाँ बेशक, पर कल मेरी बीवी की तबियत खराब हो गई थी, सो मुझे बच्चों की देखभाल करनी पड़ी. मेरी पत्नी को डॉक्टर के पास जाना पड़ा.

राज - तब तो बात दूसरी है. अच्छा सुनो, आज सुरेन्द्र का पत्र मिला. तुम्हें इसे पढ़ना चाहिये. वह बड़ा मजाकिया आदमी है.

हसन - हाँ दे दो. मैं उसे बाद में पढ़ लूँगा. अभी तो मुझे घर जाना है.

राज - तो तुम्हें चाय नहीं पीनी है? सामनेवाले ढाबे पर बढ़िया समोसे मिलते हैं.

हसन - इस बार तुम्हें चाय अकेले पीनी पड़ेगी. कल हम मिलकर खाना खाने चलेंगे.

Exercise - 1

ख़त	अभी तो	ज़रूरी	याद	कल ही
letter	right now	necessary	remember	yesterday or tomorrow only

हर काम		दिक्कत	पड़ जाना	बेशक
every piece of work		trouble	fell into	without doubt

बीवी	तबियत खराब होना		सो	तब तो
wife	to get sick		then	then indeed

मज़ाकिया	तो	सामनेवाले	ज़रूरी	ढाबा
funny	so	the one in front of	important	cafe

Exercise: 2 - Translate as needed

मुझको वहाँ जाना चाहिये.

तुमको यहाँ नहीं रहना चाहिये.

हमको हिन्दी बोलनी चाहिये.

आपको ये पुस्तकें पढ़नी चाहिये थीं.

गुड़ाको वहाँ जाना चाहिये था.

तुमको यहाँ नहीं रहना चाहिये था.

उसको कपड़े धोने चाहिये.

तुमको राम को नहीं मारना चाहिये.

We should have spoken Hindi.

You should read these books.

He should have washed the clothes.

You should not have beaten Ram.

मुझे जाना है.

मुझे जाना होगा.

मुझे रोज़ जाना पड़ता है.

उसको चिट्ठी लिखनी थी.

आज मुझे आराम करना है.

हमें रोज़ सात बजे उठना होता है.

उसे ढाई बजे की गाड़ी पकड़नी पड़ी.

राधा को अपनी बहिन की साड़ी पहननी पड़ेगी.

तुमको हिन्दी सीखनी पड़ेगी.

कल तुमको अपनी किताबें लानी होंगी.

घर लौट कर उसे फ़ोन करना था.

आपको घर जाकर काम करना पड़ा.

कुछ लोगों को आठ बजे काम शुरू करना पड़ता है.

Exercise:1 Read the following aloud and translate in English.

१. मुझको यहाँ नहीं आना चाहिये.

२. उसको वहाँ नहीं रहना चाहिये.

३. हमको हिन्दी में बातचीत करनी चाहिये.

४. तुम को जेरी को नहीं मारना चाहिये.

५. उन को अँग्रेज़ी सीखनी पड़ेगी.

६. हमको आठ बजे कक्षा में आना है.

७. तुमको यह कमरा साफ़ करना है.

८. क्या हमको पढ़ना और लिखना पड़ता है?

९. सब को पढ़ना चाहिये.

१०. फलवाले को फल बेचने हैं.

११. सब्ज़ीवाले को गाहकों से बात करनी है.

१२. उनको कुछ साड़ियाँ खरीदनी हैं.

१३. मुझे रोज़ बाज़ार जाना होता है.

१४. छात्रा को हिन्दी पढ़नी पड़ती है.

१५. तुमको सुबह क्यों उठना है.

१६. मुझको चाय पीनी है.

१७. उसको पाखाने जाना है.

१८. हिन्दी परीक्षा में अच्छा ग्रेड लाना चाहिये.

१९. शिक्षक की सब बातें छात्रों को सुननी चाहियें.

२०. सबको मिलजुल कर काम करना चाहिये.

२१. तुमको दवा क्यों खानी पड़ती है?

२२. मुझे डाकखाने से डाक टिकट लाने है.

२३. राधा को बाज़ार से फल और सब्ज़ी खरीदनी है.

२४. कक्षा में बात नहीं करनी चाहिये, सोना नहीं चाहिये, खाना नहीं चाहिये और गंदी बात नहीं कहनी चाहिये.

Exercise - 2 Compulsion Construction and Review.

1. Why do you have to come to school?

2. What do you have to do?

3. They will have to wash clothes.

4. She will have to go.

5. We have to study everyday.

6. I had to learn Hindi.

7. We should drink milk.

8. Everyone should come to the class on time.

9. You have to bring your book tomorrow.

10. She had to cook.

11. She eats a roti.

12. She used to eat a roti.

13. She was eating a roti in the school.

14. Why is she eating a roti at home?

15. Will she eat her roti?

16. Did she eat her roti?

17. Where had she eaten the roti?

18. Has she eaten a roti?

19. Will she eat a roti with her friend?

20. She should eat a roti.

Exercise - 3 Please translate as needed:

१. मुझको यहाँ नहीं आना चाहिये. २. उसको वहाँ नहीं रहना चाहिये.

३. हमको हिन्दी में बातचीत करनी चाहिये. ४. हमको आठ बजे कक्षा में आना है.

५.तुमको यह कमरा साफ़ करना है. ६. क्या हमको पढ़ना और लिखना पड़ता है?

७. सब को पढ़ना चाहिये. ८. फलवाले को फल बेचने हैं.

९. सब्ज़ीवाले को गाहकों से बात करनी है. १०. उनको कुछ साड़ियाँ खरीदनी हैं.

११. मुझे रोज़ बाज़ार जाना होता है. १२. छात्रा को हिन्दी पढ़नी पड़ती है.

१३. तुमको सुबह क्यों उठना है? १४. मुझको चाय पीनी है.

१५. हिन्दी परीक्षा में अच्छा ग्रेड लाना चाहिये. १६. तुमको दवा क्यों खानी पड़ती है?

१७. राधा को बाज़ार से फल और सब्ज़ी खरीदनी है. 18. Why do you have to come to school?

19. What do you have to do? 20. They will have to wash clothes.

(namaste jii)

21. She will have to go.   22. We have to study everyday.

23. We should drink milk.   24. Everyone should come to the class on time.

25. She should eat a roti.

Exercise - 4 Translate as needed:

१. मुझको बहुत काम करना है.   २. मुझको घर जाना है.

३. उसको बहुत पढ़ना था.   ४. धोबी को कपड़े धोने हैं.

५. लड़के को सुबह घर जाना था.   ६. तुम को रोज़ एक मील दौड़ना है.

७. हमको अंगूर खाने हैं.   ८. उनको चिट्ठियाँ लिखनी थीं.

९. मुझको बहुत काम करना पड़ता है   १०. हमको रोटियाँ खानी पड़ती थीं.

११. उसे रोज़ एक मील दौड़ना होता है. १२. उसे रोज़ मिठाइयाँ बनानी पड़ती थीं.

१३. छात्रों को कक्षा में समय से आना पड़ता है.   १४. मुझे बस से जाना होता है.

१५. हमको वहाँ जाना चाहिये.   १६. हमको दाल खानी चाहिये.

१७. आपको यह किताब खरीदनी चाहिये. १८. उसको बेटी को स्कूल पहुँचाना है.

प्राथमिक हिन्दी Elementary Hindi

Subjunctive संभावनार्थ

a. Subjunctive forms are very common in Hindi, and indicate a range of meanings.

b. Subjunctive has the same forms as the future except that the final गा, गे, गी suffixes are not present.

<u>Simple future</u>

I will go to school.
मैं स्कूल जाऊँगा.
She will eat.
वह खायेगी.
They will come tomorrow.
वे कल आयेंगे

<u>Subjunctive</u>

I may go to school.
मैं स्कूल जाऊँ.
She may eat.
वह खाये.
They may come tomorrow.
वे कल आयें

c. Irregular verbs like लेना, देना, होना, change as follows:

	मैं	तुम	वह	हम / वे / आप
Simple future:				
लेनाः	लूँगा / लूँगी	लोगे / लोगी	लेगा / लेगी	लेंगे / लेंगी
Subjunctive:				
लेना -	लूँ	लो	ले	लें.
देना -	दूँ	दो	दे	दें.
होना -	होऊँ	होओ	होए (हो)	होंए (हों)

प्राथमिक हिन्दी Elementary Hindi

नमस्ते जी
(namaste jii)

<u>१. Use of subjunctive in "Let us ..."</u> In Hindi subject is implied and the sentence begins with आओ or चलो.

a. Let's go.	चलो चलें. या आओ चलें.
b. Let's play.	चलो खेलें.
c. Let's converse in Hindi.	चलो हिन्दी में बातचीत करें.
d. Let's drink tea.	चलो चाय पीयें.
e. Let's count the money.	आओ रुपये गिन लें.
f. Let's strike.	आओ हड़ताल करें.

<u>२. Use of subjunctive in first person (I, We) "should" questions.</u>

a. Should we learn Hindi?	क्या हम हिन्दी सीखें?
b. How should we speak in Hindi?	हम हिन्दी में कैसे बोलें?
c. When should I work?	मैं कब काम करूँ?
d. Should I make a phone call?	क्या मैं फ़ोन कर लूँ?
	या फ़ोन कर लूँ?
e. Why should I tell you?	मैं तुमको क्यों बताऊँ?
	या क्यों बताऊँ?
f. How to stop shirking?	कामचोरी कैसे रोकें?
g. How should we do this job?	यह काम कैसे करें?

<u>३. Use of subjunctive in suggestions (plural एँ form with understood subject आप)</u>

a. Say the truth.	सच बोलें.
b. Do not forget to take the umbrella.	छाता लेना न भूलें.
c. Please take her home.	उसको घर ले जायँ.

251

प्राथमिक हिन्दी **Elementary Hindi**

d. Receive (take) loans from American bank.

अमेरिकन बैंक से ऋण (loan) प्राप्त करें (to receive).

e. For quick relief, don't forget to take aspirin.

जल्दी आराम के लिये एस्पिरिन लेना न भूलें.

f. Hurry up.   जल्दी करें.

g. Save today, smile tomorrow.   आज बचायें, कल मुस्कुरायें (smile).

४. Use of subjunctive in wishes, demands, etc.

a. I want you to eat.   मैं चाहता हूँ कि तुम खाओ.

b. I want you to leave now.   मैं चाहता कि तुम अब जाओ.

c. May God....   भगवान् करें कि ...

d. It's necessary that...   यह आवश्यक है कि.....

e. It's best that...   अच्छा यही है कि .....

f. It's my wish that...   मेरी इच्छा है कि ...

g. I (do not) want that...   मैं (नहीं) चाहता हूँ कि .....

h. Do you want that...   क्या आप चाहते हैं कि ...

i. Make agreement with Sikhs after consulting Hindus.

सिक्खों से समझौता हिन्दुओं से परामर्श के बाद करें.

५. Use of subjunctive in " what" clauses introduced by जब

a. You can come whenever you want.

तुम जब चाहो आ सकते हो.

b. You can learn Hindi whenever you want.

तुम जब चाहो तब हिन्दी सीख सकती हो.

c. Whenever you are scared, pray to God.

जब डर लगे, भगवान् को याद करना.

d. Take this medicine when you have temperature.

जब बुखार हो तब यह दवा खाना.

e. Whenever (you) wish ...(then)

जब चाहें तब ....

f. When security is dependent on only one lock, then use only Nav-Taal.

जब सुरक्षा केवल एक ताले पर निर्भर हो, तब केवल नव ताल प्रयोग करें.

६. Use of subjunctive to indicate possibility

a. I will go no matter what ...! कुछ भी हो, मैं जाऊँगा.

b. Whatever may be the result, I will take this test.

परिणाम कुछ भी हो, मैं यह परीक्षा लूँगा.

c. Whatever it is, I like it.

(यह) कुछ भी हो, मुझको पसन्द है.

d. Whatever happens, you have to face it.

कुछ भी हो, तुमको (इसका) सामना करना है.

e. Whatever may be...

कोई भी हो .....

f. Whatever the occasion may be...

कोई भी अवसर हो...

g. No matter what, you will have to do this job.

कुछ भी हो, तुमको यह काम करना पड़ेगा.

h. Whatever the occasion may be, you can wear this.

कोई भी अवसर हो तुम यह पहन सकते हो.

७. Use of subjunctive in "if" clauses

a. If I tell the truth, then ...

अगर मैं सच कहूँ, तो....

b. If it were ever to be so, then what would happen?

(अगर) कभी ऐसा हो, तो क्या हो ..

c. If you go then,

अगर आप जायँ तो ....

d. If you don't do mischief today, I will give you money.

अगर आज तुम शरारत नहीं करोगे तो मैं तुम्हें पैसे दूँगा.

e. If you will take the test, you will definitely pass.

अगर तुम परीक्षा लोगे तो ज़रूर पास होगे.

f. If she will talk in the class, she will be punished.

अगर वह कक्षा में बात करेगी तो दंड मिलेगा.

g. If we ask the questions, the teacher will be happy.

अगर हम प्रश्न पूछें तो शिक्षक खुश होंगे.

८. Subjunctive in expressions of doubt Use of शायद or कदाचित

a. Perhaps the trains are up ahead.　शायद गाड़ियाँ आगे हों.

b. Perhaps those people go there　शायद वे लोग वहाँ जायं.

c. Perhaps I will go　शायद मैं जाऊँ.

d. Perhaps that girl is (was) smoking a cigarette

शायद वह लड़की सिगरेट पी रही हो. (context would indicate

whether the meaning was past or present)

e. He is Probably sick today.　शायद वह आज बीमार है.

f. There is Probably no school today.　शायद आज स्कूल न हो .

g. The teacher will Probably show a movie.

शायद शिक्षक आज सिनेमा दिखायें.

The subjunctive. 　　　　आइये फ़ोन पर बात करें!

मीरा - आंटी नमस्ते ! मैं मीरा बोल रही हूँ. क्या मैं पायल से बात कर सकती हूँ?

कुसुम - नमस्ते बेटी. पायल तो अभी स्कूल में है. शायद चार बजे तक आये. तुम चार बजे के बाद कॉल करो तो शायद मिले.

मीरा - आंटी मैं घर पर ही हूँ. पायल आये तो उससे कहियेगा कि मुझको फ़ोन करे.

कुसुम - क्या बात है? तुम कुछ परेशान हो?

मीरा - हाँ आंटी, अगले सोमवार को हमारी साइन्स की परीक्षा है और मैं पायल से कुछ पूछना चाहती हूँ.

कुसुम - पर इसमें परेशान होने की क्या बात है? परीक्षा के लिये तो अभी बहुत समय है.

मीरा - वह तो ठीक है आंटी, पर मेरी नानी जी बहुत बीमार है और हम सब उनको देखने के लिये कल न्यू जर्सी जा रहे है और शायद रविवार तक लौटें. मैं पायल से आज ही बात करना चाहती हूँ.

कुसुम - ओह ! मुझे दुख है. तुम चिन्ता मत करो. मै पायल से कहूँगी कि तुमको ज़रूर फ़ोन करे. तुम अपना फ़ोन नम्बर दो.

मीरा - मेरा नम्बर उसके पास है.

कुसुम - फिर भी तुम नंबर दो, अगर उसको याद न हो तो?

मीरा - जी हाँ आंटी, मेरा नम्बर 123-4567 है. अच्छा आँटी, मैं पायल के फ़ोन का इंतज़ार करूँगी. नमस्ते.

कुसुम - तुम अपनी माता जी से मेरी नमस्ते कहना. मेरी भगवान जी से प्रार्थना है कि तुम्हारी नानी जी जल्दी अच्छी हो जायें.

Con. Vocab:

बात करना	शायद	तक	मिलना	क्या बात है
to converse	probably	until	to find / to meet	what is the matter

परेशान	अगला	परीक्षा	बीमार	देखने के लिये	लौटना
troubled	next	test	sick	for seeing	to return

आज ही	मुझे दुख है	मत	चिन्ता करना	चिन्ता
today only	I am sorry	no / not	to worry	worry

याद	याद न हो तो	इंतज़ार करना	भगवान जी
remember	if not remembered	to wait	Lord / God

प्रार्थना	जल्दी	अच्छा होना
prayer	quickly	to get well / to be good / to become good

<u>Exercise - 1</u> Transform each statement below into a question using the subjunctive form of the verb as in the example. Translate each sentence.

He often goes for a walk.	Should he go today too?
वह अक्सर घूमने जाता है.	क्या वह आज भी जाये?

१. फलवाला अक्सर (often) ताज़े (fresh) फल बेचता (sells) है.

२. शर्मा जी अक्सर बाज़ार जाते हैं.

३. मोची (cobblers) अक्सर सड़क (road) के किनारे (by the side) बैठते हैं.

४. वह लड़की अक्सर किताब की दुकान जाती है.

५. औरत अक्सर नई साड़ियाँ खरीदती है.

६. छात्र अक्सर सवाल (questions) पूछते है

७. बैरा (waiter) अक्सर धोबी (washerman) से बात करता है.

८. शिक्षक अक्सर ठीक समय पर क्लास शुरू करते हैं.

९. कुली (porter) अक्सर भारी सामान (heavy luggage) उठाता है.

१०. छात्र अक्सर जल्दी आते हैं.

Exercise - 2 Answer each question saying that "(Big) brother doesn't want ...... " and translate as in the example:

क्या हम सिनेमा जा रहे हैं? Are we going to the movies?
जी नहीं, भाई साहब (यह) नहीं चाहते कि सिनेमा जाएँ.
No, big brother doesn't want us to go to the movies.

Note: The use of the resumptive pronoun यह to anticipate the कि clause is not required, but is quite common in Hindi.

१. क्या छोटा भाई हॉकी खेलेगा?
२. क्या बहिन की शादी (marriage)अगले (next) साल होगी?
३. क्या मैं शिक्षक से बात करूँ? बात करना - टु टॉक
४. क्या सब लड़के तीन बजे घर पर आ रहे हैं?

५. क्या आप सितार सुनने (for listening) जाएँगे?
६. क्या सारा (entire, whole) परिवार रेलगाड़ी से आगरा जायेगा?
७. क्या हम बाज़ार जाने के लिये रिकशा बुलाएँगे (call)?
८. क्या छोटी बहिन कॉलेज जायेगी?
९. क्या माताजी रात में खाना बनाएँगी?
१०. क्या वे दिन में देर तक (until late) सोएँगे?

Exercise - 3 Answer each question using शायद and the correct subjunctive form of the verb. Omit subject in answer as in the example:

ये लोग क्या भाषा बोलते हैं — What language do these people speak?
शायद हिन्दी बोलते हों. — Perhaps (they) speak Hindi.

१. रेलगाड़ी (train) कितने बजे छूटी (left)?
२. वे अँग्रेज़ (english people) क्या भाषा (language) बोलते हैं.
३. वह किस रंग (which color) की कार चलाती है?
४. वे कितने बजे स्कूल जाते हैं?
५. छात्र को वह हिन्दी किताब कहाँ मिली?
६. उसके चाचा जी कहाँ रहते हैं?

257

प्राथमिक हिन्दी Elementary Hindi

Exercise - 4   Translate the following as needed:

1. Should brother go to a foreign country for education?
2. Perhaps the train left early.
3. If he doesn't come, what will happen?
4. I hope, she comes early.
5. I probably will not eat apples.
6. You probably would not do this.
7. Should you not study?
8 Let's go.   9. Let's play.   10. Let's converse in Hindi.
11. Let's drink tea.

क्या हम हिन्दी सीखें ?   हम हिन्दी में कैसे बोलें ?

क्या मैं फ़ोन कर लूँ ?   यह काम कैसे करें ?   जल्दी करें
a. I want you to eat.   b. I want you to leave now.
a. You can come whenever you want.
b. You can learn Hindi whenever you want.

कुछ भी हो, मैं जाऊँगा.   (यह) कुछ भी हो, मुझको पसन्द है.   कोई भी हो ....

कुछ भी हो, तुमको यह काम करना पड़ेगा.   अगर मैं सच कहूँ , तो....

(अगर) अभी ऐसा हो , तो क्या हो ..   अगर आप जायँ तो ....

अगर तुम परीक्षा लोगे तो ज़रूर पास होगे.

शायद गाड़ियाँ आगे हों.   शायद वे लोग वहाँ जायं.

शायद मैं जाऊँ.   शायद वह लड़की सिगरेट पी रही हो.

शायद वह आज बीमार है.   शायद आज स्कूल न हो .

शायद शिक्षक आज सिनेमा दिखायें.

Conversation चाहना

सुनील -नमस्ते नील मै सुनील बोल रहा हूँ.

नील - नमस्कार सुनील, बहुत दिनों के बाद तुम्हारी आवाज (voice) सुन रहा हूँ. कैसे हो?

सुनील - सब ठीक है. सुनो नील , मैं चाहता हूँ तुम शाम को मेरे घर आओ. तुमसे कुछ ज़रूरी बात (important conversation) करना चाहता हूँ.

नील - ऐसी क्या बात (what is such a thing) है भाई, फ़ोन पर बात नहीं कर सकते हो, तो तुम मेरे घर भी तो आ सकते हो?

सुनील - हाँ कुछ ऐसी ही बात (something like this only) है. मेरे घर आओ तब सब बताऊँ. तुम खाना भी मेरे घर पर ही खाओ.

नील - तब ठीक है. हम शाम को मिलते हैं. क्या मैं बाजार से कुछ पीने का (for drinking) लाऊँ?

सुनील - मुझको कुछ नहीं चाहिये. तुम आओ तो बात करते हैं.

शाम को सुनील के घर पर

नील - हाँ अब बताओ क्या बात है.

सुनील - मेरे माता पिता मेरी शादी करना चाहते हैं. यह देखो, यह लड़की की तस्वीर है.

नील - लड़की तो बहुत सुन्दर है. तुमको शादी करनी चाहिये. पढ़ती है या कुछ और.....

सुनील - इसका नाम सुमन है और बी.ए. में सीनियर है, केमेस्ट्री में मेजर कर रही है.

नील - तब तो बहुत अच्छा है. सुमन सुन्दर है और पढ़ भी रही है तुम तुरन्त (rightaway) हाँ कर दो.

सुनील - लेकिन मेरी समस्या (problem) दूसरी है. सुमन बहुत अमीर है और उसका कोई भाई या बहिन नहीं है. वह स्नॉब भी हो सकती है. हम लोग तो बहुत अमीर नहीं हैं. अगर हमारी आपस में नहीं बनती है (if we cannot get along with each other then) या वह बहुत डिमान्डिंग हो या उसके एक्सपेक्टशन्स हाइ हों तो?

नील - सुमन किस कॉलेज में पढ़ती है? हम उसके स्वभाव (nature) के बारे में पता कर सकते हैं.

सुनील - वह मिरांडा हाउस में पढ़ती है. वहाँ तुम्हारी बहिन नीता भी तो पढ़ती है न?

नील - ओह तो यह बात है (so this is the thing). इसीलिये आप चाहते थे कि मै आपके घर आऊँ, खाना भी खाऊँ. आप बहुत मतलबी (selfish) आदमी हैं.

सुनील - कुछ भी कहो (say whatever) लेकिन मैं चाहता हूँ कि तुम मेरी मदद ज़रूर करो. सुमन के बारे में सब पता (find all about) करो.

प्राथमिक हिन्दी Elementary Hindi

नील - ठीक है, नीता की मदद से (with Neeta's help) मैं सुमन के बारे में तुमको सब कुछ बताता हूँ.
अब मैं खाना चाहता हूँ. बहुत भूखा (hungry) हूँ.

सुनील - चलो एक अच्छे होटल में खाते हैं. क्या खाओगे?

नील - आज मुझको चिकेन, साग पनीर, मलाई कोफ़्ता, नान, पुलाव और रस मलाई सब कुछ
चाहिये. सुमन के बारे में पता करना सरल नहीं है.

सुमन और सुनील की शादी के बारे में आगे पढ़ेंगे.

Vocab: शब्दावली:

आवाज़	सुनना	चाहना	ज़रूरी बात करना
voice	to listen	to want / to need	to make important conversation

ऐसी क्या बात है	कुछ ऐसी ही बात	बताना	तब ठीक है
what is such thing	something like this only	to tell	then it is alright

मिलना	लाना	चाहिये	शादी	शादी करना
to meet	to bring	to need (passive)	marriage	to marry

समस्या	दूसरी	तो	आपस में	सरल
problem	other	then	in between	easy

स्वभाव	पता करना	ओह तो यह बात है	इसीलिये	कि
nature	to find out	so this is the thing	that's why	that

मतलबी	मदद करना	ज़रूर	नीता की मदद से	भूखा
selfish	to help	certainly	with the help of Neeta	hungry

आगे	तुरन्त	आपस में नहीं बनती है तो
forthcoming / further down	right away	if cannot get along with each other then

विषय Subject

इतिहास

भूगोल

हिन्दी

अंग्रेजी

गणित

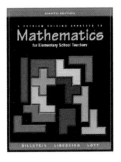

विज्ञान

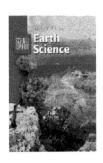

भाषा

जीव विज्ञान

वनस्पति शास्त्र

अभियान्त्रिकी

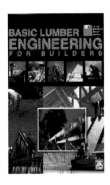

वाणिज्य विज्ञान

प्रबन्ध शास्त्र

261

अर्थशास्त्र   समाज शास्त्र   रसायन शास्त्र   भौतिक शास्त्र

नीति शास्त्र   धर्म   नागरिक शास्त्र   भूगर्भ शास्त्र

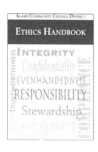 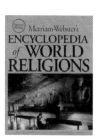 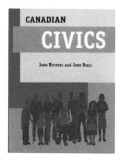 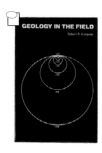

राजनीति शास्त्र   कानून   मनोविज्ञान   दर्शन

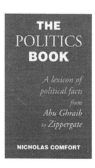   

The Presumptive

Presumptive forms indicate that the speaker presumes that the statement is true. Sentences with presumptive forms can be translated by introducing them with the 'speaker presumes that...'. In English 'must' or ' probably' are commonly used for this.

However, "must" is ambiguous.

He must live here (he probably lives here) presumptive.
वह यहाँ रहता होगा.

He must live here (he has to live here) compulsion in Hindi.
उसको यहाँ रहना पड़ता है.

Presumptive of the verb होना

masculine	feminine
हूँगा होगे होगा होंगे	हूँगी होगी होगी होंगी

वह कहाँ है?
Where is he?

यहाँ होगा
He must be here.

वह कल कहाँ होगा?
Where will he be tomorrow?

यहाँ होगा
He will be here.
('He will probably be here' is also possible.)

धोबी कहाँ है?
Where is the washerman?

वह अपने घर पर होगा.
He must be at his home.

आपके पिताजी कहाँ है?
Where is your father?

ऑफ़िस में होंगे.
He must be in the office.

Use of होना in present tense. Past or future presumptive translations may also be possible, since the tense is not marked in the presumptive.

<u>non-linking I Verb:</u>	
It must be a girl.	लड़की होगी.
<u>noun-noun linking:</u>	
The man must be a washerman.	आदमी धोबी होगा.
<u>noun adjective linking:</u>	
The chair must be good.	कुरसी अच्छी होगी.
<u>noun adverb linking:</u>	
The train must be ahead.	रेलगाड़ी आगे होगी.
<u>concrete possession:</u>	
The boy probably has some apples.	लड़के के पास कुछ सेब होंगे
<u>abstract possession:</u>	
The teacher must have a lot of work.	शिक्षक को बहुत काम होगा.
<u>compulsion:</u>	
He must have to bring the book.	उसे किताब लानी होगी.
<u>habitual present:</u>	
The boy reads books.	लड़का किताबें पढ़ता है.
<u>habitual past:</u>	
The boy used to read books.	लड़का किताबें पढ़ता था.
<u>habitual presumptive:</u>	
The boy probably reads books.	लड़का किताबें पढ़ता होगा.
<u>simple perfect:</u>	
The boy probably read the books.	लड़के ने किताबें पढ़ी होंगी.
<u>progressive present:</u>	
The boy is reading books.	लड़का किताबें पढ़ रहा है.
<u>progressive past:</u>	
The boy was reading books	लडका किताबें पढ़ रहा था.

progressive presumptive:

The boy must be reading books. लड़का किताबें पढ़ रहा होगा.

The boy must have been reading books. लड़का किताबें पढ़ रहा होगा.

Note that, in presumptive, the distinction between present and past action depends on the context.

Perfect verb forms with transitive verb:

simple perfect:
The lady ate the bananas. औरत ने केले खाए.
present perfect:
The lady has eaten the bananas. औरत ने केले खाए हैं.
past perfect:
The lady had eaten the bananas. औरत ने केले खाए थे.
presumptive perfect:
The lady must have eaten the bananas. औरत ने केले खाए होंगे.

Perfect verb forms with intransitive verb:

simple perfect:
The man went to the shop. आदमी दुकान गया.
present perfect:
The man has gone to the shop. आदमी दुकान गया है.
past perfect:
The man had gone to the shop. आदमी दुकान गया था.
presumptive perfect:
The man must have gone to the shop. आदमी दुकान गया होगा.

१. करीब दस लाख लोग दिल्ली में रहते होंगे.
२. लोग ह्यूस्टन से ऑस्टीन कार से जाते होंगे.

265

३. लोग गरमी में हल्के रंग के कपड़े पहनते होंगे.

४. सब लोग छह बजे टीवी देख रहे होंगे.

५. छात्र प्रश्न पूछ रहे होंगे.

६. वह ताज महल देखने जा रही होगी.

<u>Exercise 1:</u> Write the tense of each sentence and translate in English:

१. लड़की अपना कमरा खोलती है.

२. लड़की अपना कमरा खोलती थी.

३. लड़की अपना कमरा खोलती होगी.

४. शायद लड़की अपना कमरा खोले

५. लड़की अपना कमरा खोल रही है.

६. लड़की अपना कमरा खोल रही थी.

७. लड़की अपना कमरा खोल रही होगी.

८. शायग लड़की अपना कमरा खोले.

९. लड़की ने अपना कमरा खोला.

१०. लड़की ने अपना कमरा खोला है.

११. लड़की ने अपना कमरा खोला था.

१२. लड़की ने अपना कमरा खोला होगा.

१३. शायद लड़की ने अपना कमरा खोला हो.

१४. लड़की को अपना कमरा खोलना है.

१५. लड़की को अपना कमरा खोलना था.

१६. लड़की को अपना कमरा खोलना पड़ेगा.

१७. लड़की को अपना कमरा खोलना होगा.

१८. लड़की को अपना कमरा खोलना हो.

१९. लड़की अपना कमरा खोलेगी.

२०. लड़की अपना कमरा खोल रही होगी.

1. He must be here.

2. The man must be a washerman.

3. The train must be ahead.

4. He must have to bring the book.

5. The boy probably read books.

6. She must have been drinking coffee.

7. They must have eaten.

8. You must be taking the test.

9. Your car must be red colored.

10. It must be raining in India.

Ch18L41

FUTURE PROGRESSIVE TENSE

Rules नियम

1 - Add रहा, रहे, या रही to the verb stem or the verb root according to the number and gender of the subject.

2. Add हूँगा, हूँगी, होंगी, होंगे, होऊँगा या होऊँगी as auxiliary verb with first person pronouns मैं और हम

उदाहरण -

१ - मैं खाना खारहा हूँगा या होऊँगा ?

२ - मैं साढ़े सात बजे अपनी पुस्तक पढ़ रही हूँगी या होऊँगी

३ - हम सब नौ बजे से टेनिस खेल रहे होंगे.

४ - उनके आने के पहले हम सो रही होंगी.

3. Add होगे, होगी, होंगे या होंगी with the second person pronouns तुम या आप

उदाहरण -

१ - मेरे आने से पहले तुम क्या कर रहे होगे?

२ - मेरे साथ तुम भी दौड़ रही होगी.

३ - उनके साथ आप भी हिन्दी बोल रहे होंगे.

४ - स्कूल से आने के बाद क्या आप टी वी देख रही होंगी?

4. Add होगा, होगी, होंगे या होंगी with the third person pronouns or with proper nouns according to the number and gender of the subject.

उदाहरण -

१ - वह शिक्षक से संगीत सीख रहा होगा.

२ - वह अपनी सहेली के साथ नृत्य (डान्स) कर रही होगी.

३ - वे सब चिड़ियाघर (zoo) में पक्षी और जानवर (birds & animals) देख रहे होंगे.

४ - वे बेलेअर हाइस्कूल में हिन्दी सिखा रही होंगी.

Exercise 1: Read & Translate:

१. मैं परसों वापस आरहा होऊँगा. या, मैं परसों वापस आरहा हुँगा. वापस आना - to return

२. क्या मेरे आने से पहले तुम घर जा रहे होगे?

३. वे सुबह से क्यों नहीं पढ़ रहे होंगे?

४. आजकल वह क्या कर रहा होगा?

५. क्या वह लेटकर नहीं पढ़ रही होगी?

६. हम अठारह तारीख को सुबह नौ बजे न्यू यॉर्क में गाना गा रहे होंगे.

७. हवा चल रही होगी. हवा चलना - wind blowing

८. आकाश में बादल छा रहे होंगे. आकाश - स्काइ, बादल - क्लाउड, छाना - टु कवर

९. तुम दौड़ते हुए स्कूल जा रहे होगे.

१०. वह हाथ से चिड़िया पकड़ रहा होगा.

११. हम बिस्तरे पर लेटे हुए हिन्दी में बात कर रहे होंगे. बिस्तर - बेड

१२. बॉब अपने दोस्त सैम के घर गाड़ी से जा रहा होगा.

१३. सुबह छः बजे से पानी बरस रहा होगा.

१४. सफ़ेद गाय और काला घोड़ा घास चर रहे होंगे. गाय - काउ, घोड़ा - होर्स, घास - ग्रास
चरना - टु ग्रेज़

१५. पेड़ों में फल लग रहे होंगे या फल आ रहे होंगे. फल लगना - forming of fruit in the tree

१६. पौधों - प्लान्ट्स - में फूल - फ्लावर - खिल रहे होंगे. खिलना - टु ब्लूम

१७. छोटे बच्चे हँस रहे होंगे. हंसना - टु लाफ़

१८. वह बड़ा लड़का खुशी से कूद रहा होगा. खुशी से - विद जॉय, कूदना - टु जम्प

१९. बसन्त ऋतु (spring) में तितली (butterfly) मधुमक्खी (honey bee) और भौंरा (bumble bee) उड़ रहे (flying) होंगे.

२०. मैं दो घन्टे से उसको बुला रहा (calling) होऊँगा.

२१. अखबारवाला साढ़े पाँच बजे से अखबार बाँट रहा होगा. बाँटना - to distribute

२२. वह दो घन्टे से तुम्हें बुला रही होगी.

२३. तुम हिन्दी परीक्षा दे रहे होगे.

२४. आप कहाँ से आ रहे होंगे?

२५. सबकुछ ठीक चल रहा होगा.

२६. गाड़ी ठीक समय से पहुँच रही होगी.

Exercis2: हिन्दी में अनुवाद कीजिये -

1- Where will they be playing?

2- I will not be studying after the school.

3- These days, everyone will be studying Hindi.

4- No one will be angry.

5- Somebody will be arriving on time.

6- Everything will be okay.

7. He will be eating something.

8. I will be playing anything.

9- Who will be winning?

10. Nothing will be happening in the room.

Exercise 3: FILL IN THE BLANKS. रिक्त (खाली या ब्लैन्क) स्थानों को भरिये -

१- स्कूल से आने के बाद हम सब जूस पी.......

२- आजकल वे सब क्या कर ....

३- बम्बई से कोई नहीं आ ....

४- वे आज कहीं नहीं जारही ....

५- क्या तुम उन दिनों डान्स कर रही ......

६- उसको कुछ भी मालूम नहीं हो ....

७- राम का विवाह (शादी या मैरिज) हो ....

८- वे सभा में बोल ....

९- मूसलधार - कैट्स एण्ड डॉग्स - पानी बरस ....

१०- चिड़िया उड़ .....

११- बगीचे में फूल खिल ....

१२- बसन्त ऋतु आ ....

Exercise 4: हिन्दी में अनुवाद कीजिये

1 - I will be going to the store.
2 - Where will you be going tomorrow?
3 - Nagesh will be going to jail.
4 - Bobby and Reggie will be going to store to buy some shoes.
5 - Subha will be eating an apple.

Exercise 5: अंग्रेज़ी में अनुवाद कीजिये

१ - मैं घर जा रहा हुँगा.

२ - कल वह फुटबॉल खेल रहा होगा.

३ - तुम परसों क्या कर रहे होगे?

४ - हम स्कूल में पढ़ रहे होंगे.

५ - उसकी माताजी आ रही होंगी.

Exercise 6: रिक्त - ब्लैंक - स्थानों - प्लेसेस - को भरिये - फ़िल

१ - वे स्कूल में - - . (खेलना)
२ - कौन - - होगा. (जीतना)

३ - वे परसों - - होंगे. (पढ़ना)
४ - मैं कल - गारहा ---- . (गाना)

५ - स्कूल से आने के बाद हम जूस - - - . (पीना)

Exercise 7: अँग्रेज़ी - इंग्लिश - में अनुवाद - ट्रान्सलेट - कीजिये -

१ - बम्बई से लाल कपड़े आ रहे होंगे.
२- क्या रेलगाड़ी समय से आर ही होगी ?
३ - क्या तुम टी वी पर कोई प्रोग्राम देख रहे होगे?
४ - क्या तुम्हारे घर में कुछ हो रहा होगा?
५ - हम तितलियाँ पकड़ रहे होंगे.
६ - उनके साथ आप भी हिन्दी बोल रहे होंगे.
८ - वे सब चिड़ियाघर में पक्षी और जानवर देख रहे होंगे.
९ - जब तुम भारत जाओगे तब पानी बरस रहा होगा.
१० - वे बेलेअर हाइस्कूल में हिन्दी सिखा रही होंगी.

Exercise 8: Translate in Hindi -

1- I will be coming back the day after tomorrow.
2 - Will you be going before I reach there?
3 - They will be working?
4 - Will she not be studying after lying down on the bed?
5 - We will be singing in New York on the 18th at nine in the morning.
7 - It will be raining in India.
8 - That big boy will be jumping with joy.
9 - Everything will be going on well.
10 - Fresh mango will be coming from India.

Con1   बातचीत अभ्यास - १

परिचय - Introduction

क -

सीता - नमस्ते जी, आपका नाम क्या है?   गीता - नमस्ते, मेरा नाम गीता है.
सीता - यह (ये) कौन है?   गीता - जी, यह मेरी बहिन राधा है.

सीता - और ये कौन हैं?   गीता - ये मेरा भाई अशोक है, वे कौन हैं?
सीता - वे मेरे पिता जी और माता जी हैं.   गीता - पिता जी का नाम क्या है?

सीता - पिता जी का नाम श्री गोपाल लाल है.
गीता - और माता जी का नाम?   सीता - उनका नाम कुसुम है.

ख -

शिक्षक - मेरा नाम क्या है?   छात्र - आपका नाम अरुण प्रकाश है?
शिक्षक - उसका नाम क्या है?   छात्र - उसका नाम अमित है.

शिक्षक - इसका नाम क्या है?   छात्र - इसका नाम उर्वशी है.
शिक्षक - और उसका ?   छात्र - उसका नाम पायल है.

शिक्षक - और इसका?   छात्र - इसका नाम एवरिल है.
छात्र - उनका नाम क्या है?   छात्रा - उनका नाम अरुण प्रकाश है.

छात्र - इनके नाम क्या हैं?   छात्रा - इनके नाम जॉन और जेसिन हैं
शिक्षक - उनके नाम क्या हैं?   छात्रा - उनके नाम राधा और सीता हैं.

शिक्षक - सीता किसका नाम है?   छात्रा - उस लड़की का नाम सीता है.
शिक्षक - जॉन और जेसिन किनके नाम हैं?   जॉन और जेसिन - हमारे नाम हैं.

शिक्षक - मीरा और मीना किनके नाम हैं?   छात्र - उनके नाम मीना और मीरा हैं.
शिक्षक - क्या वह लड़की मीरा है?   छात्र - जी नहीं, वह लड़की उमा है.

शिक्षक - क्या आप रायन हैं?   छात्र - जी हाँ, मैं रायन हूँ.
शिक्षक - क्या आपका नाम राधा है?   छात्रा - जी नहीं, मेरा नाम नैन्सी है.

प्राथमिक हिन्दी Elementary Hindi

नमस्ते जी
(namaste jii)

ग -

दिलीप - यह क्या है?
तुषार - यह मेज है.

दिलीप - और यह क्या है ?
तुषार - यह कागज है.

दिलीप - वह क्या है?
तुषार - वह दरवाजा है.

दिलीप - और वह?
तुषार - वह खिड़की है.

दिलीप - यह लड़का कौन है?
तुषार - यह लड़का रंजन है.

दिलीप - वह कौन है?
तुषार - वह लड़की वंसा है.

दिलीप - तुम कौन हो?
तुषार - मैं तुषार हूँ, और आप कौन हैं ?

दिलीप - मैं दिलीप हूँ. वे कौन हैं?
तुषार - वे शिक्षक हैं.

दिलीप - श्री बिल लॅासन क्या हैं?
तुषार - वे प्रिन्सपल हैं.

दिलीप - प्रिन्सपल की हिन्दी क्या है?
तुषार - प्रिन्सपल की हिन्दी प्रधानाचार्य है.

दिलीप - बुक की हिन्दी क्या है?
तुषार - किताब है.

दिलीप - आदमी की अँग्रेज़ी क्या है
तुषार - आदमी की अँग्रेजी मैन है.

Vocabulary:

मेरा / मेरे / मेरी	आपका / आपके / आपकी	तुम्हारा / तुम्हारे / तुम्हारी	
my / mine	your / yours (formal)	your / yours (informal)	
उसका / उसके / उसकी	उनका / उनके / उनकी	हमारा / हमारे / हमारी	किसका / किसके /किसके
his / her	his/her / their	our / ours	whose
इसका / इसके / इसकी	इनका / इनके / इनकी	किनका / किनके / किनकी	
his/her (near), its	his / her (respect), their (near)	whose (plural or singular respect)	

बहिन	भाई	माता	पिता	नाम	यह	वह	क्या	कौन	और
sister	brother	mother	father	name	this	that	what	who	and

दरवाजा	खिड़की	लड़का	लड़की	शिक्षक	आप	मैं	प्रधानाचार्य	अंग्रेज़ी
door	window	boy	girl	teacher	you (respect)	I	principal	English

जी - When added after a name - makes it formal or respectful like 'Sir' or ' Madam' and when used by itself, it becomes a formal or respectful start of an answer or just a formal nodding.

घ-

शिक्षक - वहाँ क्या है?   छात्र - वहाँ पाखाना बाथरूम (bathroom) है.
शिक्षक - यहाँ क्या है?   छात्र - यहाँ हिन्दी कक्षा है?

शिक्षक - कक्षा में कौन है?   छात्र - कक्षा में छात्र और शिक्षक हैं.
शिक्षक - वहाँ कौन है?   छात्र - वहाँ निशा है और यहाँ रायन है.

शिक्षक - क्या वह लड़का रंजन है?   छात्र - नहीं, वह लड़का अमित है.
शिक्षक - क्या यह लड़की सिन्थिया है?   छात्र - जी हाँ, यह सिन्थिया है.

शिक्षक - यहाँ क्या है?

छात्र - यहाँ मेंज - कुरसी - किताब - कागज - कलम - पेंसिल - थैला और छाता है

शिक्षक - वहाँ क्या है?   छात्र - वहाँ खिड़की और दरवाजा है.

शिक्षक - बहुत अच्छा, कक्षा में बोर्ड, पंखा, टेलिविज़न, बत्ती, दीवार, छत और जमीन भी हैं.

शिक्षक - क्या यह कुरसी है?   छात्रा - जी हाँ, यह कुरसी है.
शिक्षक - क्या वह लड़की पायल है?   छात्रा - नहीं, वह लड़की पायल नहीं है, वह उमा है.

शिक्षक - क्या यह लड़का अजीत है?   छात्रा - जी हाँ, यह अजीत है.
शिक्षक - क्या वह दरवाजा है?   छात्रा - नहीं, वह खिड़की है.

Vocabulary:

यहाँ	वहाँ	कक्षा	छात्र	छात्रा	शिक्षक
here	there	class	student	(f) student	teacher

अच्छा	में	पंखा	बत्ती	दीवार
good	in	fan	light	wall

छत	बहुत	जमीन	दरवाजा	खिड़की
roof	very / a lot	floor	door	window

च -

शिक्षक - आप कहाँ हैं?	छात्र - मैं हिन्दी कक्षा में हूँ.
शिक्षक - निशा कहाँ है?	छात्र - वह आज घर में है.
शिक्षक - हिन्दी कक्षा कहाँ है?	छात्र - हिन्दी कक्षा बेलेअर हाइ स्कूल में है.
शिक्षक - ह्यूस्टन कहाँ है?	छात्र - अमेरिका में है.
शिक्षक - भारत कहाँ है?	छात्र - भारत एशिया में है.
शिक्षक - पाखाना_बाथरूम । कहाँ है	छात्र - मुझको मालूम नहीं है.
शिक्षक - कागज और कलम कहाँ हैं?	छात्र - कागज और कलम मेरी मेज पर हैं.
शिक्षक - मेरी मेज पर क्या है?	छात्र - आपकी मेज पर किताबें और कॉपियाँ हैं.
मनोज - आप कैसे हैं?	रिशी - मैं ठीक हूँ
मनोज - सब लोग कैसे हैं?	रिशी - सब लोग अच्छे हैं.
मनोज - सब कुछ कैसा है?	रिशी - सब कुछ अच्छा है.
मनोज - सेब कैसा है	रिशी - सेब मीठा है.
मनोज - मिठाई कैसी है?	रिशी - मिठाई ताज़ी है.
मनोज - नीबू कैसा है?	रिशी - हरा है.
मनोज - लिजा कैसी है	रिशी - बहुत सुन्दर है.
मनोज - रायन कैसा है	रिशी - वह बीमार है.

Vocabulary:

आप	कहाँ	कक्षा	वह	आज	घर	मुझको	मालूम
you (respect)	where	class room	he/she/that	today	home	to me	know
कलम	पर	किताबें	कॉपियाँ	और	कागज	ठीक	सबलोग
pen	on / at	books	note books	and	paper	alright	everyone
सबकुछ	कुछ	सेब	मीठा	मिठाई	ताज़ा / ताज़े / ताज़ी		नीबू
everything	some	apple	sweet Adj.)	sweet (noun)	fresh		lemon

कैसा / कैसे / कैसी	सुन्दर	बीमार	हरा	बहुत
how, what sort of, what kind of	beautiful	sick	green	a lot, very

Dialogue -1: Exercise -1

Please fill in the blanks and translate the following dialogues in English:

१.	नमस्ते, मैं – हूँ. क्या आप – हैं ?

२.	सीमा – जी हाँ, मैं सीमा – और – लड़की शीना है. हम दोनों भारतीय – .

३.	नमस्ते शीना. क्या – पंजाबी हो ?

४.	जी नहीं, मैं – नहीं हूँ. – गुजराती हूँ.

५.	क्या – लोग अँग्रेज़ हैं ?

६.	जी नहीं, वे – नहीं हैं , वे पाकिस्तानी हैं.

७.	इसका नाम – है? – नाम उर्वशी है.

८.	और उसका ? – नाम पायल है.

९.	और – ? इसका – एवरिल है.

१०.	उनका नाम – है? उनका नाम अरुण – है.

११.	 – नाम क्या हैं? इनके नाम जॉन – जेसिन हैं

१२.	उनके नाम क्या हैं? – नाम राधा और सीता हैं.

१३.	यह – कौन है? – लड़का रंजन है.

१४.	वह – है? – लड़की वंसा है.

१५.	 – कौन हो? मैं तुषार हूँ, और आप – – ?

१६.	मैं दिलीप हूँ. – कौन हैं? वे शिक्षक – .

१७.	कक्षा – कौन है? – में छात्र और – हैं.

१८.	वहाँ कौन है? – निशा है – यहाँ रायन है.

१९.   क्या वह – रंजन है?   नहीं, वह – – है.

२०.   – – लड़की सिन्थिया है?   जी हाँ, यह सिन्थिया है.

२१.   – लोग कैसे हैं?   सब – अच्छे हैं.

२२.   सब कुछ – है?   – कुछ – है.

२३.   सेब – है   – मीठा – .

२४.   और ये कौन हैं?   ये मेरा – – है, वे – हैं?

२५.   वे मेरे पिता जी और – – हैं.   पिता जी – नाम – है?

Personal pronouns and verb 'to be'- is, am, are.

मैं हूँ – I am.   तुम हो - You are.   यह है - this, he, she, it- is.   वह है - that, he, she - is.

PLURAL: हम हैं – we are.   ये हैं – these are.   वे हैं – those are.   तुम हो – you are.

आप हैं - you are.   मैं अँग्रेज़ हूँ - I am English.   वह जर्मन है – He is German.

क्या तुम धोबी हो – Are you the washerman?

वे भारतीय हैं - They are Indian. or He is an Indian (Respect).

Con2

बातचीत - २

आपसे मिल कर खुशी हुई

राजेश - आप कहाँ से हैं?
केट - मैं अमेरिका से हूँ.

राजेश - अच्छा, आप अमरीकि हैं?
केट - जी हाँ, मैं अमरीकि हूँ और आप भारत में कहाँ से हैं?

राजेश - मैं गुजरात से हूँ.
केट - अच्छा तो आप गुजराती हैं.

राजेश - जी नहीं, मैं केरल से हूँ और मलयाली हूँ.
केट - आप क्या हैं?

राजेश - मैं इन्जिनियर हूँ. आप क्या हैं?
केट - मैं काशी विश्वविद्यालय में छात्रा हूँ.

राजेश - आपका घर कहाँ है?
केट - बनारस में मेरा घर अस्सी पर है और अमेरिका में ह्युस्टन शहर में है.

राजेश - वह लड़की कौन है?
केट - वह मेरी दोस्त जेन है.

राजेश - क्या जेन भी अमरीकि है?
केट - नहीं वह जर्मनी से है.

राजेश - अच्छा तो जेन जर्मन है.
केट - जी हाँ.

राजेश - आप से मिलकर बहुत खुशी हुई
केट - मुझको भी बहुत खुशी हुई. अच्छा जी, नमस्ते

राजेश - फिर मिलेंगे.
केट - जी हाँ, अवश्य, हम फिर मिलेंगे.

Vocabulary - Dialogue : 2

कहाँ	से	और	में	विश्वविद्यालय	घर	शहर	कौन	दोस्त / मित्र	भी
where	from	and	in	university	home	city	who	friend	also, too

आप से	बहुत	खुशी हुई	खुशी होना	खुश होना
with you (from you)	a lot, very	felt happiness	to feel happiness	to become happy

अच्छा जी	मुझ को	फिर	मिलेंगे	तो	होना
alright	to me	again	will meet	so	to be/to happen/to become

अवश्य	मिलना	अमरीकि, गुजराती, मलयाली, जर्मन,
sure/certainly	to meet/ to receive/ to be found	resident of America, Gujarat, Kerala, Germany

Translation:Dialogue 2

Rajesh - Where are you from?
Kate - I am from America
Rajesh - So, are you American
Kate - Yes, I am American, and where are you from in India?

Rajesh - I am from Gujarat (a state in India)
Kate - O.K. So you are Gujarati.
Rajesh - No, I am from Kerala and I am a Malayaali.
(a resident of Kerala state and Malayali means - person who speaks 'Malayalam' a language spoken mostly in Karala.)
Kate -   What are you? (what do you do)

Rajesh - I am an engineer and you?
Kate - I am a student in (at) Banaras University.
Rajesh - Where is your home?
Kate - In Banaras (city of Banaras) my home is at Assii (a neighorhood). And in America (it) is in Houston.

Rajesh - Who is that girl?
Kate - She is my friend Jane.
Rajesh - Is jane too an American?
Kate - No, She is from Germany.

Rajesh - Alright, so Jane is a German.
Kate - yes Sir.
Rajesh - Please to meet you
Kate - I too am very happy to meet you. O.K. Namaste

Rajesh - We will meet again
Kate - Yes, Certainly, We will meet again.

Dialogue -2 Exercise -1

Translate in Hindi and Answer in Hindi:

1. Who are you?
2. What is your name?
3. Where are you from?
4. What are your parent's name?
5. What is that?
6. Who is this?
7. How is everything?
8. How is everybody?
9. Whare are you?
10. Where is India?

Exercise - 2

Fill in the blanks and translate in Hindi.

मेरा नाम - है. मै भारत - हूँ.
मेरा घर - में है. मेरे माता और पिता जी के नाम - - - हैं.
मेरा एक भाई - दो बहिनें हैं. मैं - हूँ. आपका - क्या है.
 - नाम सोहन है. यहाँ - है?
 - हिन्दी कक्षा है. यह मेरा छोटा - है.
यह मेरी बड़ी - है. मैं भारतीय - .
राकेश भी - है. भारत - है?
भारत एशिया - है. जर्मनी - है?   जर्मनी - में है.

चचचचचचचच

Con.3   बातचीत - ३
आप कैसे हैं

शिक्षक - नमस्ते जी! आप सब कैसे हैं?
छात्र - नमस्ते गुप्ता जी, हम ठीक हैं. आप कैसे हैं?

शिक्षक - मैं भी ठीक हूँ, धन्यवाद. आज कक्षा में कितने बच्चे हैं?
छात्र - आज कक्षा में बीस छात्र हैं.

शिक्षक - क्यों, सब छात्र यहाँ क्यों नहीं हैं?
छात्र - क्योंकि आज डेविड और लीसा यहाँ नहीं हैं.

शिक्षक - वे दोनों कहाँ हैं?
छात्र - वे दोनों घर पर हैं और दोनों बीमार हैं.

शिक्षक - मुझको दुख है. वे कल भी यहाँ नहीं थे.
छात्र - जी हाँ, डेविड को बुखार है और लीसा को जुकाम है

शिक्षक - आप लोग सावधान रहिये, आजकल बहुत लोग बीमार हैं.
छात्र - जी हाँ, मौसम बहुत खराब है.

शिक्षक -ठीक है, आज हम हिन्दी में हेबिचुअल प्रेज़ेन्ट टेन्स सीखते हैं.
छात्र - हेबिचुअल प्रेज़ेन्ट टेन्स की हिन्दी क्या है
शिक्षक - सामान्य वर्तमान काल है.

शब्दावली: Vocabulary - Dialogue - 3

सब	धन्यवाद / शुक्रिया	कितना / कितने / कितनी	बीस	क्यों	क्योंकि	दोनों
all	thanks	how much / how many	twenty	why	because	both

बीमार	मुझको दुख है	कल	था / थे / थी	बुखार	जुकाम	लोग	काल
sick	I am sorry	yesterday / tomorrow	was/were	fever	cold	people	tense

रहिये	रहना	आजकल	मौसम	सीखना	सामान्य
please remain	to live / to remain	these days	weather	to learn	simple / common

सिरदर्द	पेटदर्द	चक्कर	वर्तमान	सावधान	सामान्य वर्तमान काल
headache	stomach ache	dizziness	present	careful	habitual present tense

281

Translation: Dialogue - 3

Teacher - Namaste ji, how are you all?
Student - Namaste Gupta ji, we are fine. How are you?

Teacher - I too am alright, thank you. How many children are there in the class today?
Student - There are twenty students in the class today.

Teacher - Why , why all the students are not here?
Student - Because David and Leesa are not here today.

Teacher - Where are they both (both of them).
Student - Both of them are at home and both are sick.

Teacher - I am sorry, they were not here Yesterday also.
Student - Yes sir, David has fever and Leesa has cold.

Teacher - You people (you all) be careful, a lot of people are sick these days.
Student - Yes sir, the weather is very bad these days.

Teacher - Alright, today we learn habitual present tense in Hindi.
Student - What is the Hindi for habitual tense
Teacher - It is ' saamaanya vartmaan Kaal'.

Exercise - 1 Translate the following in Hindi.

1. They are not college students.

2. Why are they not here today?

3. He is his son.

4. We are your students.

5. I do not have fever, I have cold.

6. They are sisters.

7. She is sick.

8. There are a lot of students and teachers in the school.

Exercise - 2 Translate both parts in Hindi:

Part - 1

१. आप चारों कल कहाँ थे?	हम सब स्कूल में थे.
२. वे दोनों कौन हैं?	मुझको मालूम नहीं.
३. क्या आपको मालूम है?	जी हाँ, वे दोनों राम और श्याम हैं.
४. ह्यूस्टन में कितने लोग हैं?	ह्यूस्टन में लाखों लोग हैं.
५. क्या आप कॉलेज के छात्र हैं?	जी नहीं, मैं स्कूल का छात्र हूँ.
६. मोहन भी स्कूल का छात्र है.	वे पाँचों अँग्रेज़ हैं.

Part - 2

ये श्री पाठक हैं. पाठक जी डाकघर में हैं. ये पाठक जी का परिवार है और यह उनका घर है. पाठक जी के तीन बच्चे हैं. वे तीनों आज घर में है क्योंकि आज छुट्टी है. पाठक जी का बड़ा लड़का सोहन है और छोटा बलराम. उनकी बेटी का नाम सुनीता है. बलराम और सोहन दोनों भाई हैं और सुनीता उनकी बहिन है. सोहन और सुनीता भाई- बहिन हैं. यह सोहन का दोस्त ललित है और यह सुनीता की दोस्त सरला है. सुनीता और सरला दसवीं कक्षा में हैं. पाठक जी की पत्नी का नाम वन्दना है. वे बैंक में हैं. पाठक जी और वन्दना जी भारतीय हैं.

Exercise - 3 Please answer the following questions based on part two above:

१. पाठक जी कहाँ हैं?
२. पाठक जी की बेटी और पत्नी के नाम क्या हैं?
३. सरला किस कक्षा में है?
४. पाठक जी का बड़ा बेटा कौन है?
५. सोहन का दोस्त कौन है?
६. पाठक जी के कितने बच्चे हैं?
७. पाठक जी के तीनों बच्चे कहाँ हैं?
८. तीनों बच्चे आज घर में क्यों हैं?
९. क्या पाठक जी और वन्दना जी अमेरिकन हैं?

Con.4   बातचीत - ४

हमारा बगीचा छोटा है.

मेरी - यह बगीचा बहुत सुन्दर है.
शीना - जी हाँ, और बहुत बड़ा भी है.

मेरी - क्या यह आम का पेड़ है?
शीना - नहीं, वह बड़ा पेड़ आम का पेड़ है और यह छोटा पेड़ अमरूद का पेड़ है.

मेरी - यह क्या है?
शीना - यह केले का पेड़ है, और ये हरे केले हैं.

मेरी - ये पत्तियाँ बहुत बड़ी हैं और यहाँ घास भी हरी है.
शीना - यहाँ कितने पेड़ हैं?

मेरी - शायद यहाँ एक सौ पेड़ है
शीना - ये क्या है?

मेरी - यह नीबू है, ये नीबू की झाड़ियाँ है, ये काँटे हैं.
शीना - यह बगीचा बहुत साफ़ है और यहाँ सुन्दर फूल भी हैं.

मेरी - हमारा बगीचा छोटा है, गंदा है और घास भी अच्छी नहीं, पीली है.
शीना - हाँ, लेकिन पेड़, पौधे और झाड़ियाँ खराब नहीं हैं.

Vocabulary - शब्दावली Dialogue 4

बगीचा / बाग	बहुत	सुन्दर	बड़ा	भी	आम	पेड़	छोटा
garden	a lot / very	beautiful	big	also/ too	mango	tree	small

अमरूद	केला	हरा	ये	पत्ती	घास	कितना / कितने / कितनी
guava	banana	green	these	leaf	grass	how much / how many

शायद	सौ	नीबू	झाड़ / झाड़ी	काँटा	साफ़	फूल	गंदा
probably	hundred	lemon	shrub	thorn	clean	flower	dirty

हमारा / हमारे / हमारी	पीला	अच्छा
our / ours	yellow	good / alright

प्राथमिक हिन्दी Elementary Hindi

बगीचा

पत्ती

फूल

फल

पेड़

झाड़

घास

Translation: Dialogue - 4

Mary - This garden is very beautiful.
Sheena - Yes, and it is very big also.
Mary - Is this a mango tree?
Sheena - No, that big tree is mango tree and this small tree is a guava tree.

Mary - What is this?
Sheena - This is a banana tree and these are green bananas.
Mary - These leaves are very big and the grass too is green here.
Sheena - How many trees are here?

Mary - Probably one hundred trees are here.
Sheena - What are those?
Mary - These are limes, these are lime shrubs and these are thorns.
Sheena - This garden is clean and there are beautiful flowers here too.

Mary - Our garden is small, it is dirty and the grass too is not green, it is yellow
Sheena - Yes, but the trees, plants and shrubs are not bad.

EXERCISE : 1 Put the following in the plural forms.

साफ़ कमीज़ बड़ा आदमी हिन्दुस्तानी धोबी अँग्रेज़ लड़की
माता हिन्दू राजा सफ़ेद मेज़ छोटी शक्ति छोटा लड़का

कुरसी गुजराती बहू वह मकान यह बड़ा कमरा वह सुन्दर मकान
वह छोटी बेटी यह बुढ़िया यह सेब वह केला यह सब्ज़ी

धोबी	राजा	शक्ति	बहू	बुढ़िया
washerman	king	power	daughter in law	old lady

EXERCISE 2: Translate into English.

१ - यह कमरा बड़ा है, वे कमरे छोटे हैं.
२ - वे मेज़े छोटी नहीं हैं.
३ - क्या यह लड़की छोटी है ?
४ - वे लड़कियाँ गुजराती हैं.
५ - यह छोटी मेज़ है.
६ - क्या वह मकान बड़ा है?
७ - वे आदमी भारतीय हैं.
८ - वे बूढ़े लोग हिन्दू हैं.
९ - सफ़ेद कमीज़ें साफ़ नहीं हैं.
१० - क्या तुम धोबी नहीं हो?
११ - क्या वे लोग हिन्दुस्तानी हैं?
१२ - यहाँ केवल दो मेंजें हैं.
१३ - ये छोटी मेजें साफ़ नहीं हैं, गन्दी है.
१४- ये बड़े मकान हैं लेकिन वह बड़ा मकान नहीं है.

Exercise 3:

1. Are those people Gujarati.
2. Those white chairs are not big, they are small.
3. You are a little girl.
4. These are clean shirts
5. Those shirts are not clean.
6. This table is big, but those tables are small.
7. Is this house big? No, but those houses are big.
8. Hello. I am English. Are you Indian?
9. Are those four men kings?
10. Uncle is here. He is not a Hindu.

Con.5   बातचीत - ५

हमारा नया स्कूल

पुष्पा - रागिनी, आपका नया स्कूल कैसा है?
रागिनी - हमारा स्कूल बहुत सुन्दर और बड़ा है और उसका नाम बेलेअर हाइ स्कूल है.

पुष्पा - बेलेअर हाइ स्कूल कहाँ है?
रागिनी - हमारे घर के पास है. स्कूल में तीन हजार छात्र हैं.

पुष्पा - स्कूल का भवन कैसा है?
रागिनी - बहुत बड़ा है. भवन में भोजनालय है, प्रेक्षाघर है, पुस्तकालय है, करीब दो सौ कमरे हैं.
पुष्पा - स्कूल में और क्या है
रागिनी - खेल का मैदान है, बहुत बड़ा तरणताल है.

पुष्पा - कक्षा के कमरे कैसे हैं?
रागिनी - बड़े और साफ़ हैं. कमरों में नई कुरसियाँ और मेजें हैं, हरेक कमरे में टेलिविज़न भी है.

पुष्पा - कमरों में और क्या है?
रागिनी - शिक्षक के लिये बड़ी मेज और कुरसी है. खिड़कियाँ हैं, खिड़कियों पर परदे हैं.

पुष्पा - क्या अलमारियाँ भी हैं?
रागिनी - जी हाँ अलमारियाँ भी हैं. अलमारियों में किताबें है. दीवारें सफ़ेद हैं और दीवारों पर
       तस्वीरें भी हैं. दरवाजों पर लाल रंग है. स्कूल के बगीचों में सुन्दर फूल हैं. स्कूल के छात्र
       और छात्रायें बहुत अच्छे और मिलनसार हैं.

शब्दावली: Vocabulary - Dialogue 5

नया	घर	हजार	भवन	बड़ा	भोजनालय	प्रेक्षाघर - प्रेक्षागृह	का
new	house	thousand	building	big	cafeteria	auditorium	of

करीब लगभग	और	के लिये	सौ	कमरा	खेल	मैदान	तरणताल
about / almost	and / else	for	hundred	room	game / sport	field	swimming pool

खिड़की	परदा	अलमारी	दीवार	सफ़ेद	तस्वीर	दरवाजा	लाल	रंग
window	curtain	closet	wall	white	picture	door	red	color

मिलनसार	उसका उसके उसकी	हमारा हमारे हमारी	पुस्तकालय - वाचनालय	हरेक
friendly	his / her	our / ours	library / reading room	every

287

Translation: Dialogue - 5   Our New School.

Pushpa - Ragini! How is your new school?
Ragini - Our school is very beautiful and big and its name is Bellaire High School.

Pushpa - Where is Bellaire High School?
Ragini - It is near our home, it has three thousand students.

Pushpa - How is the building of the school?
Ragini - It is very big. Building has a cafeteria, an auditorium, a library and about 200 rooms.

Pushpa - What else is there in the school?
Ragini - It has a big playground and a swimming pool too.

Pushpa - How are the class rooms ?
Ragini - These are big and clean. Rooms have new chairs and tables. Every room has a television too.

Pushpa - What else is there in the rooms?
Ragini - There is big table and a chair for the teacher. There are windows and drapes on the windows.

Pushpa - Are there closets too?
Ragini - Yes! There are closets also There are books in the closets. Walls are white and there are pictures on the walls too. There is red color on the doors. There are beautiful flowers in the school's gardens. Male and female students are very good and friendly.

Dialogue - 5

Exercies - 1 Please translate the following:

१ - ये हिन्दी किताबें बहुत महँगी नहीं हैं.   २ - हम सब लोग बहुत खुश हैं.

३ - तुम मोटे हो, लेकिन तुम्हारा भाई मोटा नहीं है. ४ - भाई साहब , आप कैसे हैं.

५ - आज गोपाल और श्रीमती वर्मा यहाँ नहीं हैं.   ६ - आज बच्चे भी बीमार हैं.

७ - वे जूते और चप्पलें बहुत सस्ते हैं.   ८ - वह लंबा लड़का कौन है? क्या वह छात्र है?

९ - रवि और उमा दोनों अच्छे हैं, लेकिन माताजी बीमार हैं.

१० - क्या अहमद साहब और वर्मा जी दोनों मुसलमान हैं?

प्राथमिक हिन्दी Elementary Hindi

नमस्ते जी
(namaste jii)

<u>Exercise - 2.</u>   Translate into Hindi - हिन्दी में अनुवाद कीजिये -

1 - Who are those old men? Are they Indians?
2 - NO, they're not Indians, they are English.
3 - Is Mr. Varma an important [big] man? Yes, he is a very important man.
4 - How is Father? Thank you, he's fine.
5 - Ram and Radha are both very tall. Yes, and Ram is fat (also).
6 - What are those? They are expensive pens and pencils.
7 - You are not a bad child. You are a very good son.
8 - What kind of table is it? It is long and black.
9 - What is that big book like? It is very good.
10 - Are you all Hindus? No, we are Hindus, but those people are Muslims.

<u>NOTE:</u> Remember that the marked adjectives agree with the nouns or pronouns modifying in number and gender. Unmarked adjectives do not change.

<u>Helpful Vocabulary:</u>

क्या	मेहरबानी	कैसे	शुक्रिया-धन्यवाद	दोनों	बीमार	अफ़सोस
what	God's grace	how	thank you	both	sick	sorry

आजकल	कितनें	मौसम	खराब	भाई साहब	श्री	माता - पिता
these days	how many	whether	bad	brother	mr.	mother-father

महंगा	सस्ता	अमीर
expensive	cheap	rich

289

प्राथमिक हिन्दी Elementary Hindi

Con.6   बातचीत – ६

अच्छा होटल

यात्री - इस शहर में सब होटल छोटे हैं, क्या यह होटल बड़ा है?
मैनेजर - जी हाँ, यह एक अच्छा और प्रसिद्ध होटल है.

यात्री - होटल के कमरे कैसे हैं?
मैनेजर - कमरे बहुत बड़े और वातानुकूलित हैं. कमरे के साथ पाखाना भी है.

यात्री - कमरों में क्या है?
मैनेजर - कमरों में पलंग, मेज, कुरसी, टेलीफ़ोन और टेलिविज़न भी हैं.

यात्री - पलंग कैसे हैं?
मैनेजर - पलंग बड़े हैं, और उन पर साफ़ चादरें, तकिये और कंबल हैं.

यात्री - इस होटल में और क्या सुविधा है?
मैनेजर - इस होटल में तरणताल है, दूसरे होटलों में यह सुविधा नहीं है.

यात्री - कमरों का किराया कितना है?
मैनेजर - एक दिन का किराया अस्सी डॉलर है और एक हफ़्ते का केवल चार सौ डॉलर है.

यात्री - बहुत अच्छा, एक अच्छा कमरा एक हफ़्ते के लिये दीजिये.
मैनेजर - हमारे होटल में खाना भी बहुत अच्छा है. क्या आप अकेले हैं?

यात्री - जी नहीं, मेरे साथ मेरी पत्नी और दो छोटे बच्चे भी है.
मैनेजर - ठीक है, हमारे पास बच्चों के लिये छोटे पलंग भी हैं. आपके लिये मुफ़्त.

यात्री - बहुत धन्यवाद, हमारा कमरा कहाँ है?
मैनेजर - कमरा नम्बर 204 दूसरी मंज़िल पर है.

प्राथमिक हिन्दी Elementary Hindi

प्राथमिक हिन्दी Elementary Hindi

कमरे के साथ पाखाना

पलंग

चादर

तकिया

कंबल

तरणताल

शब्दावली – Vocabulary Dialogue - 6

इस	शहर	सब	प्रसिद्ध / मशहूर	कमरा	वातानुकूलित
this / it	city	all	famous	room	air conditioned

के साथ	पाखाना	पलंग	उन	साफ़	चादर
with	lavatory	bed	those	clean	bed sheet

तकिया	कंबल	सुविधा	तरणताल	दूसरा / दूसरे / दूसरी	किराया
pillow	blanket	convenience	swimming pool	other / second	rent

के लिये	दिन	हफ़्ता सप्ताह	केवल	सौ	मंज़िल
for	day	week	only	hundred	floor / level

अकेला / अकेले / अकेली	मेरे साथ	पत्नी	बच्चा	के पास
alone / lonely	with me	wife	child	near / in possession of

अनुवाद – Translation: Dialogue - 6 A Good Hotel

Traveler - In this city every hotel is small. Is this a big hotel?
Manager - Yes Sir! This is a big and a famous hotel.
Traveler - How are the rooms in the hotel?
Manager - Rooms are very big and air conditioned. Bathroom is attached to the room too.

Traveler - What is in the rooms?
Manager - There is a bed, a table, a chair, a telephone and a television too in the rooms.
Traveler - How are the beds?
Manager - Beds are big and there are clean sheets, pillows and blankets on them.

Traveler - What other convenience is there in this hotel?
Manager - There is a swimming pool in this hotel. Other hotels do not have this convenience.
Traveler - what is the rent of the rooms?
The rent is 80 dollars per day and only 400 dollars for a week.

Traveler - Very good, give a good room for one week.
Manager - In our hotel food too is very good. Are you alone?
Traveler - No Sir, My wife is with me and two little children too.(are also with me).
Manager - Alritht, We have small beds for young children too. They are free for you.

Traveler - Thank you very much, Where is our room?
Manager - Room number 204 is on the second floor.

Dailogue - 6

Exercise 1

- Put the following into the oblique followed by the postposion **में** in the column one, **पर** in column two and **से** in column three.

बड़े कमरे	साफ़ मेज़े	मोटे आदमी
छोटे मकान	यह नया पलंग	नीली पेंसिल
हरी किताब	लाल कुरसी	लंबी लड़कियाँ
सस्ता होटल	दूसरी खिड़कियाँ	वह कलम
पुरानी अलमारियाँ	ये परदे	वे बसें

Exercise:2

Translate in English.

यह सुधाकर जी का मकान है. इस मकान में सात कमरे हैं. इन कमरों में से एक बहुत बड़ा कमरा है. वह कमरा सुधाकर जी और उनकी पत्नी रमा जी का है. बड़े कमरे में दीवारें सफ़ेद हैं, और बहुत साफ़. एक दीवार में दो खड़कियाँ हैं और उनपर हरे परदे हैं. एक दूसरी दीवार पर तीन सुन्दर तस्वीरें हैं. कमरे में तीन मेजें हैं, एक बड़ी और दो छोटी. दो अलमारियाँ और कई कुरसियाँ भी हैं. बड़ी मेज़ पर एक काला कलम और दो पेंसिले हैं. दूसरे कमरे छोटे हैं. छोटे कमरों में भी कुछ मेज़ें और कुरसियाँ हैं, लेकिन अभी तक खिड़कियों पर परदे नहीं हैं. नए परदे अभी यहाँ इस बड़ी अलमारी में हैं. एक कमरा बड़े लड़के श्याम का है और दो कमरे सुधाकर जी की छोटी बेटियों के लिये हैं. एक कमरा बैठक है और एक खाना खाने के लिये है. सातवाँ कमरा मेहमानों के लिये है. इस कमरे में पाखाना भी है.

Exercise 3

Answer the questions based on the above passage:

१. मकान किसका है?
२ मकान में कितने कमरे हैं?
३. बड़ा कमरा किसका है?
४. बड़े कमरे में कितनी मेजें हैं?
५. क्या छोटे कमरों में परदे हैं?
६. पाखाना किस कमरे में है?
७. मेज पर क्या है?
८. नये परदे कहाँ है?

Exercise - 4   Translate in Hindi.

1. On those beds there are clean sheets and heavy blankets.

2. In these large closets, there are several old books.

3. In those small hotels all the rooms are cheap.

4. On the other walls there are several beautiful pictures.

5. In that room there are not curtains on the windows.

6. What kind of fan is there on that table?

7. How many people are there in this house?

8. Delhi is really quite far from Bombay.

9. How many chairs are there in the kitchen?

10. There are some new newspapers and books on the long table.

Helpful Vocabulary:

इन कमरों में से	हरा	परदा	दूसरा	अलमारी	पंखा
out of these rooms	green	curtain	other	closet	fan

सचमुच	बहुत	दूर	कई	तस्वीर	रसोईघर
really	quite	far	several	picture	kitchen

कुछ	अखबार	नया	लंबा	सातवां	बैठक	पाखाना
some	news paper	new	long / tall	seventh	living room	bathroom

Con.7 बातचीत - ७ गांव और शहर

सोहन - शहर गांव से अच्छा है
राम - जी नहीं, मेरा गांव आपके शहर से ज़्यादा अच्छा और अधिक सुन्दर भी है.

सोहन - मेरा घर आपके घर से बड़ा है.
राम - अवश्य, पर आपका बगीचा छोटा है और हमारा बगीचा गाँव का सबसे बड़ा बगीचा है.

सोहन - हमारे घर में बिजली है, टेलीफ़ोन है, टेलिविज़न है और गाड़ी है. आपके घर में क्या है?
राम - हमारे घर में घी, दूध, दही, ताजे फल और सब्जियाँ हैं.

सोहन - लेकिन शहर में सुविधा गाँव से ज्यादा हैं. पक्की सड़कें, बड़ी दुकानें, बड़े भवन और अच्छे स्कूल है.
राम - गांव में बड़े खेत हैं, बगीचे हैं, सुन्दर पेड़, पौधे और हरी घास भी है.

सोहन - मुझको गांव से शहर अधिक पसन्द है. शहर में सिनेमा और अच्छे होटल भी हैं.
राम - यह बात तो ठीक है, परन्तु शहर में बहुत शोर है और आदमी एक मशीन की तरह है. गांव में जीवन सरल है, लोग मिलनसार हैं और वहाँ बहुत शान्ति है. मेरा गांव सबसे अच्छा है.
सोहन - नहीं, गांव का जीवन बहुत कठिन है.

शब्दावली - Vocabilary- Dialogue 7 - बातचीत - ७

गांव village	शहर city	से from	ज़्यादा अधिक more	अवश्य / ज़रूर sure / certainly	पर but	
बगीचा garden	सबसे from all	बिजली electricity	गाड़ी vehicle	घी butter oil	दूध milk	
दही yogurt	ताज़ा fresh	फल fruit	सब्जी vegetables	लेकिन / परन्तु but	सुविधा convenience	
पक्का paved	सड़क road	दुकान shop	भवन building	खेत farm	पेड़ tree	पौधा plant
हरा green	घास grass	बात talk / subject matter / point	तो indeed	शोर noice	की तरह like	
जीवन life	सरल easy / simple	कठिन difficult	लोग people	मिलनसार friendly	शान्ति peace	मुझको to me

अनुवाद -Translation: Dialogue -7

Ram's Village and Sohan' s City

Sohan - City is better than village.
Ram - No Sir, my village is better than your city and is more beautiful too.

Sohan - My house is bigger than your house.
Ram - Certainly, But your garden is smaller and our garden is the biggest garden of the village.

Sohan - There is electricity, telephone, television and a car in our home. What is in your house?
Ram - In our home, there is butter, oil, milk, yogurt, and fresh fruits and vegetables.

Sohan - But city has more convenience than village. There are paved streets, big shops, big buildings and good school.
Ram - In the village, there are big farms, gardens, beautiful trees, plants and green grass too.

Sohan - I like city more than village. There are cinema halls and good hotels too.
Ram - This point is correct. But there is lot of noise in the city and man is like a machine. In the village, life is simple, people are friendly and it is very peaceful. I like village the most.

Sohan - No, Village life is very difficult.

cccccccccccccccccccc

Dialogue - 7

Exercise -1 Translate in English

1. I like these new homes a lot.
2. There are four houses on this street.
3. Out of these, this red house is the smallest.
4. This blue color is very beautiful and children like it very much.
5.There are five rooms in this house and they are very big.
6. There is small but beautiful garden too.
7. Our old home was bigger than this house.
8. This house is bigger than that house but my house is the biggest.
9. Mount Everest is the tallest mountain in the world.
10. Ganges is the most holy river for Hindus.
11. I am taller than you but he is the tallest.
12. You are the best.
13. I love you the most.
14. You are the most beautiful girl.
15. You are sweeter than sugar.

Exercise - 2 Translate in English

नमस्ते जी, यह मेरा बेटा जॉन और यह मेरी बेटी जेन है. जॉन और जेन भाई - बहिन हैं. जेन जॉन से छोटी है. जेन का स्कूल जॉन के स्कूल से बड़ा है. इसका नाम बेलेअर हाइ स्कूल है और यह सबसे अच्छा स्कूल है. जेन की कक्षा में बीस छात्राएं हैं. जेन कक्षा में सबसे छोटी है और तारा कक्षा की सबसे लंबी लड़की है. जॉन की कक्षा में भी बीस छात्र हैं. जेसिन कक्षा का सबसे मोटा लड़का है और वह फुटबॉल की टीम में है. जॉन जेसिन से लंबा है लेकिन होज़े सबसे लंबा है और वह बास्केट बॉल का खिलाड़ी है. शीला पढ़ने में सबसे अच्छी है और रॉन दौड़ने में सबसे तेज है. जॉन और जेन बहुत अच्छे बच्चे हैं. मुझको दोनों बच्चों से बहुत प्यार है. मेरी पत्नी को जेन से ज्यादा प्यार है क्योंकि जेन अभी छोटी है.

Exercise - 3 Answer the questions based on the passage in exercise 2.

१. जॉन और जेन क्या हैं?
२. क्या जॉन का स्कूल जेन के स्कूल से बड़ा है?
३. जेन की कक्षा की सबसे लंबी लड़की कौन है?
४. जेसिन और होज़े क्या हैं?
५. दौड़ने में सबसे अच्छा कौन है?
६. कौन सा स्कूल सबसे अच्छा है?
७. जॉन की कक्षा में कितने छात्र हैं?
८. जॉन और जेन कैसे बच्चे हैं?

Vocabulary:

सड़क	पसंद	इनमें से	पुराना	लंबा	मोटा	तेज
road	like	out of these	old	tall / long	fat	fast
खिलाड़ी	प्यार	प्यार करना				
player	love	to love				
पहाड़	पवित्र	मीठा	चीनी			
mountain	holy	sweet	sugar			

शहर

गांव

Con.8

बातचीत - ८

मुझको खुशी है.

मनोज - शालू, मुझको खुशी है कि तुम आज यहाँ हो. तुम कल कहाँ थीं?

शालू - मैं कल घर में थी. घर में सब बीमार हैं और मुझको बहुत काम था.

मनोज - मुझको बहुत दुख है, अब वे लोग कैसे हैं?

शालू - पिता जी कुछ ठीक हैं लेकिन माता जी और छोटे भाई को अब भी बुखार है.

मनोज - ओह, कल रवि भी यहाँ नहीं था और आज शीला यहाँ नहीं है.

शालू - अरे, वह यहाँ क्यों नहीं है?

मनोज - मुझको मालूम नहीं है.

शालू - यहाँ सबकुछ कैसा है?

मनोज - कल तक सबकुछ ठीक नहीं था, लेकिन आज तुम यहाँ हो इसलिये मुझको शान्ति है. हमको बहुत काम है. मालिक बहुत नाराज़ हैं.

शालू - उनको मेरा काम पसन्द है?

मनोज - हाँ, उनको तुम्हारा काम बहुत पसंद है. मालिक तुमसे खुश हैं.

शालू - तब तो ठीक है, अब मुझको चिन्ता नहीं है. आपको नयी मेज - कुरसी पसंद है?

मनोज - मुझको वह मेज पसंद नहीं है, वह छोटी है, लेकिन मेरा नया ऑफ़िस बहुत अच्छा है.

शब्दावली:   Vocabulary - Dialogue - 8

मुझको	खुशी	कि	कल	कहाँ	बीमार	काम
to me	happiness	that	yesterday / tomorrow	here	sick	work

दुख	अब	कुछ	अब भी	बुखार	मालूम	हमको
sorrow	now	some / a little	even now	fever	known	to us

मालिक	नाराज़	उनको	पसन्द	तुम से	खुश
owner	angry	to them / to him	like	with you	happy

तब तो	चिन्ता	आपको
so then / therefore	worry	to you

<u>Note:</u> को construction: Preposition को is used with nouns and pronouns to bring some what passive meaning with some verbs in Hindi. को is used generally with the person who feels something or receives or meeting with someone or the one who finds something.

Translation:　　　Dialogue - 8　　　I am happy

Manoj - Shalu, I am happy that you are here today. Where were you yesterday?
Shalu - I was at home yesterday. Everyone is sick at home and I had a lot of work.

Manoj - I am sorry. How are they now?
Shalu - Father is little better but mother and younger brother still have fever.

Manoj - Oh! Ravi too was not here yesterday and today, Sheela is not here .
Shalu - Oh! why is she not here?

Manoj - I do not know.
Shalu - How is everything here?

Manoj - Until yesterday everything was not alright, but today you are here so I have peace.We have a lot of work. The owner is mad.
Shalu - Does he like my work?

Manoj - Yes! he likes your work very much. He is pleased with you.
Shalu - Then it is alright. I am not worried now. Do you like your new table and chair?
Manoj - I do not like that table, that is small, but my new office is very good.

eeeeeeeeeeeeeeeeeeeee

<u>Exercise - 1</u>

क्या आपको भारतीय खाना पसंद है? जी हाँ, मुझको भारत का शाकाहारी खाना बहुत पसंद है. दाल, रोटी, चावल, रायता, खीर, मटर-पनीर, गोभी-आलू, भिन्डी सब बच्चों को भी बहुत पसंद है. ह्यूस्टन में कई भारतीय भोजनालय है. क्या आपको मालूम है कि सबसे अच्छा भोजनालय कौन सा है? महाराजा का खाना अच्छा है लेकिन बॉम्बे पैलेस का उस से अच्छा है. ताजमहल का तंदूरी चिकन सबसे अच्छा है.
आज मैं बीमार हूँ. मुझको बहुत बुखार, खाँसी और जुकाम है. ह्यूस्टन में बहुत गरमी है और कॉलोराडो बहुत ठंडा है. केलिफ़ोर्निया का मौसम सबसे सुहावना है.

<u>Exercise- 2</u>

1 - Do you know where father was yesterday?

2 - He was sorry that I had a cold and a temperature .

प्राथमिक हिन्दी Elementary Hindi

3 - we are happy that you like London.

4 - Ram is taller than Vinod but Vimal is tallest.

5 - Is the new house bigger than the old house? Yes, but the old house was more beautiful.

6 - Which of these books you like the best.

7 - Who knows Where Bombay is?

8 - The children like the new garden less.

9 - Did they know that there weren't any shops in the village?

10 - In Delhi life was difficult but more interesting.

Vocab:

मकान	पुराने	बगीचा	शहर	गाँव	बाग	पौधे	फूल	फल
house	old(oblique)	garden	city	village	garden	plants	flower	fruit

सचमुच	ज़ादा	क्योंकि	लोग	गाड़ियाँ	सड़कें	दुकानें
really	more	because	people	vehicles	roads	shops

ज़रूर	दूध	घी	मक्खन	कपड़े	ज़िन्दगी	मुश्किल	दिलचस्प
certainly	milk	butter oil	butter	clothes	life	difficult	interesting

मालूम	ज़ुकाम	बात	बुखार	अफ़सोस	मौसम
know (ko verb)	cold (sick)	matter	fever	sorry	weather

पसंद	पीला	रंग	हरे	हल्का	काला	मुझको	आपको	उसको
like (ko verb)	yellow	color	green	light	black	to me	to you	to him

शाकाहारी	दाल	चावल	रोटी	रायता	खीर	कई
vegetarian	lentil	rice	bread	mixed yogurt	rice pudding	several

खाँसी	गरमी	ठंडा	सुहावना	भोजनालय
cough	heat / hot weather	cold	pleasant	restaurant

Note: को verbs are those verbs in which subject takes 'Ko'. Also person who feels or receives thing also takes को. Subject takes को in compulsion construction also.

Con.9

बातचीत – ९
घर में मित्र का आना

सुरेश - बेटा, देखो दरवाजे पर कौन है.
निशा - पिता जी, राजेश अंकल हैं.

सुरेश - आओ मित्र, बैठो, कहो, कैसे हो?
राजेश - मैं बिलकुल ठीक हूँ. तुम बताओ कैसे हो?

सुरेश - मैं भी ठीक हूँ. बेटी, राजेश अंकल के लिये चाय और नाश्ता लाओ.
निशा - लीजिये अंकल गरम चाय पीजिये.

राजेश - आओ बेटी, मेरे पास बैठो, अब तुम किस ग्रेड में हो?
निशा - चाचाजी मैं दसवीं कक्षा में हूँ. लीजिये, कुछ मिठाई खाइये.

राजेश - नहीं, मिठाई तुम खाओ, यह लो और मुझको कुछ चीनी दो.
सुरेश - चाय कैसी है? कुछ और लो.

राजेश - चाय बहुत अच्छी है. बेटी यह खाली कप लो और मुझको दूसरा प्याला दो.
        सुरेश मेरे साथ बाजार चलो, मुझको कुछ कपड़े चाहिये.

सुरेश - कपड़े किसके लिये चाहियें?
राजेश - पत्नी और बच्चों के लिये चाहियें

सुरेश - अच्छी बात है. इसके लिये ' लिबर्टी ' कपड़ों की दुकान सबसे अच्छी है.
        हमारे घर आने के लिये धन्यवाद.
राजेश - चाय और नाश्ते के लिये धन्यवाद. आओ चलें.

शब्दावली: Vocabulary - Dialogue 9

मित्र दोस्त	आना	आओ	बैठो	कहो	बिलकुल
friend	to come	come	sit	say	absolutely

बताओ	चाय	नाश्ता	लाओ	लीजिये	गरम	पत्नी
tell	tea	snacks	bring	please take	hot	wife

पीजिये	मेरे पास	किस	दसवीं	कुछ	मिठाई
please drink	with me / near me	which	tenth	some	sweet

खाइये	खाओ	लो	चीनी	दो	और	खाली
please eat	eat	take	sugar	give	more / and	empty

दूसरा	प्याला	के साथ	बाजार	चलो	चाहिये
second	cup	with	market	walk	want / need

किसके लिये	इसके लिये	अच्छी बात है	कपड़ा	धन्यवाद
for whom	for this	very well	cloth / cloth	thanks

Translation: Dialogue - 9 Coming of a friend to the house.

Suresh - Son, Look! who is there at the door.
Nisha - Father! it is Rajesh Uncle

Suresh - Come friend, sit, say, how are you?
Rajesh - I am perfectly well. You tell! how are you?

Suresh - I too am well. daughter! bring tea and snacks for Rajesh uncle.
Nisha - Please take uncle, drink hot tea.

Rajesh - Come daughter, sit with me, which grade are you in now?
Nisha - I am in tenth grade uncle. Please take, eat some sweets.

Rajesh - No, you eat the sweet, take this and give me some sugar.
Suresh - How is the tea? Take some more.

Rajesh - Tea is very good. Daughter! take this empty cup and give me another one.
Rajesh - Suresh! come with me to the market. I need some clothes.

Suresh - For whom do you need clothes?
Rajesh - For wife and children.

Suresh - Very well then. For this, 'Liberty' clothes shop is the best.
Suresh - Thanks for coming to our home.
Rajesh - Thanks for the tea and snacks. Lets go.

नमस्ते जी
(namaste jii)

Exercise - 1

१ - राम के भाई को यह चिट्ठी दीजिये.

२ - संजय की किताब में नहीं लिखना.

३ - इन कमरों को साफ़ करो.

४ - लड़कों के कमरे में न जाइये.

५ - मुझे उस आदमी का नाम बताइये.

६ - हमें खुशी है कि आप यहाँ हैं.

७ - राम की चाबियाँ यहाँ हैं.

८ - लड़की की जेब में क्या है.

९ - कृपया सिगरेट न पीजिए.

१० - इस अख़बार को पढ़ो लेकिन इसे माताजी को नहीं दिखाओ.

EXERCISE - 2

1 - Don't touch that, give that to me.
2 - Please call Vinod, and bring Vimal too.
3 - Just sit here.
4 - Tell me where father is.
5 - Look, this cup is not clean, take it and give me another one.
6 - I do not know who is in Ram's room just now.
7 - This man's shirt is on that chair.
8 - Ram's father has cold.
9 - Say hello to Father.
10 - Hey son, shut that door.

Vocab:

चलो	देखो	आइये	अरे	बन्द कर	गरम	ला	ले	चाबियाँ
walk	look	please come	hay	close	hot	bring	take	keys

उन्हे	जल्दी	अब	मुझे	कुछ	बढ़िया
to those	hurry	now	to me	some	fine (quality)

भारी	कपड़ा	ज़रूर	बैठिये	देखिये	पीजिये
heavy	cloth	certainly	pl. sit	pl. see	pl. drink

कैसी	मीठी	देना	बस	हमें	हरा	इससे
what kind	sweet	give	that's all	to us	Green	from this

कंबल
blanket

प्राथमिक हिन्दी Elementary Hindi

Con.10

बातचीत - १०

घर की खोज

अशीष - भाई साहब ज़रा रुकिये, क्या आप इस मुहल्ले में रहते हैं?
आलोक - जी हाँ, बताइये आप क्या जानना चाहते है?

अशीष - क्या आपको मालूम है डॉक्टर माथुर का अस्पताल कहाँ है?
आलोक - हाँ, आप यहाँ ठहरिये, मैं अभी बताता हूँ.

आलोक - ठीक है, आप यहाँ से आधा मील सीधे जाइये और वॉल्टर्स सड़क पर दाहिने मुड़िये, उसके बाद दूसरे मोड़ पर बायें मुड़िये और कुछ दूर पर डॉक्टर माथुर का अस्पताल है. वहाँ डाकघर है और एक बड़ा दवाखाना भी है.

अशीष - जी बहुत धन्यवाद, यह बहुत सुन्दर इलाका है. लगता है बहुत महंगी जगह है.

आलोक - नहीं बहुत महंगा नहीं है और बहुत साफ़ और सुन्दर है. मेरे कई दोस्त और भाई - बहिन भी यहाँ रहते हैं. पड़ोसी भी मिलनसार हैं. क्या आप को घर चाहिये?
अशीष - जी हाँ, एक छोटा लेकिन सुन्दर घर चाहता हूँ. डॉक्टर माथुर मेरे अच्छे मित्र हैं इसलिये मैं भी उनके घर के पास ही रहना चाहता हूँ.

आलोक - आप क्या करते हैं?
अशीष - जी मैं वकील हूँ और आप?

आलोक - मैं हीरों का व्यापार करता हूँ.
अशीष - ओह , तब तो आप अमीर आदमी हैं.
आलोक - जी नहीं ऐसी बात नहीं है. अच्छा जी, नमस्कार.

शब्दावली: Vocabulary - Dialogue - 10

खोज	ज़रा रुकिये	मुहल्ला	बताना	काम	अस्पताल
search	please stop for a moment	neighborhood	to tell	work	hospital
ठहरना	अभी	आधा	मील	सीधा / सीधे / सीधी	जाइये
to stay / to stop	now	half	mile	straight / simple	please go

नमस्ते जी
(namaste jii)

सड़क	दाहिना / दाहिने / दाहिनी	मुड़ना	उस के बाद	मोड़
road	right / right side	to turn	atter that	turn

दूसरा / दूसरे / दूसरी	बाँया / बाँये / बाँयी	कुछ दूर	दूर
second / other	left / left side	some distance	far

डाकघर	दवाखाना	इलाका	लगना	महंगा
post office	pharmacy	arca	looks likc	cxpcnsivc

जगह	कई	पड़ोसी	मिलनसार	चाहिये	चाहना
place	several	neighbor	friendly	need / want	to want

इसलिये	के पास	ही	रहना	करना	वकील
therefore	near / with / close to	only	to live	to do	lawyer

हीरा	व्यापार	व्यापार करना	तब तो	अमीर	गरीब
Diamond	trade	to trade	so then	rich	poor

ऐसी बात	चलना
like so	to walk

रास्ता बताना
आदमी रास्ता बता रहा है

घर

305

प्राथमिक हिन्दी Elementary Hindi

मुहल्ला

डाकघर

अस्पताल

दवाखाना

वकील

हीरे

प्राथमिक हिन्दी Elementary Hindi

अँग्रेज़ी में अनुवाद: Translation: Dialogue - 10 Search for a House

Ashish - Brother, please stop for a moment. Do you live in this sub-division?
Alok - Yes Sir. Tell, What do you want to know?

Ashish - Do you know, Where Dr. Mathur's Hospital (clinic) is?
Alok - Yes, you wait (stay) here, I will tell you just now.

Alok - O.K., go straight half a milc from here and turn right on Walters road, after that, turn left on the second turn and Dr. Mathur's clinic is at a little distance . A post office and a big pharmacy are also there.
Ashish - Many thanks, this is a very beautiful area. Looks like a very expensive place.

Alok - No, it is not very expensive and it is very clean and beautiful. My brother - sister and several friends also live here. Neighbours are also friendly. Do you want a house? (are you looking for a home).
Ashish - Yes please, I need a small but beautiful house. Dr. Mathur is a good friend of mine, therefore I also want to live near his house.

Alok - What do you do?
Ashish - I am a lawyer and you?

Alok - I am a Diamond trader.
Ashish - Oh, So, you are a big (rich) man.
Alok - No sir, This is not so, Alright, Namaste.

Important Vocabulary:

कुछ some / something	कोई somebody / some one	कोई भी anyone / anybody	कुछ भी anything	
कोई नहीं nobody / no one	सब कुछ everything	कहीं भी any where	कुछ नहीं nothing	किस को to whom
कहीं नहीं no where	सब कहीं every where	किसी any	कहीं से from any where / from some where	
किस से from whom	किसी से from anyone / some one	कहां से from where	कहीं some where	कैसे भी some how

Dialogue -10

Exercise - 1 Match and learn the following words: example given

elder (1) to live now office to work they say expensive area what kind of

seems quite neighbor friendly too to teach but housework both clean

to cook sometimes to say meat ever never so liquor

शराब बड़ा (१) साफ़ इसलिये दोनों रहना कभी नहीं अब घर का काम

खाना बनाना ऐसा लगता है काम करना दफ़्तर कहते हैं इलाका महँगे

कैसे बहुत मिलनसार पड़ोसी पढ़ाना भी लेकिन कभी कभी कहना

मांस कभी

Exercise - 2 Translate the following

1. Those women don't live here; it seems that their house is over there.
2. Their room is beneath our room, opposite the kitchen.
3. He brings a book for himself, but he brings nothing for his friend.
4. We always go there with the girls, but the boys stay at home.
5. I do not know what Raju does-where does he live?

१ - वे कपड़े किसके हैं.
२- बड़ी कुरसी तुम्हारे पीछे है.
३ - यह उसका घर है.
४ - वह हमारी गाड़ी है.
५ - तुम्हारा भाई यहाँ है.
६ - आपके हाथ में क्या है.
७ - उनकी किताबें इस कमरे में नहीं हैं.
८ - मैं उसके पत्र पढ़ता था .
९ - पुस्तकें सस्ती होती थीं.
१० - वह हिन्दी नहीं बोलती थी.
११ - आप कभी नहीं आते थे.
१२ - क्या तुम अँग्रेज़ी पढ़ते थे?
१३ - वे कहाँ खेलते थे?
१४ - मेज़ पर कुछ पड़ा था.
१५ - उसके कप में कुछ चाय नहीं थी.
१६ - वहाँ कोई नहीं था.
१७- पेड़ पर कुछ कच्चे संतरे हैं.
१८ - मंदिर के बारे में कुछ बताइये.
१९ - कमरे में कोई था.
२०- उसके बारे में वे कुछ नहीं जानते थे.
२१ - क्या वह कुछ लाती थी?
२२ - कोई बात नहीं.
२३ - मेरी तबियत कुछ खराब है .
२४ - कमरे में कोई है.
२५ - वहाँ कोई न कोई था.
२६ - यहाँ कोई अँग्रेज़ी नहीं बोलता.
२७- इस शहर में कोई सिनेमा नहीं है.
२८ - कोई आदमी बाहर खड़ा है.
२९ - कोई बीस लोग पेड़ के नीचे खड़े थे.
३० - मकान में कुछ था.
३१ - किसी को चाय पसन्द है किसी को कॉफ़ी.
३२ - किसी देश में एक बड़ा राजा रहता था.

Con.11   बातचीत – ११   भाग – १   तुम क्या करते हो?

तुम रोज सुबह क्या करते हो?
मैं दाँत साफ़ करता हूँ, नहाता हूँ, नाश्ता करता हूँ और घर का काम करता हूँ.

उस के बाद क्या करते हो?
उसके बाद स्कूल जाता हूँ.
स्कूल में क्या पढ़ते हो?
हम हिन्दी, अँग्रेज़ी, गणित, विज्ञान, इतिहास और भूगोल पढ़ते हैं.

खाने की छुट्टी कब होती है?
दोपहर में होती है.
शाम को क्या करते हो?
हम शाम को खेल के मैदान में बास्केट बॉल खेलते हैं.

तुम्हारी छोटी बहिन क्या करती है?
वह स्कूल में चित्रकारी सीखती है और घर में नाचना और गाना सीखती है.

तुम कब सोते हो?
हम रात में टी वी देखते हैं, खाना खाते हैं और तब सोते हैं.

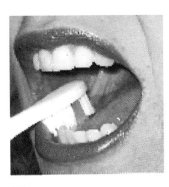

दाँत साफ़ करना

नहाना

शब्द:

करना	रोज	सुबह	दाँत	साफ़ करना	नहाना
to do	everyday	morning	teeth	to clean	to take bath

नाश्ता करना	घर का काम	के बाद	पढ़ना	अँग्रेज़ी	गणित
to eat snacks	house work	after	to read / to study	English	mathematics

प्राथमिक हिन्दी Elementary Hindi

विज्ञान science	इतिहास history	भूगोल geography	खाने की छुट्टी food break	होना to happen / to be	दोपहर afternoon

आना to come / to know	शाम evening	शाम को at (in) evening	खेल का मैदान field for sports	मैदान field	खेलना to play

खेल sport / game	चित्रकारी painting	सीखना to learn	नाचना to dance	नाच dance	गाना song / to sing	सोना to sleep

देखना to look / to see	खाना food / to eat	तब then

बातचीत - ११ भाग - २ घर का काम

आपके माता पिता क्या करते हैं?
पिता जी एक दफ़्तर में मैनेजर हैं और माता जी बैंक में काम करती है.

अच्छा तो घर का काम कौन करता है?
हम सब घर का काम करते हैं. माता जी खाना बनाती हैं, पिताजी घास काटते है. मैं और भाई घर की सफ़ाई करते हैं, कपड़े धोते हैं, कपड़ों पर स्त्री (आयरन) करते हैं और बर्तन धोते हैं.

अच्छा, यह तो बहुत अच्छी बात है.
जी हाँ, माता जी सिलाई, बुनाई और कढ़ाई भी करती हैं. हम कमीज़ में बटन टाँकना (लगाना) भी जानते हैं. कभी - कभी पिताजी भी खाना बनाते हैं. वे गोश्त (मीट) बहुत अच्छा बनाते हैं. माँ गोश्त नहीं बनाती हैं, और खाती भी नहीं हैं.

भाग - २

दफ़्तर office	घर का काम house work	बनाना to make / to cook / to repair / to fix	घास grass

काटना to cut	सफ़ाई करना to clean	कपड़ा cloth	धोना to wash	बर्तन utensils	सिलाई stiching

बुनाई knitting	कढ़ाई embroidery	सिलाई करना to sow	बुनाई करना to knit	कढ़ाई करना to do embroidery

टाँकना to put	जानना to know	कभी-कभी sometime	खाना to eat / food

नमस्ते जी
(namaste jii)

सिलाई करना

बटन टाँकना

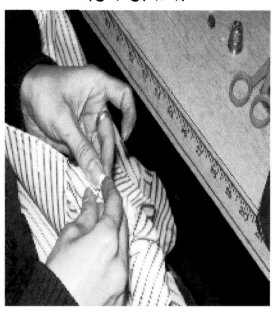

बुनाई करना

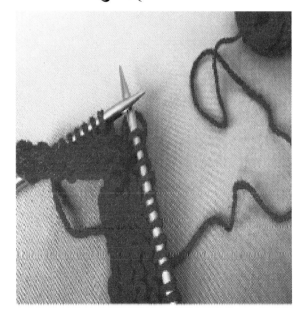

कढ़ाई करना

311

बातचीत ११ भाग - ३   सबकुछ कैसा होता है

यहाँ क्या होता है?
यहाँ हिन्दी पढ़ते हैं.

अमेरिका में क्या भाषा बोलते हैं?
अमेरिका में अँग्रेज़ी बोलते हैं.

कच्चा केला कैसा होता है?
कच्चा केला हरा होता है और पका केला पीला होता है.

घास कैसी होती है?
घास हरी होती है, लेकिन ये घास पीली है.

दो और तीन कितने होते हैं?
पाँच होते हैं.

स्कूल में खाना कहाँ खाते हैं?
खाना केफ़ेटिरिया में खाते हैं.

भारतीय खाना कहाँ मिलता है?
महाराजा रेस्टोरेंट में मिलता है.

क्या आपके शहर में हिन्दी सिनेमा दिखाते हैं?
जी हाँ प्लिट थियेटर में शनिवार और रविवार को दिखाते हैं.

एक हफ़्ते में कितने दिन होते हैं?
सात दिन होते हैं और एक साल में 365 दिन होते हैं.

क्या साबह बीयर पीते हैं?
जी हाँ साहब बहुत बीयर पीते हैं.

भाग - ३

होना		बोलना	कच्चा	केला	पका	पीना
to happen / to be		to speak	row	banana	ripe	to drink
घास	हरा	पीला	कितना / कितने /कितनी		भारतीय	शहर
grass	green	yellow	how much / how many		indian	city
मिलना		दिखाना	हफ़्ता / सप्ताह		दिन	
to meet / to find / to receive		to show	week		day	

312

Con12

बातचीत – १२
आप कहाँ रहते थे?

शिक्षक – आप पहले कहाँ रहते थे?
छात्र – मैं भारत के बनारस शहर में रहता था.

शिक्षक –उन दिनों (में) आप क्या करते थे.
छात्र – मैं बहुत छोटा था. हम खूब खेलते थे और बहुत कम पढ़ते थे.

शिक्षक – बनारस कहाँ है?
छात्र – बनारस उत्तर प्रदेश में गंगा नदी के किनारे है. इसका पहला नाम काशी है और अब इसको वाराणसी कहते हैं. यह अब विश्व का सबसे पुराना शहर है. काशी में शिव जी का प्रसिद्ध स्वर्ण (सोने का) मंदिर है.

शिक्षक – आप कहाँ पढ़ते थे?
छात्र – मैं काशी हिन्दू विश्वविद्यालय में पढ़ता था. मैं साइकिल से कॉलेज जाता था और क्रिकेट खेलता था. मुझको फुटबॉल और हॉकी भी बहुत पसंद है.

शिक्षक – आपके कितने भाई और बहिन हैं
छात्र – मेरे पांच भाई और तीन बहिनें हैं. हम सब गंगा नदी में नाव चलाते थे और खूब तैरते थे.

<u>शब्दावलीः</u>   Vocabulary - Dialogue - 12

पहले	रहना	था थे थी	उन दिनों	खूब	बहुत कम
before	to live	was / were	in those days	a lot	a lot less / very little

बनारस	उत्तर प्रदेश	नदी	गंगा नदी	किनारा
city of Banaras	state of Uttar Pradesh	river	river Ganges	shore

इसका	पहला	इसको	कहना	विश्व	पुराना	शहर
of this	first	to this	to say / called	world	old	city

प्रसिद्ध	स्वर्ण सोना	सोना	मंदिर	विश्वविद्यालय	नाव
famous	gold	to sleep	Temple	university	boat

नाव चलाना	तैरना
to row the boat	to swim

Dialogue - 12

Exercise - 1   Translate and learn the vocabulary:

यह एक पुरानी कहानी है. मेरी नानी जी हम को सुनाती थीं. एक जंगल में एक शेर रहता था. वह जंगल का राजा था. वह रोज जंगल के जानवरों को मारता था और खाता था. सब जानवर बहुत दुखी थे.

हम गर्मी की छुट्टियों में छत पर सोते थे. चाँद - तारे देखते थे. रात में लुका-छिपी खेलते थे. सब बच्चे दूध - जलेबियाँ और आइसक्रीम खाते थे. मुझको जलेबियाँ बहुत पसंद थीं लेकिन अब नहीं पसन्द हैं. उन दिनों हम बहुत मज़ा करते थे. वे दिन बहुत अच्छे थे. बहिनें छुट्टियों में नाचना सीखती थीं और हम गाना और वाद्य (सितार, वायलिन या गिटार) बजाना सीखते थे.

एक समय एक राजा था. राजा और रानी की सात बेटियाँ और एक बेटा था. राजकुमारियाँ बहुत सुन्दर थीं. राजकुमार और राजा जंगल जाते थे. वे शिकार करते थे. वे सूअर, हिरन और शेर मारते थे. राजा का महल बहुत बड़ा था. उस में बहुत लोग काम करते थे.

Vocabulary:

पुराना	कहानी	सुनाना	जंगल	शेर	जानवर	मारना
old	story	to tell	forest	lion	animal	to kill

दुखी	गर्मी	छुट्टी	छत	सोना	चाँद	तारा
sad / unhappy	summer	holiday	roof	to sleep	moon	star

लुका - छिपी	उन दिनों	मज़ा करना	नाचना	सीखना
hide & seek	those days	to have fun	to dance	to learn

गाना	वाद्य	बजाना	एक समय	शिकार करना
to sing	musical instrument	to play	once upon a time	to hunt

हिरन	महल	काम करना	सूअर
deer	palace	to work	pig

Con.13

बातचीत –१३
हमारा सौर मंडल

भाग – १

पाठक जी – कहो बच्चों, आज तुम लोग क्या कर रहे हो?
बच्चे – पिताजी हम सैर मंडल के बारे में सीख रहे हैं.

पाठक जी – अच्छा तो तुम आकाश में चाँद, सूरज, तारों और हमारी पृथ्वी के बारे में सीख रहे हो?
बच्चे – जी हाँ, हम सौर मंडल पर लेख लिख रहे हैं.

पाठक जी – अच्छा यह तस्वीर देखो. यह सूरज है और यह हमारी धरती है.
बच्चे – यह हम क्या देख रहे हैं?

पाठक जी – यह चन्द्रमा है, यह बृहस्पति, यह बुध, यह बड़ा तारा शुक्र हैं और यह मंगल है.
बच्चे – यह कौन सा ग्रह है.

पाठक जी – यह ग्रह शनि है. यह अरुण है, यह वरुण है और यह प्लूटो है. अच्छा अब मैं ऑफ़िस जा रहा हूँ और और तुम लोग लेख लिखो.
बच्चे – बहुत धन्यवाद पिता जी.

आकाश – आस्मान
चांद   तारा (Star)   तारे
बादल
सूरज

शब्दावली: Vocabulary - Dialogue - 13

सौर मंडल solar system	सीखना to learn	आकाश / आसमान sky		चांद / चन्द्रमा moon	सूरज / सूर्य sun
तारा star	धरती पृथ्वी earth	लेख essay	तस्वीर picture	देखना to see	बृहस्पति Jupiter

बुध Mercury	शुक्र Venus	ग्रह planet	शनि Saturn	अरुण Uranus	वरुण Neptune	मंगल Mars
वार day	सोमवार Monday	मंगलवार Tuesday	बुधवार Wednesday	बृहस्पतिवार / गुरुवार Thursday		
शुक्रवार Friday	शनिवार Saturday	रविवार Sunday	दिन day	रात night	हफ़्ता / सप्ताह week	
महीना month	साल year					

भाग - २

गुप्ता जी से मिलना

सक्सेना - गुप्ता जी, आप यहाँ? आप डालस में क्या कर रहे हैं?
गुप्ता - नमस्ते सक्सेना जी, मैं अक्सर डालस आता हूँ. हमारी कंपनी का कुछ काम यहाँ चल रहा है. लेकिन आप तो ह्यूस्टन में रहते हैं न?

सक्सेना - मैं अब ह्यूस्टन में नहीं रहता हूँ. मैं एक नया काम कर रहा हूँ इसलिये अब छह महीनों से डालस में रह रहा हूँ . ह्यूस्टन में मेरा व्यापार अच्छा नहीं चल रहा था. पहले हम कपड़े बेचते थे लेकिन अब जूते भी बेचते हैं.
गुप्ता - आपका परिवार कहाँ है?

सक्सेना - मेरे पत्नी और बच्चे अभी ह्यूस्टन में ही रह रहे हैं. मेरा बड़ा बेटा कपड़ों का व्यापार संभाल रहा है. आप बताइये, सब कुछ कैसा चल रहा है?
गुप्ता - सब कुछ ठीक चल रहा है. आप अभी कहाँ जा रहे थे.

सक्सेना - मैं अभी खाना खाने जा रहा हूँ . क्या आप भी मेरे साथ चल सकते हैं?
गुप्ता - जी हाँ, मैं भी एक अच्छा रेस्टोरेन्ट ढूँढ रहा था.

अक्सर often	चल रहा है is going on	तो so	हैं न are you not	काम work	इसलिये therefore
रहना to live	व्यापार trade / business	कपड़े clothes	जूते shoes	परिवार family	ही only
सभांलना to take care	चल सकना be able to go	ढूँढना to search / to find	मिलना to meet	चलना to go / to run / to move	

Con.14

बातचीत - १४

खेल और खिलाड़ी

अमित - तुम कल क्या करोगे?
ढिल्सन - कल शनिवार है और मैं बास्केट बॉल का खेल देखूँगा.

अमित - कौन सी टीमें खेलेंगी?
ढिल्सन - कल शिकागो बुल्स और ह्यूस्टन रॉकेट्स का शानदार खेल होगा. क्या तुम भी जाओगे?

अमित - नही यार, कल बेलेअर हाइ स्कूल में डिबेट होगा. हमारी टीम उसमें भाग लेगी इसलिये मैं वहाँ जाऊँगा.
ढिल्सन - कल ह्यूस्टन की ओर से हकीम अलाजुआन और बुल्स की ओर से माइकल जॉर्डन खेलेंगे. दोनों बहुत अच्छे खिलाड़ी हैं.

अमित - मैं अगले साल बास्केट बॉल देखूँगा. इस साल मैं टेलिविज़न पर सॉकर की विश्व प्रतियोगिता देखूँगा. मुझको सॉकर बहुत पसंद है. इस को भारत में बहुत खेलते हैं.
ढिल्सन - हाँ, सॉकर भी अच्छा खेल है. भारत के लोग और कौन से खेल खेलते हैं?

अमित - भारत में क्रिकेट, हॉकी, टेबुल टेनिस, बैडमिन्टन, खो-खो और कबड्डी खेलते हैं.
ढिल्सन - कबड्डी कैसा खेल है?

अमित - इस खेल का मैदान गोल होता है, और बीच में लाइन होती है. लाइन की दोनों ओर खिलाड़ियों की पालियाँ होती है. एक पाली में आठ खिलाड़ी होते हैं. मैं इस खेल के बारे में तुम को बाद में बताऊँगा. यह बहुत मज़ेदार खेल है.
ढिल्सन - ठीक है, हम सोमवार को स्कूल में मिलेंगे. कल ह्यूस्टन जीतेगा.

अमित - हाँ मैं भी यही चाहता हूँ. मेरी शुभकामनायें. कल बुल्स ज़रूर हारेंगे.

ममममममममममम

शब्दावली: Vocabulary - Dialogue - 14

खेल game	देखना to watch / to see / to look	करना to do	शानदार grand	यार friend	होना to be / to happen
भाग लेना / हिस्सा लेना to take part	की ओर से from the side	खेलना to play	खिलाड़ी player		
अगला / अगले / अगली next	साल year	विश्व world	प्रतियोगिता competition	कौन से which one	
मैदान field	गोल round	बीच में in between	की दोनों ओर on both sides	पाली team / side	के बारे में about
बाद में afterwards	मज़ेदार interesting	मिलना to meet	जीतना to win	हारना to loose	बराबर draw
यही this only					

Translation: Dialogue - 14 Game and the players.

Amit - What will you do tomorrow?
Dhilson - Tomorrow is Saturday and I will watch basket ball game.

Amit - Which teams will play?
Dhilson - There will be a grand game between Chicago Bulls and Houston Rockets. Will you go too?

Amit - No friend, there will be a debate in Bellaire High School. Our team will take part in that, therefore I will go there.
Dhilson - Tomorrow, Hakeem will play from Houston side and Michael Jordan from Bulls side. Both are great players.

Amit - I will watch basket ball next year. This year I will watch world tournament of soccer. I like soccer a lot and it is widely played in India.
Dhilson - Yes soccer too is a good game. What other games do Indian people(Indians) play?

Amit - In India, they play cricket, hockey, table tennis, badminton, kho-kho and kabaddi.
Dhilson - What kind of game Kabaddi is?

Amit - The field of this game is round and there is a line in the middle.There are teams of players on both sides of the line. There are eight players in each team. I will tell you about this game later. This is an interesting game.
Dhilson - Alright, we will meet in the school on Monday. Houston will win tomorrow.

Amit - Yes, I too want this (to happen). My best wishes. Bulls will certainly lose tomorrow.

शशशशशशशशशशशश

नमस्ते जी
(namaste jii)

बातचीत : १४ अ

चंपा - कहिये गोपाल, आप दिल्ली कब जाएँगे? इसी महीने?
गोपाल - इस महीने नहीं, चौबीस जुलाई को जाऊँगा. जुलाई में मौसम कैसा होगा?

चंपा - जुलाई में बहुत अधिक गरमी होगी. आप दिल्ली में ही रहेंगे क्या?
गोपाल - मैं दिल्ली में कम से कम दो हफ़्ते रहूँगा और उसके बाद अल्मोड़ा जाऊँगा. आपको मालूम होगा कि वहाँ मेरे कुछ रिश्तेदार रहते हैं.

चंपा - हाँ, पर मुझे आशा है कि आप अपना सारा समय अल्मोड़ा में ही नहीं बितायेंगे. पहाड़ों में बहुत सी दिलचस्प जगहें हैं. कश्मीर में भी घूमेंगे न?
गोपाल - हाँ ज़रूर. कहते हैं कि वहाँ गरमियों में भी ठंडी हवा चलती है, इसलिये गरमी कम पड़ती है. लेकिन आपको कश्मीर की अच्छी जानकारी होगी?

चंपा - जी हाँ, मेरे नाना - नानी वहाँ रहते हैं, श्रीनगर के पास. श्रीनगर कश्मीर की राजधानी है. मैं अपने छोटे भाई के साथ वहाँ नवंबर में जाऊँगी.
गोपाल - क्या आप जाड़े की छुट्टियाँ वहीं बिताएँगी?

चंपा - हाँ हाँ , छुट्टियाँ मनाने के लिये ही कश्मीर जा रही हूँ. पर मेरा भाई करीब पहली दिसंबर तक यहाँ लौटेगा क्योंकि उसे ठंडा मौसम पसंद नहीं है. जाड़ों में वह हमेशा यहीं बंबई में ही रहता है?

Translation :

Champa - Well Gopal, when will you go to Delhi? This month?
Gopal - Not this month, I will go on the twenty-fourth of July. What will the weather be like in July?
Champa - It will be very hot in July. Will you stay just in Delhi?
Gopal - I will stay at least two weeks in Delhi and after that I will go to Almora. You must know that some relatives of mine live there.
Champa - Yes, but I hope that you won't spend all your time just in Almora. There are lots of interesting places in the hills. You will tour in Kashmir too, won't you?
Gopal - Yes of course. They say that even in the summer a cool wind blows there, so it doesn't get so hot. But you must know Kashmir well?
Champa - Yes, my grandparents live there, near Srinagar. Srinagar is the capital of Kashmir. I shall go there with my younger brother in November.
Gopal - Will you spend the winter holidays there?
Champa - Yes of course, it is in order to pass the holidays that I am going to Kashmir. But my brother will come back here by about the first of December because he does not like the cold weather. In the winter he always stays right here in Bombay.

Dialodue - 14A
Exercise - 1

कहिये	इसी- इस ही	मौसम	में ही	कम से कम	उसके बाद
please say	in this only	weather- climate	in only	at least	after that

रिश्तेदार	आशा	सारा	बिताना	बहुत-सी	दिलचस्प	जगह	घूमना	ज़रूर
relative	hope	all	to pass (time)	very many	interesting	place	to roam	sure

गरमी	ठंडी हवा	जानकारी	के पास	राजधानी	छुट्टियाँ मनाना	करीब पहली
summer	cold air	knowledge	near	capital	to enjoy vacation	about first (date)

लौटना	यहीं- यहाँ ही	में ही	बहुत ज्यादा
to return	here only	in only	a lot

Exercise : 2 Translation

१ - क्या आप उसे तार देंगे?

२ - हम फ़िल्म परसों देखेंगे.

३ - मैं कल हवाई जहाज से दिल्ली जाऊँगा.

४ - वह आज शाम को गाना गाएगी.

५ - वे लोग आपके नये पड़ोसी होंगे.

६ - वह लंबी महिला उसकी सहेली होगी.

७ - आप उसे जानते होंगे.

८ - उस क्लास में बहुत कम छात्र थे.

९ - आप मेरा नाम जानते होंगे.

१० - वह किसी बड़े मकान में रहता होगा.

११ - वह अभी आती होगी.

१२ - वे अकेले आ रहे होंगे.

१३- कुछ ही लोग कालेज रोज़ जाते हैं.

१४ - इस बड़े मकान में दो ही आदमी रहते हैं.

१५ - यह भवन बहुत ही पुराना है.

१६ - यह यहाँ से दूर नहीं था , पास ही था.

१७ - हम खेलते ही नहीं, काम भी करते हैं.

१८- मैं ही नहीं , सारा गाँव जानता है.

१९ - थोड़ी और चाय लीजिये.

२० - हाँ, थोड़ी-सी दीजिये.

२१ - गरमियों में अधिक लोग यहाँ आते हैं.

२२ - मेज पर अधिक किताबें न रखो.

२३ - दाल में नमक बहुत अधिक है.

२४ - इस दुकान में सब कुछ बहुत महँगा है.

२५ - इस साल बहुत कम लोग घर खरीदेंगे.

२६ - हमें कम से कम दस रुपये चाहिए.

२७ - आप थोड़ी- बहुत हिन्दी समझते होंगे?

२८ - आपको मालूम होगा कि मेरी पढ़ाई ठीक नहीं चल रही होगी.

२९ - आजकल मकान का किराया बहुत ज़्यादा होगा.

Con.15   बातचीत – १५

फल की दुकान

गाहकः   सुनो, ये आम कैसे हैं?

Customer: Listen, how much are these mangoes? Also- What sort of mangoes are these.

फलवालाः बनारस के आम हैं, बीस रुपये किलो.

Fruit Seller: (These) are mangoes of Banaras, (these are) twenty rupees a kilogram.

गाहक :   क्या ये केले बम्बई के हैं?

Customer: Are these Bombay bananas? (Bananas of Bombay)

फलवालाः जी हाँ, आठ रुपये दर्जन हैं.

    Yes please, (these) are eight rupees a dozen.

गाहकः   अच्छा, चार केले और आधा किलो आम देना.

    Okay, give four bananas and half a kilogram mangoes.

फलवालाः संतरे भी लीजिये, बहुत मीठे हैं, नागपुर के हैं,

    (Please) take some oranges too, (these) are very sweet, (these) are of Nagpur.

केवल दस रुपये दर्जन हैं.

    (these) are only ten rupees a dozen.

गाहक :   क्या लीची मुज़फ्फ़रनगर की हैं?

    Are (these) Muzaffer Nagar Leechies? (Leechies of Muzaffer Nagar)

फलवालाः जी हाँ, तीस रुपये किलो हैं,

    Yes please, (these) are thirty rupees per kilogram

और ये इलाहाबाद के अमरूद हैं.

and these are Allahabad's guavas.

प्राथमिक हिन्दी Elementary Hindi

गाहकः   सेब कैसे हैं?

How much are the apples?

फलवालाः जी, ये कश्मीर के लाल सेब हैं, मीठे हैं,

Jii, these are Kashmir's red apples, (these) are sweet

पच्चीस रुपये किलो.

Twenty five rupees a kilo.

गाहकः   ठीक है, एक किलो सेब और आठ संतरे भी दो.

Okay, give (me) one kilogram of apples and give eight oranges too.

फलवालाः बहुत अच्छा, अभी लीजिये.

Very well, please take right now. (I will give you in a moment)

फल की दुकान

फल

सेब

केला

अंगूर

आम

प्राथमिक हिन्दी Elementary Hindi

सन्तरा

संतरा

नाशपाती

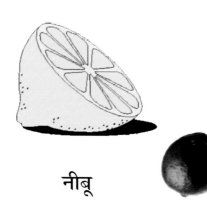

नीबू

VOCABULARY: Dialogue - 15

गाहक	फलवाला	आम	अमरूद	केला	संतरा
Customer	Fruit seller	Mango	Guava	Banana	orange

अनार	नाशपाती	सेब	अंगूर	लीची
Pomagrenade	Pear	Apple	Grape	Leechi

पपीता	नारियल	तरबूज़	खरबूज़
Papaya	Coconut	Watermelon	Cantaloupe

324

प्राथमिक हिन्दी Elementary Hindi

Con.16

बातचीत - १६
सब्ज़ीवाली

सब्ज़ीवाली: सब्ज़ी ले लो ! आलू, गोभी, प्याज़, टमाटर, खीरे, मिर्च

Vegetable Seller lady: Take (buy) vegetables ! Potato, cauliflower, onion, tomato, cucumbers, peppers (Note: The lady sells vegetables from door to door.)

घरवाली: ओ सब्ज़ीवाली, यहाँ आना

House wife: Hey vegetables seller(lady)! come here!

सब्ज़ीवाली: अभी आती हूँ बीबीजी

(I) am coming right now madam.

घरवाली: आलू क्या भाव हैं?

What is the rate of potatoes (How much are the potatoes)

सब्ज़ीवाली: छह रुपये किलो, ताज़ी मटर भी हैं

Six rupees a kilo, (I have) fresh peas too.

घरवाली: एक किलो आलू देना. पालक है क्या?

Give one kilo (of) potatoes. Do (you have) spinach?

सब्ज़ीवाली: जी हाँ, पाँच रुपये किलो है और मीठी गाजरें भी हैं.

Yes madam, (Its) five rupees per kilo, and (I have) sweet carrots too.

घरवाली: आधा किलो पालक और दो नीबू दो.

Give (me) half kilo spinach and two limes.

सब्ज़ीवाली: मटर भी लीजिये.

Please take (some) peas too

घरवाली: नहीं मटर आज नहीं.

No, no peas Today

सब्ज़ीवाली: प्याज़ और मिर्च?

(What about) onions and pepper?

घरवालीः हाँ, थोड़ा धनियां भी.

Yes, (and) some coriander too.

सब्ज़ीवालीः गोभी?

Cauliflower?

घरवालीः नहीं. कितने पैसे?

No. How much money? (What is the total)

सब्ज़ीवालीः बीस रुपये पचास पैसे.

Twenty rupees and fifty paise.

घरवालीः ये लो.

Take these (take the money)

सब्जी की दुकान

सब्जी

आलू

टमाटर

प्याज

गोभी

बंदगोभी

327

गाजर

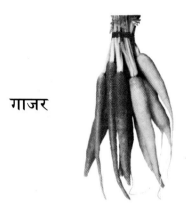

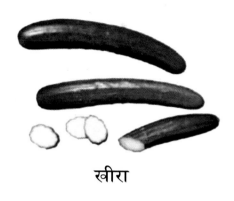

खीरा

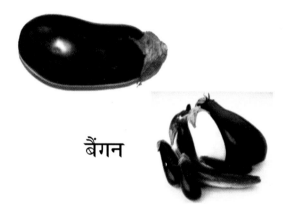

बैंगन

लहसुन

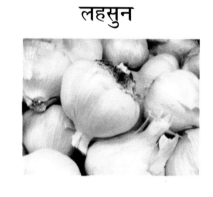

भिंडी

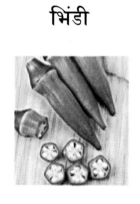

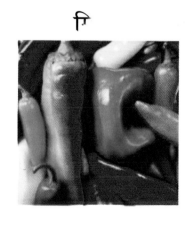

ि

पालक

Vocabulary: Dialogue - 16

सब्ज़ीवाली	घरवाली	आलू	गोभी	टमाटर
vegetable seller lady	house wife	potato	cauliflower	tomato

मिर्च	पातगोभी	पालक	बैंगन	धनियां
chili pepper)	cabbage	spinach	egg plant	coriander

प्याज़	गाजर	मूली	सेम	लहसुन	मटर
onion	carrot	raddish	been	garlic	peas

खीरा	अदरख़
Cucumber	ginger

प्राथमिक हिन्दी Elementary Hindi

Con17   Use of Caahiye (Wanted or Needed)

HOW TO ASK AND ANSWER QUESTIONS RELATED TO WANT OR NEED IN HINDI

What do you want?
or What do you need?
What is wanted or needed by you?

Hindi - Aapako kyaa caahiye sar or maidam (Mahaashayji or biibiij).

हिन्दी – आपको क्या चाहिये सर या बाबूजी या बहिनजी या माताजी

(In Hindi, words like Baabuji or Bhaiyaaji or bhaaii Saahib are used to address gentlemen with respect AND Biibiiji or Bahinji are used to address young ladies And Maataaji is used for elderly lady.)

At different places, the answer to above question may have different answers like

I want a taxi.   Taiksii caahiye.
                                        टैक्सी चाहिये

I want one kg. of Potatoes.   Eka kilo aaloo caahiye.
                                        एक किलो आलू चाहिये .

I need some mangoes.   Kucha aam caahiyen.
                                        कुछ आम चाहिये

I want a Hindi news paper.   Hindii akhabaar caahiye.
                                        हिन्दी अखबार चाहिये

I want one marble Taj Mahal.   Eka maarbl kaa taaja mahal caahiye.
                                        एक मार्बल ताज महल चाहिये

I want some water or tea.   Mujhako paanii Yaa Caaya caahiye.
                                        मुझको पानी या चाय चाहिये

(In other words: say whatever you need and add Caahiye at the end.)

At different places, the answer to above question may have different answers like

१. आपको कैसी साड़ियाँ चाहियें?
   What kind of Saries do you want?

मुझको रेशमी साड़ियाँ चाहियें.
I want silk saries.

२. आपको कैसा रंग चाहिये?

मुझको लाल रंग चाहिये.

३. उसको कैसे फल चाहियें?

उसको ताजे फल चाहियें.

४. उनको कब अखबार चाहिये?

उनको सुबह अखबार चाहिये.

५. मेम साहब को कब कपड़े चाहियें?

उनको सुबह कपड़े चाहियें.

६. छात्रों को खाना कब चाहिये ?

लंच में चाहिये.

७. बच्चे को क्या चाहिये?

उसको मिठाई चाहिये.

८. छात्र को क्या चाहिये ?

छुट्टी चाहिये.

९. आपको क्या पढ़ना चाहिये?

हमको हिन्दी पढ़नी चाहिये.

१०. क्या हमको हिन्दी बोलनी चाहिये?

जी हाँ .

११. बाबू जी को क्या चाहिये?

उनको आम चाहिये.

प्राथमिक हिन्दी Elementary Hindi

Use of caahanaa चाहना - to desire, want

चाहना is used to express desire for a thing (with a noun) or a desire to do something (with a verb). It is more often used with verbs than with nouns. In either case, the object or action desired is stated just before चाहना. If a noun, it is stated in its direct form; if a verb, it is stated in the infinitive. चाहना can be conjugated in any tense, though use in the continuous tenses is rare. चाहना always agrees in gender, number and person with the subject -- the person who desires -- not with the object or action desired.

Examples:

१. आप क्या चाहते हैं?

What do you want?

२. वह क्या करना चाहती है?

What does she want to do?

३. वे कहाँ रहना चाहते हैं?

Where do they want to live?

४. क्या बच्चा दूध पीना चाहता है?

Does the child want to drink milk?

५. क्या छात्र स्कूल नहीं जाना चाहते थे?

Did the students not want to go to schoool?

६. क्या प्रकाश जी हिन्दी पढ़ाना चाहते हैं?

Does Mr. Prakash want to teach Hindi?

७. कौन काम करना चाहता है?

Who wants to work?

८. रोटी - सब्जी के अलावा तुम क्या खाना चाहती हो?

Besides roTii and sabjii What else do you want to eat?

९. रायन भारत जाना चाहता है।

Rayan wants to go to India.

१०. आप उसके बारे में क्या जानना चाहते हैं?

What do you want to know about him?

११. आप स्कूल क्यों आना चाहते हैं?

Why do you want to go to school?

१२. वह किसलिये जूस पीना चाहता है?

Why does he want to drink juice?

१३. तुम हिन्दी क्यों पढ़ना चाहते हो?

Why do you want to study Hindi?

१४. आप क्या करना चाहते थे?

What did you want to do?

१५. वह और क्या करना चाहेगी?

What else would she like to do?

१६. तुम और कहाँ जाना चाहोगे?

Where else would you like to go?

१७. वे क्या देखना चाहेंगे?

What would he (respect) like to see?

Note: और along with a question word means else, other than etc.

332

Use of Can: सकना

१- क्या मैं बाथरूम जा सकता हूँ?   can I go to bathroom?

Ans: जी हाँ आप बाथरूम जा सकते हैं.   yes sir, you can go to bathroom.

नहीं, आप बाथरूम नहीं जा सकती हैं.   no, you cannot go to bathroom.

२- क्या मैं आपसे बात कर सकता हूँ.   can I talk to you?

हाँ, आप मेरे साथ बात कर सकते हैं.   yes, you can talk with me.

३- क्या मैं आपसे मिल सकती हूँ?   can I meet with you?

हाँ, आप मुझसे मिल सकती हैं.   yes, you can meet (with) me.

४- क्या वह आपके साथ जा सकती है.   can she go with you?

नहीं, वह मेरे साथ नहीं जा सकती है.   no she cannot go with me.

५-क्या हम आपका फ़ोन यूज़ कर सकते हैं?   can we use your phone?

हाँ, आप मेरा फ़ोन इस्तेमाल कर सकते हैं.   yes you can use my phone.

६-आप कक्षा में देर से नहीं आ सकते.   you cannot come late in the class.

७-तुम हिन्दी पढ़ सकते हो.   you can read (study) Hindi.

८-हम सब कक्षा में हिन्दी बोल सकते हैं.   we all can speak Hindi in the class.

९-क्या आप यह काम कर सकते हैं?   can you do this work (job)?

१०-क्या हम कक्षा में खाना खा सकते हैं?   can we eat food in the class?

१२-वह कब आ सकती है?   when can she come?

१३-मैं आपकी गाड़ी क्यों नहीं चला सकती हूँ?   why I cannot drive your car?

१४-हम अँग्रेज़ी क्यों नहीं बोल सकते?   why we cannot speak English?

बातचीत - चाहना - सकना

सुनील - नमस्ते नील, मै सुनील बोल रहा हूँ.
नील - नमस्कार सुनील, बहुत दिनों के बाद तुम्हारी आवाज (voice) सुन रहा हूँ. कैसे हो?

सुनील - सब ठीक है. सुनो नील, मैं चाहता हूँ कि तुम शाम को मेरे घर आओ. तुमसे कुछ ज़रूरी बात (important) करना चाहता हूँ.
नील - ऐसी क्या बात है भाई, (what is such a thing). फ़ोन पर बात नहीं कर सकते हो?

सुनील - हाँ कुछ ऐसी ही बात है. (something like this only) मेरे घर आओ तब सब बताऊँ. तुम खाना भी मेरे घर पर ही खाओ.
नील - तब (then) ठीक है. हम शाम को मिलते हैं. क्या मैं बाजार से कुछ पीने का लाऊँ?
सुनील - मुझको कुछ नहीं चाहिये. तुम आओ तो (then) बात करते हैं.

शाम को सुनील के घर पर

नील - हाँ अब बताओ (O.K. now tell) क्या बात है. (what is it, or what is the matter)
सुनील - मेरे माता पिता मेरी शादी करना चाहते हैं. यह देखो, यह लड़की की फ़ोटो है.

नील - लड़की तो बहुत सुन्दर है. तुमको शादी करनी चाहिये. पढ़ती है या कुछ और करती है?
सुनील - इसका नाम सुमन है और बी.ए. में सीनियर हैं. केमेस्ट्री में मेजर कर रही है.

नील - तब तो (then indeed) बहुत अच्छा है. सुमन सुन्दर है और पढ़ भी रही है, तुम शादी के लिये तुरन्त (right away, immediately) हाँ कर दो.
सुनील - लेकिन मेरी समस्या (problem) दूसरी (other) है. सुमन बहुत अमीर (rich) है और उसका कोई भाई या बहिन नहीं है. वह स्नॉब भी हो सकती है. हम लोग तो बहुत अमीर नहीं हैं. अगर हमारी आपस में नहीं बनती है या वह बहुत डिमान्डिंग हो या उसके एक्सपेक्टेशन्स हाइ हों तो?

नील - सुमन किस कॉलेज में पढ़ती है? हम उसके स्वभाव (nature) के बारे में पता कर (to find out) सकते हैं.
सुनील - वह मिरांडा हाउस में पढ़ती है. वहाँ तुम्हारी बहिन नीता भी तो पढ़ती है न (is it not)?
नील - ओह तो यह बात है. (oh! so this is the matter) इसीलिये (that's why) आप चाहते थे कि मै आपके घर आऊँ, खाना भी खाऊँ. आप बहुत मतलबी (selfish) आदमी हैं.

सुनील - कुछ भी कहो लेकिन मैं चाहता हूँ कि तुम मेरी मदद ज़रूर करो. सुमन के बारे में सब
पता करो.

नील - ठीक है, नीता की मदद से मैं सुमन के बारे में तुमको सब कुछ बताता हूँ. अब मैं खाना
चाहता हूँ. बहुत भूखा (hungry) हूँ

सुनील - चलो एक अच्छे होटल में खाते हैं. क्या खाओगे?
नील - आज मुझको चिकेन, साग पनीर, मलाई कोफ़्ता, नान, पुलाव और रस मलाई सब कुछ
चाहिये. सुमन के बारे में पता करना सरल नहीं है.

सुमन और सुनील की शादी के बारे में आगे पढ़ेंगे.

शब्दावली:   चाहना - सकना

आवाज़	सुनना	चाहना	ज़रूरी बात करना
voice	to listen	to want / to need	to make important conversation

ऐसी क्या बात है	कुछ ऐसी ही बात	बताना	तब ठीक है
what is such thing	something like this only	to tell	then it is alright

मिलना	लाना	चाहिये	शादी	शादी करना
to meet	to bring	to need (passive)	marriage	to marry

समस्या	दूसरी	तो	आपस में	सरल
problem	other	then	inbetween	easy

स्वभाव	पता करना	ओह तो यह बात है	इसीलिये	कि
nature	to find out	so this is the thing	that's why	that

मतलबी	मदद करना	ज़रूर	नीता की मदद से	भूखा
selfish	to help	certainly	with the help of Neeta	hungry

आगे	तुरन्त	आपस में नहीं बनती है तो
forthcoming / further down	right away	if cannot get along with each other then

Other common questions:

Where is the restroom.	Baathroom kahaan hai? बाथरूम कहाँ है.
Where is the air port	Hawaaii aDDaa kahaan hai? हवाई अड्डा कहाँ है ?
What is the price of apples?	Seb kaa daam kyaa hai? सेब का दाम क्या है?
How much are the carrots?	gaajar kaise hai? गाजर कैसे है .
How may I help you?	Mai Aapakii Kyaa sewaa karoon? मैं आपकी क्या सेवा करूँ?
What can I do for you?	Aapake liye Kyaa karoon? आपके लिये क्या करूँ?
Why have you come?	Aap kaise aaye hain? or आप कैसे आये हैं? aap Kyon aaye hain? or आप क्यों आये हैं? Kaise aanaa huaa? कैसे आना हुआ?
How do you go to Agra.	Aagaraa kaise jaate hain? आगरा कैसे जाते हैं?
What is the capital of India?	Bhaarat kii Raajadhaanii kyaa hai? भारत की राजधानी क्या है?
Where do you want to go, sir?	Aapako kahaan jaanaa hai sar? आपको कहाँ जाना है साहब?
Can you go to red fort?	Laal kilaa cal sakate ho? लाल किला चल सकते हो?

प्राथमिक हिन्दी Elementary Hindi

रेस्तराँ में खाना

Eating in a restaurant

बैरा - आइये मेम साहब, बैठिये.
मेम साहब - पीने के लिये एक गिलास ठंडा पानी लाओ.
- जी बहुत अच्छा, अभी लाया.
- लीजिये मेम साहब, खाने के लिये क्या लाऊँ ?
- क्या - क्या है?
- जो कुछ भी मैन्यू में है, वो सब कुछ है.
- आज का स्पेशल क्या है?
- मटर पुलाव, अनियन नान, साग पनीर, आलू गोभी और तंदूरी चिकेन.
- पीने के लिये क्या है?
- मैंगो लस्सी, प्लेन लस्सी, रूह अफ़्ज़ा शर्बत और कोक है.
- ठीक है, खाने के लिये आज का स्पेशल लाओ.
- और पीने के लिये?
- मैंगो लस्सी.

------ कुछ देर के बाद ------

- मेम साहब खाना कैसा है?
- बहुत अच्छा है.
- थैंक्यू मेम साहब, आइस क्रीम, रस मलाई या पिस्ता कुल्फ़ी लाऊँ ?
- हाँ, पिस्ता कुल्फ़ी फ़ालूदा के साथ लाओ. और सुनो , बिल भी लाओ.
- जी अच्छा,

होटल

साग पनीर

तंदूरी चिकन

बिरयानी

लस्सी

चावल

रोटी

दाल

चना मसाला

कटोरी

चम्मच Cutlery

कांटा

प्लेट तस्तरी

छूरी

गिलास

करछुल

338

Common menu items in an indian restaurant:

Appetizers : पकोड़ा, समोसा , मीट समोसा, आलू टिकिया, फ्राइड पनीर, पापड़, चिकेन टिक्का.

Rice dishes: प्लेन चावल, मटर पुलाव, मटन बिरयानी, फ्राइड राइस

Breads: रोटी, तंदूरी रोटी, नान, अनियन कुलचा, पराठा, आलू या दाल पराठा, चिकन पराठा, पूड़ी, कचौड़ी, भटूरा.

Side dishes: दाल, दही, रायता, अचार, चटनी

Vegetables: आलू सूखा, आलू गोभी, मटर पनीर, साग पनीर, बैंगन भुरता, भिन्डी, मलाई कोफ़्ता, नौरतन कोरमा.

Meat dishes: तंदूरी चिकेन, बटर चिकेन, चिकेन करी, एग करी, चिकेन मसाला, बोटी चिकेन, कढ़ाई चिकेन, मटन करी, कोरमा, कबाब, शीश कबाब.

Drinks and Sweets: लस्सी, मैंगो लस्सी, मैंगो आइस क्रीम, कुल्फ़ी, फ़ालूदा, रस मलाई, गुलाब जामुन.

Con.18   When the verb is a को verb

क्या आपको यह घर पसंद है?   क्या उसको आपका पता (adderss) मालूम है?

क्या इसको हिन्दी आती (to know) है?   आप को क्या चाहिये?

क्या छात्र को शिक्षक से मिलना है?

b. When the verb is in the compulsion construction

शीला को कब घर जाना है?   क्या आपको हिन्दी पढ़नी है?

आपको शिक्षक को कहाँ सुनना है?

c. Possessor of abstract noun

क्या उसको बहुत जल्दी (hurry) है?   क्या इसको बहुत गर्व (pride) है?

क्या तुमको उस आदमी से डर (fear, scare) लगता है?   क्या धोबी को काम नहीं है?

to be scared - डर लगना

d. With indirect object: Four verbs require से after indirect object:
बात करना , बोलना, कहना, पूछना

क्या आप उस से बात करना चाहते हैं?   मैं उस से कुछ बोल रहा था.

वह तुमसे क्या कह रहा था?   क्या आप शिक्षक से प्रश्न पूछना चाहते है?

e. With direct object

आप किस को ढूँढ (search, looking for) रहे हैं?   क्या आप इस घर को बेच रहे हैं?

f. with adverbials
i. Time adverb

क्या आप सोमवार को (on) आयेंगे?   वह किस तारीख को (at what date) भारत जायेगा?

ii Place adverb

क्या यह कार शहर को जारही है?   क्या वह रोज उस गाँव को (to that village) जाता है?

g. With verbal nouns

क्या आप शहर जाने को तैयार हैं?   क्या वह उससे पढ़ने को कह रहा है?

Is he asking him to study or to read?

नमस्ते जी
(namaste jii)

मैं बीमार हूँ   मैं ठीक नहीं हूँ   मुझको बुखार है

मुझको सिर दर्द है

मुझको चक्कर आ रहा है

मुझको चक्कर है

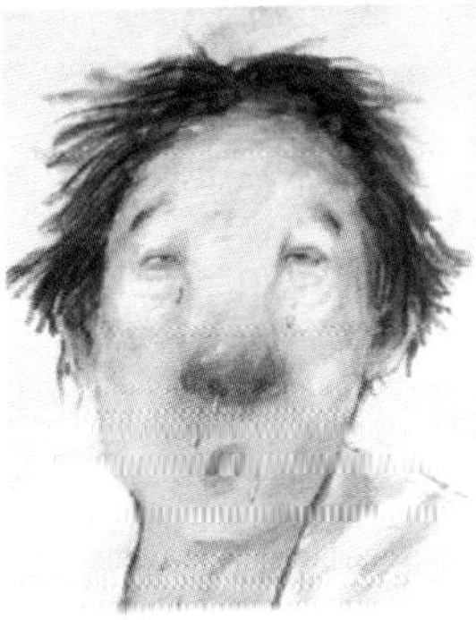

मुझको दर्द है

मुझको जुकाम है

प्राथमिक हिन्दी Elementary Hindi

मुझको पेट दर्द है

यह बच्ची जम्हाई ले रही है

मुझको नींद आ रही है

SLEEPY

मैं रो रहा हूँ

मैं रो रही हूँ

CRY, TEARS

मैं हँस रही हूँ

LAUGH

मैं भूखा हूँ

प्राथमिक हिन्दी Elementary Hindi

मैं प्यासी हूँ

मैं थक गया हूँ

मैं परेशानी में हूँ

मुझको आश्चर्य है

मैं सोच रही हूँ

मुझको दुख है

343

मुझको गुस्सा आरहा है

ANGRY

मैं गुस्सा हूँ

मै पागल हूँ

CRAZY

मैं पस्त हो गया हूँ

मैं हतोत्साह हूँ

मुझको शर्म आरही है

मै अत्तेजित हूँ

मुझको प्रोत्साहन
मिल रहा है

प्राथमिक हिन्दी Elementary Hindi

मैं परेशान हूँ

मैं हतोत्साह हो गया हूँ

मैं निराश हूँ

मैं दुखी हूँ

मुझको गरमी लग रही है

मुझको ठंड लग रही है

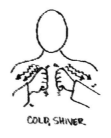 

345

मैं डरता हूँ

मुझको डर है

मुझको बहुत काम है

मैं प्रभावित हूँ

मैं भटक गयी हूँ

मैं निराश हूँ

मुझको चोट लगी है

मैं घायल हूँ

Con.19

बातचीत - १९

Conjunct verbs - Ordinal numbers

Days of the week and months of the year.

शिक्षक - आज हम मंथ, वीक, और डेज़ की हिन्दी सीखेंगे.

छात्र - मुझको मालूम हैं. मैं बताता हूँ. एक साल में बारह महीने होते हैं. जनवरी, फरवरी, मार्च, अप्रैल, मई, जून, जुलाई, अगस्त, सितम्बर, अक्टूबर, नवम्बर, और दिसम्बर. एक महीने में तीस या इकत्तीस दिन होते हैं. फरवरी में अट्ठाइस और हर चार साल के बाद उन्तीस दिन होते हैं.

शिक्षक - बहुत अच्छा! दिनेश अब तुम बताओ कि एक हफ़्ते में कितने दिन होते हैं और उनके नाम क्या है.

दिनेश - एक हफ़्ते में सात दिन होते है. सबसे पहले दिन को सोमवार कहते हैं. दूसरा दिन मंगलवार, तीसरा दिन बुधवार, चौथा गुरूवार, पाँचवाँ शुक्रवार, छठा शनिवार और सातवाँ रविवार. गुरूवार को बृहस्पति और रविवार को इतवार भी कहते हैं.

शिक्षक - अच्छा रमेश! तुम बताओ, परसों क्या दिन था?

रमेश - परसों सोमवार था, कल मंगलवार था और आज बुधवार है. कल गुरुवार होगा और परसों शुक्रवार से छुट्टी शुरू होगी.

शिक्षक - एक साल में कितने दिन होते हैं?

उमेश - एक साल में 365 दिन होते हैं और 52 हफ़्ते होते हैं.

शिक्षक - बस ठीक है, अब यह पाठ समाप्त होता है. कल से नया पाठ शुरू होगा. नये पाठ में हम हिन्दी में लेख लिखना सीखेंगे और अखबार पढ़ना शुरू करेंगे.

उमेश - सर, आप गरमी की छुट्टियों में क्या करेंगे?

शिक्षक - मैं कुछ दिनों के लिये अपनी पत्नी और बेटी के साथ अलास्का जाऊँगा. हिन्दी तीन और चार के लिये कार्यक्रम तैयार करूँगा और कुछ बिज़नेस शुरू करूँगा.

Vocab:शब्दावली:

साल	महीना	सप्ताह / हफ़्ता	दिन	कल
year	month	week	day	tomorrow / yesterday

परसों			आज	वार	सोमवार
day before yesterday / day after tomorrow			today	day	Monday

मंगलवार	बुधवार	गुरुवार / बृहस्पतिवार	शुक्रवार
Tuesday	Wednesday	Thursday	Friday

शनिवार	रविवार इतवार	शुरू होना
Saturday	Sunday	to start / to begin (intransitive - by itself)

पाठ	शुरू करना	समाप्त करना / खत्म करना
lesson	to start / to begin (transitive)	to finish (transitive)

लेख	अखबार	समाप्त होना / खत्म होना	कार्यक्रम
essay	news paper	to Finish (Intransitive)	program

Exercise - 1 - Translate

१ - किसी कागज़ पर अपना नाम लिखिये.   २ - मुझे नया चश्मा चाहिये.   ३ - हमें एक नयी गाड़ी चाहिये.

४ - तुम्हें क्या चाहिये ?   ५ - उन्हें कुछ हिन्दी की किताबें चाहियें थीं.   ६ - मुझको पाँच कमीज़ें चाहियें.

७ - क्या आपको बंगाली आती है?   ८ - जी नहीं, मुझको केवल हिन्दी आती है.

९ - मंगलवार की सुबह को आना.   १० - रविवार को कोई काम नहीं करता.

११ - बुधवार की रात को आना.   १२- छात्र शाम को हमारे यहाँ आते हैं.   १३ - कल सुबह आइयेगा.

नमस्ते जी
(namaste jii)

Exercise - 2 Translate फल की दुकान पर

- आइये साहब, आपको कौन सा फल चाहिये?
- मुझे कुछ आम चाहिये - कुछ पके आम हैं?
जी हाँ ज़रूर, ये आम बम्बई के हैं - देखिये, बड़े भी हैं और मीठे भी.
- अच्छा, दो किलो दो. दस ताज़े संतरे भी दो.
- और कुछ चाहिये? आपको सेब पसन्द हैं ?
- हाँ कुछ सेब भी चाहिए. सबसे अच्छे कौन से होते हैं?
- ये कश्मीरी सेब सबसे अच्छे हैं, आप इनको लीजिये.
- ठीक है. पर देखो वह सेब कच्चा है. कोई दूसरा दो.

Exercise - 3 Translate:

१ - कुछ लोग बंगला पढ़ते थे और कुछ लोग पंजाबी पढ़ते थे.
२ - बुधवार की शाम को कई औरतें यहाँ आती थीं.
३ - सुबह पिताजी कुछ नहीं खाते थे.
४ - कमरे में कोई नहीं था पर बाग में कोई खड़ा था.
५ - किसी की चाबियाँ मेज़ के ऊपर पड़ी थीं.
६ - इस बात के बारे में किसी से कुछ न कहना.
७ - क्या तुम्हारे भाई को अँग्रेज़ी आती है?
८ - मैं अपना काम शाम को समाप्त करता था.
९ - किसी को मालूम नहीं था कि पुराना मंदिर कहाँ था.
१० - मालूम होता है कि वह हमेशा बस से आता था.

1 - We used to live in India with our father.
2 - Someone or other used to bring food from the market.
3 - We needed some ripe oranges.
4 - How many languages do you know?
5 - She often came here on Thursday morning.
6 - Nobody knows where he used to sleep.
7 - The holidays begin in the third week of August.
8 - I used to close the door at night.
9 - I need about seven new books.
10 - The first and fifth days of the week have two names each.

Con. 20

बातचीत - २०

माली (Gardener)

सेठ जी - देखो, अगर तुम हमारे बगीचे की देखभाल (look after) ठीक से करोगे, घास हरी रक्खोगे (will keep) और बगीचे में सुन्दर फूल लगाओगे (will plant) तो हम तुमको काम पर रक्खेंगे.

बनवारी लाल - बिलकुल (absolutely) सेठ जी, सब काम ठीक होगा, कोई शिकायत (complain) नहीं होगी, पर हम हफ़्ते में दो दिन आयेंगे और सौ रुपया महीना से कम पैसे नहीं लेंगे.

सेठ जी - पेड़-पौधे क्या-क्या (what kind) लगाओगे?

बनवारी लाल - आपके बगीचे में पेड़ तो बहुत हैं. आम है, अमरूद है , केला, इमली, करौंदे की झाड़, बेर और नीबू सब है इसलिये हम फूल लगायेंगे.

सेठ जी - हाँ ठीक है. हमको फूल के पौधे (plant) चाहियें और हरी घास चाहिये.

बनवारी लाल - सेठ जी, हम सब कुछ लगायेंगे. सालाना (annual) फूल में बेला, चंपा, चमेली, रात की रानी, कटहरी चंपा, गुलाब, कनेर, पारिजात और चाँदनी लगायेंगे.

सेठ जी - और मौसमी (seasonal) फूल क्या लगाओगे?

बनवारी लाल - बरसात के मौसम में गेंदा और गुलमेंहदी लगाते है. सरदी में फ्लॉक्स, वरविना, पैन्ज़ी, जीनिया और गुलदाउदी लगाते है. गरमी में बेला, चमेली खिलते हैं.

सेठ जी - सब्जी भी लगाओगे?

बनवारी लाल - जी हाँ अवश्य (certainly). हम बैंगन, भिन्डी, टमाटर, करेला, लौकी, तोरई और ककड़ी-खीरा आदि लगायेंगे.

<u>शब्दावली:</u>

अगर	देखभाल	रखना	लगाना	बिलकुल	शिकायत	पौधे
if	look after	to keep	to plant	absolutely	complaint	plants
अमरूद	इमली	करौंदा	झाड़	बेर	हरी घास	सालाना
guava	tamarind	cranberry	bush	berry	green grass	annual
बेला - चंपा - चमेली - रात की रानी - कटहरी चंपा				गुलाब	कनेर	
different kinds of jasmine				rose	oleander	
पारिजात		चाँदनी		मौसमी	बरसात का मौसम	
a kind of flower		white flower that blooms at night		seasonal	rainy season	
सरदी	गरमी का मौसम	गेंदा	गुलमेंहदी		जीनिया	
cold weather	summer	marigold	impatient		zeania	
गुलदाउदी	खिलना	करेला	लौकी	तोरई	ककड़ी-खीरा	
mums	to bloom	bitter melon	squash	zucchini	cucumber	

Con 21

पढ़ना और समझना भाग - २१
सफ़ाईवाली

मालकिन - तू कल कहाँ थी चंपा? आज भी देर (late) में आयी है.
चंपा - मालकिन कल हम नहीं सा सके. मायके (mom's home) से हमारे भाई आये थे, आज गये हैं इसलिये हम कहीं काम पर नहीं गये.

मालकिन - तू हमेशा ऐसे ही झूठ बोलती है. देख सारा घर गंदा है. अब की बार नागा (absent) किया तो पैसे नहीं मिलेंगे.
चंपा - कसम (swear) से मालकिन, हम झूठ नहीं बोल रहे है. हम अभी सफ़ाई करते है.

मालकिन - पहले ऊपर जाकर सब कमरे साफ़ करो, ऊपर का पाखाना बहुत गंदा है. नीचे सारे घर में ठीक से झाडू लगाओ और बर्तन धोओ. आज मेहमान आने वाले हैं.
चंपा - आप खाना बनाइये हम सफ़ाई करते है. मालकिन थेड़ा पूड़ी-सब्जी और आम का अचार हमको भी दीजियेगा. हम बच्चों के लिये घर ले जायेंगे.

मालकिन - अच्छा जा, तू काम नहीं करती केवल माँगती रहती है.
चंपा - मालकिन (medam) आप बहुत नेक (kind) है. चाय बना रही है तो एक गिलास में हमको भी दीजिये. आज कहीं चाय नहीं मिली.

Vocab: शब्दावली:

मालकिन mistress	मायके से wife's parent's house	सो therefore	कहीं anywhere	ऐसे ही like this	झूठ lie
सारा whole	गंदा dirty	नागा करना to be absent	कसम swear	सफ़ाई करना to clean	ऊपर upstairs
पाखाना bathroom	नीचे down stairs	झाडू लगाना to sweep	बर्तन pots & pans	मेहमान guests	थोड़ा a little
आम का अचार mango pickle	माँगना to ask for	नेक kind	झूठ बोलना to lie	सफ़ाई वाली maid	

In the Kitchen:

चौका   चूल्हा   गरम   ठंडा

कढ़ाई   करछुल   चिमटा   थाली   बेलन

तवा   चकला   भगौना   बाल्टी   लोटा

संड़सी पकड़   चाकू   छुरी   लोढ़ा

सिल   चक्की   झाड़ू

काटना   छीलना   घिसना   कसना   माढ़ना

बेलना   सेकना   तलना   भूनना   पकाना

उबालना   पीसना   कूटना   परोसना

धोना   झाड़ू लगाना

In the Kitchen:

चौका	चिमटा	बाल्टी	चक्की	कसना	उबालना
चूल्हा	थाली	लोटा	झाड़ू	माढ़ना	पीसना
गरम	बेलन	संड़सी पकड़	कद्दूकस	बेलना	कूटना
ठंडा	तवा	चाकू	काटना	सेकना	परोसना
कढ़ाई	चकला	छुरी	छीनना	तलना	धोना
करछुल	भगौना	लोढ़ा	घिसना	भूनना	झाड़ू लगाना
		सिल		पकाना	

प्राथमिक हिन्दी Elementary Hindi

चौका

पकाना - खाना बनाना

चूल्हा

353

गरम खाना

ठंडा खाना

तलना

उबालना

भूनना

354

कूटना

कूटना

काटना

छीलना

बेलन

बेलना

पीसना

कुचलना

घिसना

कद्दूकस

परोसना

झाड़ू लगाना

कढ़ाई

भगौना

बाल्टी

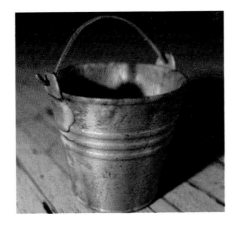

सिल लोढ़ा Crinding stone and pestle

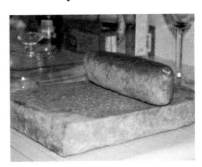

चक्की

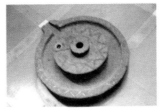

झाडू

खरल

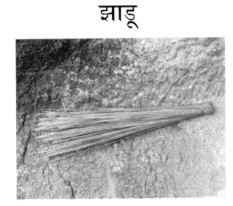

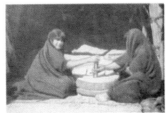

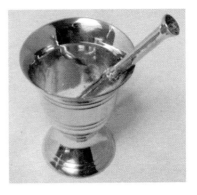

करछुल

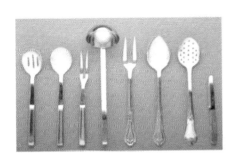

चिमटा

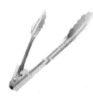

लोटा

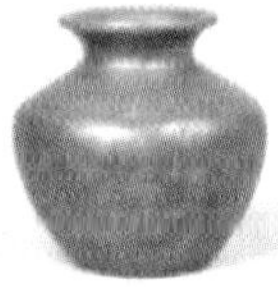

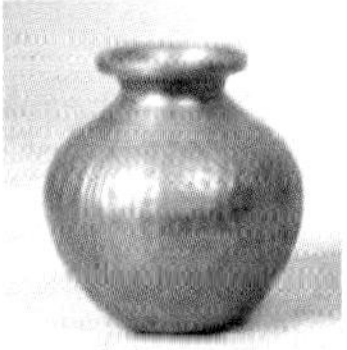

चकला

थाली

संड़सी पकड़

तवा

चकला

चाकू – छूरी

प्राथमिक हिन्दी Elementary Hindi

आटा माढ़ना making dough

माढ़ा हुआ आटा ready dough

सेंकना

सूंघना

पचना Int. - to digest   पचाना Tra. - to digest

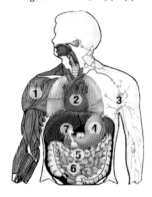

प्राथमिक हिन्दी Elementary Hindi

Con. 22

बातचीत-२२
दरजी की दुकान

अशोक – सुनो दोस्त मुझे कुछ कपड़े सिलवाने हैं. किसी अच्छे दरजी (tailor) को जानते हो
विवेक – चौक में लखानी की दुकान है. वह लेडीज़ और जून्ट्स दोनों के कपड़े अच्छे सीता है.
तो आओ चलें.

लखानी – आइये साहब, क्या सेवा करूँ? (how may I help you)
अशोक – मुझे तीन चार पैन्ट, चार पाँच कमीजें और कुछ ब्लाउज सिलवाने हैं.

लखानी – आप कपड़ा और ब्लाउज का नमूना (sample) लाये हैं?
अशोक – ब्लाउज का नमूना लाया हूँ पर कपड़ा अभी खरीदना है. आप नाप (measurement) लेकर
बताइये तो मैं अभी खरीद कर (after buying) लाता हूँ.

लखानी – पैंट की कमर छत्तीस इंच (Waist 36"), लंबाई बत्तीस इंच (length 32")- एक पैंट में सवा
दो मीटर (2m 25cm) कपड़ा लगेगा. कमीज का कॉलर सोलह इंच (16"), बाँह की लंबाई ३३
इंच (hand length 33"). एक कमीज के लिये पौने दो मीटर (1m 75cm) कपड़ा चाहिये. और
ब्लाउज़ में पौन मीटर (75cm) कपड़ा लगेगा.

अशोक – कितने दिन में सीं कर (after stitching) देंगे?
लखानी – दो हफ़्ते में.

अशोक – और सिलाई कितनी होगी?
लखानी – एक पैन्ट की साठ रुपये (Rs.60), कमीज की पैंतालीस रुपये (Rs.45) और ब्लाउज़ की
बाइस रुपये (22 Ruppies).

अशोक – ठीक है. मैं अभी कपड़ा लेकर आता हूँ. किस दुकान में अच्छा कपड़ा मिलता है?
लखानी – लंका के बाज़ार में चौधरी ब्रदर्स एक अच्छी दुकान है. वहाँ जाइये.

धागा

दरजी

कैंची

कपड़ा

सूई

बटन

Bone
Button
(cm)

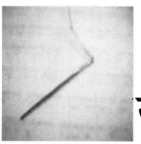

सिलाई मशीन

शब्दावली:

सिलवाना to get stitched	दरजी taylor	सीना to stitch	सेवा service	नमूना sample	नाप measurement
नाप लेना to measure	कमर waist	बाँह hand	सिलाई stitching charges		

नाई

नाई बाल काटता है

नाई बाल काट रहा है

काटना

कैंची

बाल

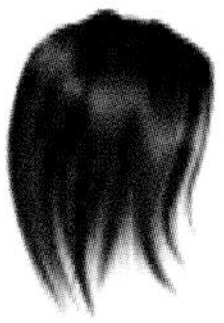

रेज़र

कंघा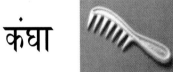

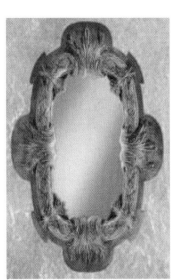

शीशा

362

नमस्ते जी
(namaste jii)

con. 23 बातचीत-२३ नाई की दुकान (Barber Shop)

अरुण - कहो हीरा लाल कैसे हो? Say Hira Lal, How are you?

हीरा लाल - अरे भैया जी आप (oh brother Its you)! आप तो अमेरिका में रहते हैं न? बहुत साल के बाद बनारस आये हैं. आइये बैठिये. भैया जी ठंडा पीयेंगे या चाय.

अरुण - नहीं भाई, कुछ नहीं. मुझे बाल कटवाने हैं और मालिश (I want a hair cut and head massage)

हीरालाल - हमको मालूम है भैया जी. पर कुछा ठंडा तो पीना ही पड़ेगा (but you have to drink something cold). कब ओये? बीबी जी (sister) भी आई हैं? और बाल-बच्चे (children)?

अरुण - हाँ सब लोग आये हैं. और तुम्हारे कितने लड़के हैं?

हीरा लाल - दो हैं, और एक लड़की. लड़की का तो ब्याह (marriage) भी हो गया. अब आप यहाँ कुछ दिन रहेंगे न?

अरुण - हाँ मैं दो हफ्ते रहूँगा और मुझको रोज सिर (head) की और पींठ (back) की मालिश (massage) चाहिये. कर सकोगे?

हीरा लाल - अरे भैया जी जरूर. आइये बैठिये. आपकी दाढ़ी बनाता (shave) हूँ फिर ;जीमदद्ध बाल काटूँगा और तब मालिश, ठीक है?

अरुण - हाँ ठीक है. अच्छा बताओ बनारस में सब ठीक है?

हीरा लाल - हाँ ठीक ही है. कालू की माँ मर गई (died), चंपा अपने यार (boy friend) के साथ भाग गई (ran away), वकील साहब (the lawyer) का किसी स्कूल की टीचर के साथ चल रहा है (have and affair). मास्टर जी (male teacher) ने दूसरी शादी की है. यहाँ का कोतवाल (police inspector) बड़ा बेइमान (corrupt) है.

अरुण - अच्छा ये पैसे रक्खो

हीरालाल - इतने सारे पैसे (so much money)! आप इतने दिन बाद आये है. हम पैसे नहीं लेंगे.

अरुण - रख लो (keep it) ये तुम्हारे बच्चों के लिये हैं. और सुनो, शाम को घर कुछ मिठाई लेते जाना. मैं कल आऊँगा.

हीरालाल - बहुत अच्छा भैया जी. नमस्ते.

शब्दावली:

बाल	कटवाना	मालिश	बीबी जी	बाल-बच्चे	ब्याह
hair	to get cut	massage	sister (respect)	children	marriage
सिर	पींठ	दाढ़ी	भैया जी	मर जाना	भाग जाना
head	back	beard	brother (respect)	to die	to run away
चल रहा हे		कोतवाल	लेते जाना	दाढ़ी बनाना	
having an affair		police inspector	to take and go	to shave	

Con.24 Some adverbial usages बातचीत

सरोज - तुम आज ट्रेन से कहाँ जा रही हो अनीता?
अनीता - बाजार जारही हूँ. कुछ कपड़े और घर की चीजें खरीदना चाहती हूँ. तुम भी चलोगी?

सरोज - हाँ मैं भी चल सकती हूँ पर (but) तुम अपनी गाड़ी से क्यों नहीं जा रही हो?
अनीता - बाजार जा रही हूँ. रास्तों पर (on the roads) भीड़ (crowed) भी बहुत होती है इसलिये ट्रेन से जारही हूँ.

सरोज - पर तुम बस से जा सकती हो?
अनीता - बसों में भी बहुत भीड़ होती है और बहुत देर (late) से पहुँचती हैं. ट्रेन में आराम (comfort) रहता है. ट्रेन समय से चलती है और समय से ही पहुँचती (reach) है. तुम कहाँ जा रही थी?

सरोज - मैं भी बाजार ही जा रही थी. अब तुम्हारे साथ चलती हूँ. कनॉट प्लेस के पास एक मोटर मैकेनिक की शॉप भी है. मैं मैकेनिक को जानती हूँ. जानना - to know
अनीता - उसका नाम क्या है? कैसा आदमी है (what type of person) और वह कैसा काम करता है? (what kind of work does he do)

सरोज - उसका नाम जॉनी है, बहुत ईमानदार (honest) है और बहुत कम (lot less) पैसों में अच्छा काम करता है.
अनीता - तुम असको कैसे जानती हो?

सरोज - मेरी गाड़ी वही बनाता है. तुमको कोई शिकायत (complain) नहीं होगी है और वह काम समय पर करता है. उसकी कस्टमर सर्विस बहुत अच्छी है.
अनीता - यह तो बहुत अच्छी बात है. पहले हम उसके पास चलेंगे. मुझको टेलीफ़ोन ऑफिस में भी ज़रूरी काम है.

सरोज - ठीक है, वह भी मैकेनिक शॉप के पास ही है. शॅपिंग करने के बाद बाजार में ही (in the market only) खाना खायेंगे.
अनीता - मुझको बहुत खुशी है कि तुम भी मेरे साथ चल रही हो. पहले काम समाप्त (finish) करेंगे, उसके बाद (after that) एक अच्छे होटल में खाना खायेंगे. आज हम मजा़ करेंगे.

सरोज - मैकेनिक के पास मेरी कार है. मैं उसको भी लेने जारही थी. हम कार में घर आयेंगे.
अनीता - इससे और भी अच्छा रहेगा.

नमस्ते जी
(namaste jii)

शब्दावली:

खरीदना	to buy
चाहना	to want / to need
चल सकना	able to go
भीड़	crowd
देर	late
और भी	even more
समय से	on time
रास्ता	way
ही	only
जानना	to know
कैसा	how / what sort of
ईमानदार	honest
बनाना	to make
शिकायत	complain
समय पर	on time
ज़रूरी	important
मज़ा करना	to have fun
इससे	because of this

IMPORTANT - WORD ORDER IN A SENTENCE.

Subject - Adverb of time - Adverb of place - Adverb of manner - Indirect object - Direct object - Verb.
If there is an interrogative word or phrase, such as कब - कहाँ - कैसे - किस समय - when - where - how - at what time), then this will come immediately before the verb.

The standerd order will be changed to give a special emphasis:

कल मुझे पैसा आप दीजिये. Tomorrow you give me the money.
आप मुझे पैसा कल दीजिये. You give me the money tomorrow.
आप कल मुझे पेसा दीजिये. Tomorrow you give me the money.

Exercise : 1 Translate

1 - I always go there by bus.
2 - What time is Lisa bring her brother?
3 - Shiv teaches some students here in the evening.
4 - Tomorrow evening we are going to the town by car.
5 - Previously he used to have a big house in London.
6 - My brother has four children, and the oldest (biggest) goes to school with my son.
7 - Last month I was studying English, but this month I am studying Hindi
8 - What time are your friends coming?
9 - The train moves slowly and arrives late.
10 - I was saying that I do not like this food.
11 - How many languages do you speak well.
12 - My sisters do not usually go by bus, they go by train.
13 - I have a headache and my mother has a cold, so we're not going to the market today.

प्राथमिक हिन्दी Elementary Hindi

Exercise - 2 Translate into English.

मेरा नाम गणेश है, और मैं अपने छोटे भाई महेश के साथ एक छोटे गाँव में रहता हूँ. गाँव में कोई बड़ी दुकान नहीं है, इसलिये हर हफ़्ते हम शहर जाते हैं और बाज़ार से कुछा ज़रूरी चीज़ें खरीदते हैं. हमारे पास गाड़ी नहीं है, और शहर गाँव से काफ़ी दूर है, इसलिये आम तौर पर हम शहर बस से जाते हैं मैं गाँव के पास एक बड़े कारखाने में काम करता हूँ, और मेरा छोटा भाई भी वहाँ काम करता है. उसके तीन बच्चे हैं. वे सब स्कूल जाते हैं और इस साल वे हिन्दी पढ़ रहे हैं. कल महेश कह रहा था कि बच्चों को स्कूल बहुत पसन्द है, और वहाँ उनके कई दोस्त हैं. पिछले साल वे सिर्फ़ स्कूल के समय में पढ़ते थे, और स्कूल के बाद बगीचे में खेलते थे, लेकिन अब वे सारे दिन स्कूल में रहते हैं और बहुत ध्यान से पढ़ते हैं. आज शनिवार है. शनिवार को कोई काम नहीं करता और बच्चे स्कूल नहीं जाते, इसलिये हम शहर जा रहे हैं. हमारे साथ हमारे कुछ मित्र भी आरहे हैं. उनके पास गाड़ी है, इसलिये आज हम बस से नहीं जा रहे हैं. कभी कभी बस देर से आती है और ड्राइवर गाड़ी ठीक से नहीं चलाता इसलिये यह अच्छा है कि हम कार से जा रहे हैं.

शब्दावली-

हमेशा always	लाना to bring	पढ़ाना to teach	शहर city / town	पहले previously	चलना to move	धीरे slow
पहुँचना to reach	अच्छी तरह well	अधिकतर mostly	ज़ुकाम cold	सिरदर्द headache	चीज़ thing	
खरीदना to buy	कारखाना factory	सिर्फ़ only	के बाद after	मित्र friend	कभी-कभी sometimes	

Ch19Con 25   बातचीत २५

- आइये, क्या चाहिये?
- कुछ अच्छा खाना और पीना चाहता हूँ.
- बहुत अच्छा, मैं आपके लिये आलू के पराठे और पनीर की सब्जी बनाती हूँ.
  पीने के लिये दही-आम की लस्सी बनाती हूँ.

- आप क्या पीना चाहते हैं?   चाय या कुछ ठंडा?
  what would you like to drink?   Tea or Something cold?
- इस समय तो मैं चाय पीना चाहता हूँ.
  Right now, I indeed would like to drink tea.

- आइये बीबी जी, कहाँ जाना है? - Come sister, Where do you want to go?
- मुझको रामजस कॉलेज जाना है. - I want to go to Ramjas college.

-सिनेमा देखने चलोगे? - Would you go to watch a movie?
- नहीं, अभी तो मैं पढ़ना चाहता हूँ. - No, right now I want to study.

- बोलो क्या बात है? - Tell, what is it? - tell me, what is the matter?
- मैं आप से एक बात पूछना चाहती हूँ. I want to ask you something.
- अवश्य पूछो. Certainly, ask.
- क्या आर्य समाज में हिन्दी की कक्षायें चलती हैं? Do they conduct Hindi classes in Arya Samaj?
- जी हाँ, एक कक्षा सुबह और एक रात को चलती है.
  Yes please, one class in the morning and one at noght.
- किस समय चलती हैं? At what time is it held?
- शनिवार को सुबह नौ से बारह बजे. - On saturday, 9 until 12
और रविवार को शाम को छह बजे से नौ बजे तक. - and on sunday, 6 till 9 in the evening.
तुम कब पढ़ना चाहते हो? - When would you like to study?
- जी, मैं शनिवार को सुबह की कक्षा में आना चाहूँगा.
   Sir, I would like to attend Saturday morning class
- ठीक है, रजिस्ट्रेशन फीस अस्सी डॉलर है.

- मैं एक बात (one thing) पूछना चाहता हूँ.
- ज़रूर पूछिये.
- यहाँ का मैनेजर कौन है?
- मदन मिश्रा हैं, पर आज वे छुट्टी पर हैं.
- आज उनकी जगह पर (at his place) कौन है?
- गुप्ता जी हैं.
- ठीक है, मैं उनसे मिलना चाहूँगा. ok, I would like to meet him.
- मैं उनसे क्या कहूँ? what should I tell him

- कहिये कि बनारस से विजय पांडे आये हैं.
- बहुत अच्छा, आप यहाँ बैठिये.

- आप अपनी बात मुझ को बता सकते हैं. you can tell me your thing or problem
- जी नहीं, मैं आप को नहीं बता सकता.
  मिश्रा जी को ही बता सकता हूँ. can only tell to Mr. Mishra
- तब आप कल आइये. (then you come tomorrow)
  अभी तो वे कुछ जरूरी काम कर रहे हैं. right now he is doing some important work
- हाँ, मैं कल दस बजे तक आ जाऊँगा.

- कल गोपाल जी के बेटे का जनम दिन birthday है,
  आप जा रहे हैं?
- अरे भाई मैं तो कल वहाँ नहीं जा सकता.
  कल की कक्षा बहुत जरूरी है. मैं उसे छोड़ नहीं सकता.
  ऐसा करो, तुम चले जाओ. do this, you go
  किसी न किसी को तो जरूर जाना चाहिये. someone or the other should go
  नहीं तो वे लोग बुरा मान जायेंगे. otherwise they will feel bad
- तब (then) मैं मम्मी के साथ चला जाऊँगा.
  शमा चलना चाहेगी तो वह भी हमारे साथ if Shama wants to go, then she can also come with us
  आ सकती है.

- क्या आप कल मुझे कुछ समय दे सकेंगे? can you give me some time tomorrow?

मैं अपनी पढ़ाई के विषय में कुछ ज़रूरी बातें करना चाहता हूँ. I want to talk or discusss something important about my studies

- ज़रूर, कल शाम को मेरे घर आ जाओ. certainly, come over to my house tomorrow evening

- आज बहुत तेज पानी बरस रहा है. Its raining hard

  आप लोग अभी जा नहीं सकेंगे.

- हम लोग कल जायेंगे.

 - इतना सारा सामान हम लोग आज तो नहीं ले जा सकेंगे. Indeed we won't be able to take away so much luggage today

- क्या आपका बच्चा हिन्दी पढ़ सकता है?

- बिल्कुल, वह तो अच्छी तरह से पढ़ लेता है. Absolutely, He can indeed read well

लेकिन इतने छोटे अक्षर पढ़ने के लिये मुझको तो चश्मा लगाना पड़ेगा. (But, in order to be able to read such small letters, I have to put glasses on.

Con.26 The infinitive as a verbal Noun

बातचीत - २६
बाहर खाने जाना

सोनी - कहो राजू, क्या तुम आज हमारे साथ ताज होटल मे खाना खाने (के लिये) जाओगे?
राजू - नहीं, मैं नहीं जाऊँगा. मुझको होटल में खाना पसन्द नहीं है. होटलों में खाना अच्छा नहीं होता है.

सोनी - पर सब लोग कहते हैं कि इस होटल का खाना सबसे अच्छा होता है. यह होटल सुन्दर है और मशहूर भी है.
राजू - मैं होटल में नहीं खा सकता हूँ. खाने में बहुत घी-तेल और मसाला होता है. यह सब खाना खाना शरीर के लिये अच्छा नहीं होता है.

सोनी - लेकिन इस होटल के खाने में यह सब नहीं होता. मालूम होता है कि इस होटल के खाने के बारे में तुम कुछ नहीं जानते हो.
राजू - ठीक है पर वहाँ सबकुछ मँहगा भी तो बहुत होगा. मेरे पास पैसे बर्बाद करने के लिये नहीं हैं.

सोनी - क्या तुम मेरे साथ सिनेमा देखने जा सकते हो? ओडियन सिनेमा हॉल में एक अँग्रेज़ी फ़िल्म चल रही है.
राजू - सोनी तुम मेरे दोस्त हो. मुझे तुमको मना करने का दुख है. मैं सिनेमा देखने भी नहीं जाऊँगा. बहुत गरमी है और सिनेमा में लड़ना, गाना और रोना देखना मेरे लिये संभव नहीं है.

सोनी - अच्छा अब मैं जाता हूँ. अगर हो सके तो कभी मेरे घर आना.
राजू - तुम्हारे घर तो मैं अभी चल सकता हूँ. तुम्हारी पत्नी आलू पराठे और मटर-पनीर की सब्जी बहुत अच्छी बनाती हैं. वह खाना खाने में सबसे मज़ा आता है.

सोनी - ठीक है पहले मेरे घर चलो. वहाँ हम आलू के पराठे और सब्जी खायेंगे. उस के बाद सिनेमा देखने चलेंगे.
राजू - जरूर, यह तो मैं कर सकता हूँ. मैं तैयार होता हूँ.

नमस्ते जी
(namaste jii)

शब्दावली:

खाना	मशहूर	घी	तेल	मसाला
to eat / food	famous	refined oil	oil	spices
शरीर	मालूम होता है	सबकुछ	महंगा	बर्बाद करना
body	looks like	everything	expensive	to waste
मना करने का दुख होना	गरमी	लड़ना	गाना	रोना
to feel sorry for refusing	hot	fighting	singing	crying
संभव	अगर हो सके	तो	कभी	
possible	if possible	then	ever / some time	
मटर	पनीर	मजा आना	आलू पराठा	
peas	milk tofu	to have fun / to enjoy	roti stuffed with potato.	
देखने चलना	तैयार होना	कर सकना		
to go to see	to get ready	able to do		

Exercise:1

देखने जाना - देखने के लिये जाना	मेरे विचार से	देखने लायक	हर कोई	यार
to go to see	in my opinion	worth watching	every one	friend

ऐसी	हमेशा	अवश्य	गाना	लड़ना	रोना-धोना	और कुछ	बिलकुल
like this	always	sure	song	fighting	weeping and wailing	anything else	absolutely

गलत जानना	दाम	बहुत अधिक दाम	फायदा	ऐसे	जरूरत	गुस्सा
wrong to know	price	very high price	advantage (profit)	like this	need	anger
गुस्सा होना	मैं ही	संगीत	गरमियों में	सरदियों में	काम पर	बुरा मानना
to get angry	I only	music	in summer	in winter	at work	to feel bad

कोई बात नहीं
its nothing

Exercise - 2 **Translate**

१ - पढ़ना आसान है, लिखना मुश्किल.

२ - माँस खाना ठीक नहीं है.

३- उनके लिये शराब पीना मना है.

४ - तुम्हारा यहाँ न रहना दुख की बात है.

५ - उसका वहाँ जाना बिलकुल आवश्यक होगा.

६ - ऐसा करना अच्छा नहीं होता.

७ - मेरे जाने के बाद आप क्या करेंगे?

८ - वहाँ पहुँचकर हमें फ़ोन कीजिये.

९ - वह शायद बाहर जाने को थी.

१० - मैं बाहर जाने को तैयार हूँ.

११ - क्या आपको वहाँ जाने की आवश्यकता होगी?

१२ - मैं आप का ही गाना सुनने को आऊँगा.

१३ - वह कल फ़िल्म देखने जाएगी.

१४ - मैं गाड़ी चलाना नहीं जानता.

१५ - मेरी दोस्त सितार बजाना सीख रही है.

१६ - उससे यहाँ आने को कहो.

Exercise - 3 Translate:

Tomorrow we will go to Delhi to meet our friends. We do not have a car, so we will go by train. Perhaps our friends will come to meet us at the station. They live very near the station. After meeting them we will go to eat in the hotel. Then we will go to their house in the afternoon. I don't like eating in hotels, but the children like it very much. Our friends have two boys. Our children will play happily with them till evening. Their house is very beautiful indeed. There is a very big garden near their house. It is a very peaceful place. Children like to play there. In the summer a lot of people go there. We won't need our coats tomorrow. because it won't rain.

Exercise- 4   <u>Translation</u>

मैं परसों हिन्दी सीखने के लिये दिल्ली जा रही हूँ. मैं वहाँ दो महीने रहूँगी. मुझे आशा है कि

बहुत ध्यान से सीखने के बाद मैं हिन्दी अच्छी तरह से बोलूँगी. मेरी एक सहेली की बहिन

दिल्ली में ही नौकरी करती है. मैं उसी के साथ रहूँगी. उसका मकान कालेज से दूर है लेकिन

स्टेशन पास ही है, इसलिये मैं रोज़ रेलगाड़ी से कालेज जाऊँगी. मालूम होता है कि उस मुहल्ले

में बहुत से छात्र रहते हैं. वे भी इसी तरह रेलगाड़ी से कालेज जाते होंगे. मैं भी उनके साथ

जाऊँगी क्योंकि पिताजी कहते हैं कि मेरा अकेले जाना ठीक नहीं होगा. हवाई जहाज यहाँ से

सवेरे जाता है और रात में पहुँचेगा. मेरी सहेली की बहिन मुझसे मिलने हवाई अड्डे आएगी. मैं उसे

नहीं जानती इसलिये मुझे नहीं मालूम कि मैं उसे कैसे पहचानूँगी. शायद वह मुझको पहचानेगी

क्योंकि उसके पास मेरी एक पुरानी तस्वीर है. मेरी सहेली का कहना है कि किसी छोटे गाँव में

उन लोगों का एक दूसरा मकान भी है. रविवार को और स्कूल की छुट्टियों में वे लोग वहाँ घूमने

जाते हैं, और मैं भी उनके साथ जाऊँगी. यह बड़ी अच्छी बात होगी क्योंकि मुझे गाँव का जीवन

बहुत पसन्द है, और दूसरी बात यह है कि गाँव के लोग हिन्दी ही जानते होंगे इसलिये उनसे

बात करने में मुझे बहुत फ़ायदा होगा.

क ख ग घ   =================   च छ ज झ

Con. 27   Subjunctive   बातचीत - २७

धर्मेन्द्र - हलो कमल, मैं धर्मेन्द्र बोल रहा हूँ. सीता कह रही थी कि आप मुझसे बात करना चाहते हैं. कोई ख़ास बात है क्या?

कमल - नमस्कार धर्मेन्द्र. सुनिये, बहुत ज़रूरी है कि हम जल्दी मिलें. अगर आपको फुरसत हो तो आज ही मेरे दफ़्तर आएँ. आज का क्या प्रोग्राम है आपका?

धर्मेन्द्र - मैं तो अभी बाहर जानेवाला था - पर अगर आप चाहें तो हम शाम को मिलें.

कमल - अच्छी बात है. अगर आपको असुविधा न हो तो हम आपके यहाँ मिलें क्योंकि शाम को सुनीता की कुछ सहेलियाँ हमारे यहाँ आ रही हैं.

धर्मेन्द्र - हाँ ज़रूर, आप हमारे यहाँ अवश्य आयें. पर बात क्या है भई ? इतनी जल्दी क्यों है मिलने के लिये? घर में सब ठीक तो है?

कमल - अरे, घर में तो सब ठीक है, पर नौकरी-वाला मामला है. आपको याद है न कि मैं नई नौकरी ढूँढ रहा हूँ? इसी मामले में तो आपकी मदद लेना चाहता था.

धर्मेन्द्र - मेरा विचार तो यह है कि अगर आपको अच्छी नौकरी चाहिये तो आप किसी सरकारी दफ़्तर में अर्ज़ी दें. सरकार तो अच्छी तनख़ाह देती होगी. आप आने वाले हफ़्ते का अखबार पढ़ें, तो कम से कम तीन चार विज्ञापन पाएँगे.

कमल - वैसे मैं ऐसी नौकरी के लिये अर्ज़ी देने ही वाला था, पर सुनीता यह नहीं चाहती कि मैं सरकार में काम करूँ. सच पूछिये तो मैं किसी व्यापार करने वाली कंपनी में नौकरी करना चाहता हूँ, शायद विदेश में ही. आप तो विदेशी कंपनियों की गति-विधियों के बारे में बहुत जानते हैं, इसलिये आप की सलाह लेना ज़रूरी समझता हूँ.

धर्मेन्द्र - अच्छा जी, तो शाम को ही हम बात करेंगे इस मामले में.

Vocabulary:

शायद	दफ़्तर	शाम को	बहुत जरूरी	चाहना	खास बात	जल्दी मिलें	फुरसत
probably	office	in the evening	very important	want	special matter	quick meeting	free time

आज का	बाहर	असुविधा	सहेलियाँ	अवश्य	इतनी जल्दी	मिलने के लिये	कि
today's	outside	inconvenience	girl friends	sure	so early	for meeting	that

नौकरीवाला मामला	याद	नौकरी	ढूँढना	इसी मामले में	सलाह	मदद लेना	विचार
job related subject	remembrance	job	to search	in this matter	advice	to take help	opinion

अगर	सरकारी	अर्ज़ी	तनख़्वाह	आने वाले	विज्ञापन	पाना	वैसे
if	government	application	salary	forth coming	advertisement	find	in that way

देने ही वाला	सच पूछिये	व्यापार	विदेश	गति विधि	जरूरी समझना	इस मामले में	
about to give	as a matter of fact	business	foreign	activity	to take seriously	in this matter	

Exercise - 1: Translate -

मैं चाहता हूँ कि वह जाये.

वह चाहती है कि मैं उसके साथ चलूँ.

हम हिन्दी पढ़ना चाहते हैं.

मैं उस दुकान से कुछ फल खरीदना चाहता हूँ.

हम अभी लौटना नहीं चाहते.

वह उसको बहुत चाहता है.

Exercise - 2 Study the following.

हम बाहर चलें.	Let's go out.
आप अन्दर आएँ.	Would you come in?
शायद वह बाहर खड़ा हो.	Perhaps he is standing outside.
संभव है कि वे न आएँ.	It is possible that they may not come.
बच्चे बगीचे में खेल रहे हों.	The childern may be playing in the garden.
वे अँग्रेज़ी सीख रहे हों.	They might be learning English.

उचित है कि माँ - बाप अपने बच्चों को प्यार करें.

It is right that parents should love their children.

आवश्यक है कि तुम खाना खाने के पहले हाथ धोओ.

It is necessary that you should wash your hands before meals.

बहुत ज़रूरी है कि हम सुबह की गाड़ी पकड़ें.

It is vital that we catch the morning train.

उनको यह चाहिये था कि वे कारखाने में नौकरी करें.

He should have taken the employment in the factory.

उससे कहिये कि वह चुप रहे.

Tell him to keep quiet!

<u>Note</u> : Subjunctive is used in expressions of possibility, in expressions of rightness, necessity or obligation.

प्राथमिक हिन्दी Elementary Hindi

Con. 28   The Verb लगना
अमृता की बीमारी

सुमिता - देखिये जी, मुझको लगता है कि बेटी अमृता को बुखार है. शायद उसको सरदी लग
गयी है. सुबह से परेशान लग रही है.

अनिल - अरे ! उसको थर्मामीटर लगा कर देखो कि कितना बुखार है. कल बाहर खेल रही थी.
मैंने मना किया था कि बाहर मत खेलो बहुत सरदी है. बीमार पड़ सकती हो. मैं डॉक्टर
शर्मा के पास जाता हूँ. उनके क्लिनिक पहुँचने में 10-15 मिनट लगते है.

सुमिता - अमृता चिन्ता मत करो. तुमको थोड़ा बुखार है. तुम्हारे पिता जी दवा लेने गये हैं. बुखार
उतरने में दो-तीन दिन लग जायेंगे. मैं ने तुम्हारा बिस्तर लगा दिया है. मै चाहती हूँ कि
तुम आराम कर लो. चलो सो जाओ.

अमृता - माँ, मेरे सिर में दर्द है और मुझको बहुत खराब लग रहा है.

सुमिता - सब ठीक हो जायेगा. समय पर दवाई खानी पड़ेगी.

अनिल - मुझको वापस आने में थोड़ा समय लगा. डॉक्टर शर्मा के यहाँ रोगियों की लंबी
लाइन लगी थी. लो बेटी दवा ले लो. तुम जल्दी अच्छी हो जाओगी.

सुमिता - मैं ने खाना लगा दिया है, खा लीजिये. आज आपको दफ़्तर जाने में भी देर हो गयी.

अनिल - आज मुझे वापस आने में देर लग जायेगी. तुम मेरा इन्तज़ार नहीं करना और खाना खा
लेना. आज तो तुम सारे दिन काम में लगी रहोगी क्योंकि बेटी भी बीमार है. अपना
ध्यान रखना मुझे चिन्ता लगी रहेगी कि तुम भी बीमार न पड़ जाओ.

अमृता - माँ मुझे भूख लग रही है कुछ खाने के लिये दीजिये.
सुमिता - हाँ तुमको तो प्यास भी बहुत लगेगी. मै अभी खाना देती हूँ और पीने के लिये संतरे का
रस भी लाती हूँ.

Note: Verb लगना is extensively used in Hindi as an independent verb as well
as a helping verb in the formation of many compound verbs. You can only
learn its uses by practice. A lot of examples are given in this lesson.

शब्दावली: अमृता की बीमारी

देखिये जी	मुझको लगता है	बुखार	शायद	सरदी
look please/ pay attention	it seems to me	fever	probably	cold

सरदी लग गयी है	परेशान लगना	बाहर	लगा कर	मना करना
has caught cold	look troubled	out side	after attaching	to say no

मत खेलो	१०-१५ मिनट लगते है	बिस्तर लगाना	आराम करना
do not play	takes about 10-15 minutes	to fix the bed	to take rest

खराब लगना	समय लगा	लंबी लाइन लगना	खाना लगाना
to feel bad	took time	forming a long line	to serve food

देर लग जाना	चिन्ता लगना	भूख लगना	प्यास लगना	संतरे का रस
to get late	to get worried	to get hungry	to get thirsty	orange juice

बातचीत -

सुमिता - कहिये अनिता जी, यह नया मकान आपको कैसा लगता है?

अनिता - बहुत अच्छा लगता है. और सबसे अच्छी बात यह है कि दफ़्तर पहुँचने में केवल पन्द्रह बीस मिनट लगते हैं.

सुमिता - आप लोग कबसे यहाँ रह रहे हैं? लगता है, आपने मकान को अच्छी तरह सजा लिया है.

अनिता - जब से दिलीप ने डाकखाने में काम करना शुरू किया तब से हम यहाँ रह रहे हैं.

सुमिता - पर जब मैं पिछली बार आपसे मिली थी तब तो आपने कहा था कि हमें नया मकान नहीं चाहिये.

अनिता - यह सही है, मगर जैसे ही मैंने इस मुहल्ले को देखा वैसे ही मैं ने महसूस किया कि मैं यहीं रहना चाहूँगी. न जाने क्यों, मेरा दिल यहाँ खूब लगता है.

सुमिता - तो दिलीप कितने बजे वापस आते हैं? दिनभर काम करके उन्हें भूख लगती होगी?

अनिता - और क्या, जब भी दफ़्तर में ज़्यादा काम होता है तो उसे देर से छुट्टी मिलती है. जबतक बेचारे को इससे अच्छा पद न मिले , तबतक यही स्थिति रहेगी.

सुमिता - मुझे तो ऐसा लगता है कि वे काफ़ी अच्छी तरक्की कर रहे हैं अपने काम में. उनके लिये तो डाकखाने का काम बहुत सरल होगा.

अनिता - हाँ, कल सुबह जब दिलीप अपने मालिक से मिले तो मालिक ने कहा कि हम तुम्हारे काम से बहुत प्रसन्न हैं, अगले साल तुम्हें प्रमोशन मिलना चाहिये.

प्राथमिक हिन्दी Elementary Hindi

Sumita - Well Anita ji, how do you like this new house?
Anita - I like it very much. And the best thing is that it only takes fifteen or twenty minutes to get to the office.
Sumita - How long have you been living here? It seems you've decorated the house very well.
Anita - we've been living here since Dilip started working at the pose office.
Sumita - But when I met you last time you said you didn't want a new house.
Anita - That's true, but as soon as I saw this district I felt that I would like to live right here. I don't know why, but I feel really at home here.
Sumita - So what time does Dilip get home? He must get hungry after working all day?
Anita - Of course! Whenever there's a lot of work at the office he gets of work late. Until the poor fellow gets a better position than this, the situation will remain the same.
Sumita - It seems to me that he's making very good progress in his work. The post office work must be very easy for him.
Anita - Yes, yesterday morning when Dilip met his boss, the boss said he was very pleased with his work and that he should get a promotion next year.

Exercise -1 Study the dialogue above and give meanings of the following words.

मिलना　लगना　सबसे अच्छी बात　दफ़्तर　कब से　सजाना　जब से

डाकखाना　तब से　पिछली बार　तब तो　सही　जैसे ही　मुहल्ला　वैसे ही

महसूस करना　यहीं　न जाने　क्यों　दिन भर　भूख लगना　बेचारा　इस से

पद　तब तक　यही स्थिति　तरक्की　बायें हाथ का खेल　मालिक　प्रसन्न

Exercise - 2 Translate as needed.

भारत आपको कैसा लगता है.　अमेरिका में आपको कैसा लगता है.　उसको चोट लग गई.

हमको डर लग रहा था.　उस कमरे में आग लग गई.　मुझे प्यास लगी है.

चाबी ताले में नहीं लगी.　इस काम को करने में कितने दिन लगेंगे?　मैं उससे मिलने गया.

आपसे मिलकर खुशी हुई.　मेरी चिट्ठी आपको कल मिलेगी.　यहाँ अखबार भी मिलते हैं.

हम सबको मिलकर काम करना चाहिये.　उस होटल में कमरा ज़रूर मिल जायेगा.

Insects   कीट

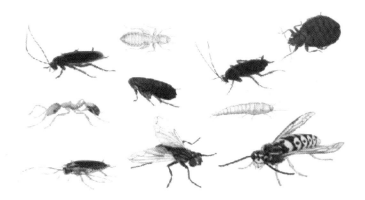

| Cricket | झींगुर | Cockroach | तिलचिट्टा |

  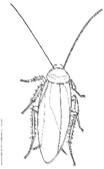 

| Butterfly | तितली | Bee | मधुमक्खी |

प्राथमिक हिन्दी Elementary Hindi

Fly   मक्खी

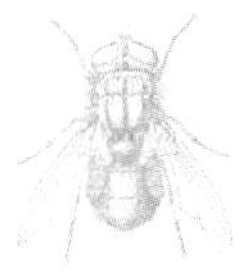

Grasshopper   टिड्डा

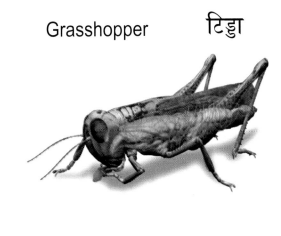

Ant   चींटी

Bumblebee   भौंरा

Dragonfly   टिड्डा

Mosquito   मच्छर

Lizard गिरगिटान - गिरगिट

House lizard छिपकली

Earthworm केंचुआ

Worm गिराड़

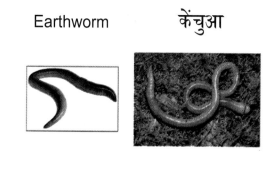

"I'm your back door worm..."

Bacteria कीटांणु

Bed worm खटमल

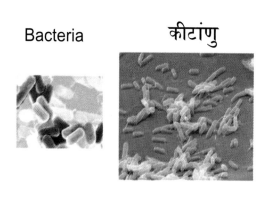

प्राथमिक हिन्दी Elementary Hindi

Spider मकड़ी

Snail घोंघा

Frog मेंढक

Turtle कछुआ

Mouse Mice चूहा

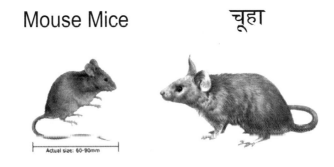

प्राथमिक हिन्दी Elementary Hindi

R1

पढ़ना और समझना भाग - १

अ -

की कू खो कंघा कंघी काका कंक काग खाख केका कोख खंग

खाकी गंगा घाघ घी घोंघा गुंगी खाक कई काकी केक केग कागा

चाची खीज चूकी चुका चंगा चाकू चंगी चेचक चौकी जग

जीजा जोख झकाझक चखो एक कई आग उगा गाओ खाओ गई

गऊ आज कोई ईख जाएगा छाई ओछाई खाई आओगी जाओ

उठा उठाई चढ़ाई कड़ाई ओंठ ऐंठा चंट आठ कीट कीड़ा

कटा चटा टैटू टोंटी चोटी खोटी चींटी ठोड़ी उँचाई चौड़ाई

खनखनाना थकाना चूना छत चूकना जागना फूटा जून छानना देखना

उन ऊन अगुआ छुड़ाना गति दीन तांत झाँकना झंफट फौका भात

बचाओ जाओ मापो नापो फांक बांकनां भांग कमाना फाड़ना

छींकना भंटा फन बोलना भांजना भूल आम ओम बनाई फांदना

हालत शराब शराबी यानयश आकाश रात दिया दिलीप

लाश लापरवाह पाषाण विषेश शाखा शील शमा शशिकला

लड़का लड़की पढ़ाई अढ़ाई चढ़ाई चढ़ना परीक्षा

ऋषि श्रृंगार श्रृंगेरी गौशाला पाठशाला कृतज्ञ श्रमिक गणित

त्रयोदशी त्रिपाठी त्रिपुरा त्रिपुरारी तिरुपति त्रिलोचन त्रिशंकु

यौवन इसलिये आइए आओ सूझबूझ रघु धड़धड़ाना

नंबियार कांचिपुरम अंधकार शंभूनाथ मंगलवार सिंह बंदूक

कंकड़ फुसफुसाना फड़फड़ाना ज़मींदार सज़ा ज़रूर कृषि

आ - Conjunct:

निश्चल मुश्किल व्यापार व्यूह व्यस्त व्यक्ति मूल्य

पत्थर गुत्थी बग्घी भब्भड़ झज्झर त्याज्य

परिशिष्ट उत्पादन लस्सी उत्पत्ति गुप्त ज्योति ब्लेड

अग्नि ग्यारह कल्याण विश्वास मक्खन मुफ़्त

कुक्कुट सिक्का मुक्तक बाह्य पक्का चक्कर

मक्कार टक्कर शिल्पा मुक्का मुक्केबाजी मक्खी

भक्त क्या ढनाढ्य खद्दर भद्दा बुद्ध वृद्ध बुद्धी वृद्धी

समृद्धि बाह्य आह्वान चिह्न आह्लाद विह्वल

विट्ठल पट्ठा पट्टी भट्टी गद्दी टट्टू विश्राम ह्रस्व

ट्रेन ड्रामा फ़्री ब्राइट ब्राउन तुम्हारा तुम्हें

तुम्हीं कुम्हार सम्हालना उन्हें उन्हीं उन्होंने

जिन्हें इन्हें इन्हीं नन्हां कुल्हाड़ी कुल्हाड़ा कूल्हा

चूल्हा फ़्यूज़ गिरफ़्तार प्रश्नपत्र

R2

पढ़ने का अभ्यास - २

मेरा परिवार

In the following passage, Ms. Ragini Prakash is talking about her family. Please read it and answer the questions based on it.

मेरा नाम रागिनी प्रकाश है. मेरे पिता जी का नाम श्री अरुण प्रकाश और माता जी का नाम श्रीमती पुष्पा प्रकाश है. मेरे दादा जी और दादी जी के नाम श्री प्रकाश जी और आशा देवी हैं. मेरे नाना श्री गोपाल लाल जी और नानी श्रीमती कुसुम लाल बनारस शहर में रहते हैं. मेरी दो बहिनें हैं. मेरी बड़ी बहिन का नाम रश्मि और छोटी का नाम वीरा है. मेरे बड़े भाई का नाम अमित और छोटे भाई का नाम आकाश है. मेरे मामा-मामी, मौसी-मौसा और चाचा-चाची सब भारत में रहते हैं.

Answer the following in Hindi:

a. What are the names of Ragini's parents?

b. What are the names of Ragini's Grand parents?

c. Where do Ragini's Grand parents live?

d. What is the name of Ragini's younger sister?

e. What is Ragini's older brother's name?

f. Where do Ragini's relatives live?

2. Write 10 sentences about you and your family. You can take help from the above passage.

R3   पढ़ने का अभ्यास - ३

मैं

In this passage, Ms. Seema patel is telling about herself to the class.

मैं सीमा पटेल हूँ. मेरी उम्र चौदह साल है. मैं बेलेअर हाइ स्कूल में पढ़ती हूँ. मैं नौवीं (9th) कक्षा की छात्रा हूँ. मैं हिन्दी सीखती (learn) हूँ. मेरे हिन्दी शिक्षक का नाम अरुण प्रकाश है. मेरी सबसे अच्छी सहेली (girl friend) का नाम शीतल है. मैं दक्षिण (South) ह्यूस्टन में रहती हूँ. मेरा पता 1234 मेन स्ट्रीट है. मेरा टेलिफ़ोन नम्बर 567 - 6789 है. सब लोग (everyone) मुझको (to me) बहुत प्यार (love) करते हैं. मुझको हिन्दी पसन्द (like) है. मैं रोज़ एक मील (mile) दौड़ती हूँ और स्वीमिंग करती हूँ. मैं मीट नहीं खाती हूँ.

Answer the following in Hindi:

1. How old is Seema?   2. What grade is Seema in?

3. Who is Seema's Hindi teacher?

4. What is the name of Seema's friend?

5. What street does she live in?

6. Who loves her?   7. What does she like?

8. What are Seema's 2 favorite activities?

9. Does she eat meat?

10. Use the above passage and write about your activities in 10 sentences?

नमस्ते जी
(namaste jii)

R4 पढ़ने का अभ्यास - ४

बेलेअर हाइस्कूल

This is a description about Bellaire High School in Houston:

बेलेअर हाइस्कूल बेलेअर में है. यह अमेरिका के सबसे अच्छे स्कूलों में से एक है. यहाँ का भाषा विभाग बहुत बड़ा है. इसमें बारह भाषाएं पढ़ाई जाती हैं. शिक्षक और छात्र दोनों बहुत अच्छे है. बेलेअर की बेस बॉल टीम नेशनल लेवल की है.

यह हिन्दी कक्षा है. छात्र और छात्राएं हिन्दी पढ़ना, लिखना और बोलना सीखते हैं. शिक्षक हिन्दी सिखाते हैं. कक्षा में हिन्दी बोलना अच्छा है. छात्र प्रश्न पूछते हैं. शिक्षक उत्तर देते हैं. हिन्दी कक्षा में खाना और सोना मना है.

Vocabulary:

में से एक - One out of . भाषा - Language. विभाग - Department. पढ़ाई- Taught.
पढ़ाया जाना - Being taught. सीखना - To learn. सिखाना - To teach.
प्रश्न - Question. पूछना - To ask. उत्तर देना - To answer

Exercise:

1. How many languages are taught in Bellaire High?

2. What 3 things do students learn in Hindi class?

3. What is a permitted activity in the Hindi class?

4. What are the 2 prohibited activities of Hindi class?

5. Write something about your school.

6. Say something about your school.

389

प्राथमिक हिन्दी Elementary Hindi

R5

पढ़ने का अभ्यास - ५

मेरा देश

You live in the United States of America. During a visit to India, a Hindi speaker asked you about your country. This is what you told him.

मेरे देश का नाम संयुक्त राज्य अमेरिका है. अमेरिका की राजधानी का नाम वॉशिंग्टन डी सी है. अमेरिका के प्रथम राष्ट्रपति का नाम जॉर्ज वॉशिग्टन है. अमेरिका में पचास राज्य हैं . अमेरिका उत्तरी अमेरिका महाद्वीप में है. अमेरिका के राष्ट्रपति का नाम श्री बिल क्लिंटन है.

अमेरिका के बड़े शहरों के नाम न्यू यॉर्क , शिकागो , लॉस एंजिलस और ह्यूस्टन हैं . अमेरिका बहुत सुन्दर देश है. यहाँ सब देशों के लोग मिलकर रहते हैं . अलास्का अमेरिका का सबसे बड़ा राज्य है . मैं ह्यूस्टन शहर में रहता हूँ. ह्यूस्टन टैक्सस राज्य में है . टैक्सस एक बड़ा राज्य है और इसकी राजधानी ऑस्टीन है . ऑस्टीन के टैक्सस विश्वविद्यालय में हिन्दी का बहुत बड़ा शिक्षा विभाग है.

संयुक्त	राज्य	राजधानी	प्रथम	राष्ट्रपति
United	State	Capital	First	President
महाद्वीप	शहर	देश	शिक्षा	विभाग
continent	City	Country	Education	Department.

(namaste jii)

<u>Exercise 1</u>   Answer the following questions in Hindi?

1. What is the name of the first president of USA?

2. Where is USA

3. Where do the people from the world live together?

4. Where do you live?

5. Austin is capital of what state?

6. What is very big in the University of texas?

7. Write a letter to your friend in Hindi and tell him about a country you have visited or want to visit.

8. Give a speech in the class about a country you like the most.

प्राथमिक हिन्दी Elementary Hindi

R6   पढ़ना और समझना भाग - ६

In the following six passages, we are discussing about Anil, his family and friends. Anil's neighbor, Dr. Samant and Mr. Raheem, are family friends too.

१. नमस्ते, मेरा नाम अनिल है. मै स्कूल का छात्र हूँ. मेरा दोस्त अजय भी मेरे स्कूल का छात्र है. मेरी बहिन सोनिया है. उसकी सहेली का नाम सिल्वीन है. वे दोनों जूनियर हाइस्कूल की छात्रायें हैं. हम चारों मालवीय स्कूल के छात्र हैं.

Answer the following:

1. Anil is a college student.   T / F

2. Ajay goes to Malaviya school.   T / F

3. Ajay is Sonia's boy friend.   T / F

4. Silveen's girl friend is Sonia.   T / F

5. All four are high school students.   T / F

6. All four go to Bellaire high school.   T / F

२. ये श्री विजय गुप्ता हैं और ये श्रीमती गौरी गुप्ता हैं. गौरी विजय जी की पत्नी हैं और विजय गौरी जी के पति है. ये दोनो पति-पत्नी हैं. विजय जी प्रोफ़ेसर हैं और गौरी जी एकाउंटेन्ट हैं.

Answer the following in Hindi:

1. Vijay jii is Gauri jii's wife.   T / F

2. Both are parents.   T / F

3. Vijay is a professor and Gauri is a teacher   T / F

३. अनिल, विजय जी और गौरी जी का बेटा है और सोनिया उनकी बेटी है. विजय जी, अनिल और सोनिया के पिता और गौरी जी माता हैं. विजय जी के परिवार में चार लोग हैं. पहले विजय दूसरी गौरी तीसरा अनिल और चौथी सोनिया. माता-पिता और अनिल-सोनिया. अनिल बड़ा भाई है और सोनिया अनिल की छोटी बहन है.

Answer the following in Hindi or as needed:

1. Who is Sonia's Mother?

2. How many members are there in Vijay's family?

3. Anil is sonia's younger brother. T / F

४. श्री गोपाल लाल जी और श्रीमती कुसुम लाल जी विजय जी के माता-पिता है. वे दोनों अनिल और सोनिया के दादा-दादी है. अभय गौरी जी का भाई है. अभय की पत्नी का नाम रेखा है. अभय और रेखा अनिल-सोनिया के मामा-मामी है. अभय जी की बड़ी लड़की अंतरा है और छोटी लड़की का नाम राशि है. अनिल-सोनिया और अंतरा-राशि कज़िन्स हैं.

Answer the following in Hindi or as needed:

1. Who are Sonia's grand parents?

2. Abhay is Gauri's son/   T / F

3. Whose wife is Rekha?   Ans:

4. Antara and Rashi are sisters   T / F

5. Who is Antara and Rashi's mother?   Ans:

6. Is Anil Rashi's cousin?   Y / N

५. राधा डॉक्टर सामंत की लड़की है. वह बी.ए. की छात्रा है. वह डी.ए.वी. कॉलेज की छात्रा है. उसका कॉलेज अली नगर में है. मोहन श्री कामत का बड़ा बेटा है. श्री कामत वकील -लॉयर- है. उनका घर न्यू कॉलोनी में है. मोहन एम.ए. का छात्र है. उसका कॉलेज सरदार पटेल नगर में है. राधा की उमर अठारह साल -18- है और मोहन बीस साल -२०- का है. राधा की लंबाई 5'5" है और मोहन की लंबाई 5'10" है. राधा की कक्षा में 40 छात्राएं है और मोहन की कक्षा में 30 छात्र हैं. राधा के स्कूल में लड़के नहीं हैं और मोहन के स्कूल में लड़कियाँ नहीं हैं.

Answer the following in Hindi or as needed:

1. Radha is in high school.   T / F

2. Whose college is in Ali Nagar?

3. Whose house is in Ali Nagar?

5. Where is Mohan's college?

6. Mohan is 18 years old.   T / F

7. Radha's height is 5'7"   T / F

8. How many students are there in Radha's school?

9. How many girls are there in Mohan's school?

    a. 30   b. 40   c. 70   d. None

६. रहीम साहब विजय जी के पड़ोसी -नेबर- हैं. वे नवभारत कॉलेज में उर्दू के प्रोफ़ेसर हैं. उनकी पत्नी का नाम आबिदा है. रहीम साहब के तीन बच्चे है. दो लड़के अहमद और अनवर और एक लड़की यास्मीन. अहमद मोहन का दोस्त है और राधा यास्मीन की सहेली है. दोनों एक ही स्कूल और एक ही कक्षा की छात्राएं है.

Answer the following in Hindi or as needed:

1. Vijay is Rahim's neighbor   T / F

2. Whose wife's name is Abida?

3. How many sons does Mr. Raheem have?

4. Yasmin is Mohan's friend.   T / F

5. Yasmin and Radha are in same class.   T / F

प्राथमिक हिन्दी Elementary Hindi

R7   Introduction
पढ़ना और समझना भाग – ७

In the following two passages, Mohan introduces himself and tells about a day when his entire family and some friends are at home and are engaged in different activities.

१. मेरा नाम मोहन है. मैं डॉक्टर गुप्ता का बेटा हूँ. मेरी माता जी का नाम मोहिनी गुप्ता है. मेरा पता है - नंबर 1234 स्टेशन रोड, मालवीय नगर. अहमद मेरा दोस्त है. हम दोनों बी.ए के छात्र हैं. वह मेरा पड़ोसी है. उसका पता है - नंबर 1245 स्टेशन रोड, मालवीय नगर. राधा मेरी बहन है. गीता भी मेरी बहन है. अशोक और विमल मेरे भाई हैं. मेरा कॉलेज अलीपुर में है. मेरी उमर -एज- २० साल है और राधा की उमर 18 साल है. मेरा टेलिफ़ोन नंबर 123 - 456 -5678 है.

Answer the following in Hindi or as needed:

a. Who is Mohan's neighbor?   a. Ashok b. Ahmad c. Radha
b. Mohan has .... brothers and sisters. a. 2   b. 4.   c 5.

c. Radha and Geeta are sisters.   T / F
d. Mohan and Ashok are ....   a. Friends.   b. brothers. c. sisters.

e. Who is 20 years old?   a. Ashok.   b. Mohan   c. Geeta
f. What is your address?

g. How many siblings do you have?

२. यह मोहन का घर है. सब लोग - डॉक्टर गुप्ता, मोहिनी जी, राधा, गीता, अशोक और विमल घर पर हैं. अनवर और यास्मीन भी यहाँ हैं. अहमद किताब पढ़ रहा है और गीता सितार बजा रही है. मोहन दादा जी को हिन्दी में चिट्ठी लिख रहा है. वह कलम से चिट्ठी लिख रहा है.

396

प्राथमिक हिन्दी Elementary Hindi

गुप्ता जी अखबार पढ़ रहे हैं और मोहिनी जी सबके लिये चाय और नाश्ता -स्नैक्स- बना रही हैं. अशोक और विमल ताश खेल रहे हैं. राधा और यास्मीन टी.वी. देख रही हैं. मोहिनी रसोईघर -किचेन- में हैं और गुप्ताजी लिविन्ग रूम में हैं. राधा कुरसी पर बैठी है. मेज़ पर किताबें हैं.

Answer the following in Hindi or as needed:

a. Where is Anwar?   a. At his house   b. At Mohan's house

b. What is Geeta doing?   a. Reading a book   b. Playing Sitar

c. Mohan is writing a letter to ....

      a. his father   b. his friend   c. his grand father

d. Ashok and Vimal are watching TV.   T / F.

e. Mr. Gupta is making tea.   T / F

f. Radha is sitting on a sofa.   T / F

g. How many people are there in Mohan's house?

      a. 4   b. 7   c. 9   d. 6

      In the following three passages, we are talking about the world, the continents, countries, India and some of India's landmarks. Please learn this important vocabulary from the book.

३. यह भारत है. भारत में कई नदियाँ -रिवर्स हैं. उत्तर-नोर्थ- में गंगा, यमुना और सिन्धु आदि-etc. हैं. दक्षिण -साउथ- में कृष्णा, गोदावरी, कावेरी आदि नदियाँ हैं. गंगा नदी के किनारे -बैंक- कई शहर है - हरिद्वार, प्रयाग, काशी आदि. दिल्ली शहर यमुना नदी के किनारे है. पूरब -ईस्ट में बंगाल की खाड़ी -बे ऑफ़ बेंगॉल- है और बंगाल राज्य -स्टेट- है. पश्चिम -वेस्ट- में मुम्बई और गोवा आदि शहर हैं. भारत बहुत सुन्दर देश है.

Answer the following in Hindi or as needed:

1. Gangaa, Yamuna and Sindhu rivers are in south. T / F

2. KrishNaa, Godaavarii and Kaveri are rivers. T / F

3. City of Delhi is on the bank of River yamuna. T / F

4. Where is bay of Bangal? a. East b. West c. South d. North

४. दिल्ली एक शहर है और भारत एक देश है. दिल्ली शहर भारत देश में है. भारत एशिया में है. पाकिस्तान और बांगला देश भी एशिया में हैं. एशिया एक महाद्वीप है. योरोप और ऑस्ट्रेलिया भी महाद्वीप है. भारत में मुम्बई, कलकत्ता, आगरा और बनारस शहर भी है. मोतीझील एक गाँव का नाम है. भारत में बहुत गाँव है. गाँव शहर से अच्छा है. गाँव में जीवन सरल है. शहर में जीवन कठिन है. चीन, जापान, रूस, कनाडा भी देश है. विश्व में बहुत देश हैं और बहुत शहर और गाँव भी हैं.

Answer the following in Hindi or as needed:

a. India is in Delhi. True \ False

b. what are Bombay, Calcutta and Banaras?

1. Countries 2. Cities 3. villages.

c. What are Asia and Europe? Answer in Hindi:

d. These are two many in the world. Name them:

a. b. c.

नमस्ते जी
(namaste jii)

५. यह मालवीय नगर का बाजार है. यहाँ बहुत सारी दुकानें हैं. फल की दुकान, सब्जी की दुकान, कपड़े और जूतों की दुकान और खिलौने की दुकानें भी है. यहाँ नाई की दुकान है. नाई बाल काटता है. वहाँ मोची की दुकान है. मोची जूते बनाता है. यह दरजी की दुकान है. दरजी कपड़े सींता है. यहाँ मिठाई, चाट और चाय की दुकानें भी है. इधर होटल हैं और उधर सिनेमाघर. वह डाकघर है और यहाँ पुलिस स्टेशन है. बाजार बहुत बड़ा और सुन्दर है.

1. Find the Hindi words for the following from the passage above:

Market   clothing   shop   Toys   barber

Cobbler   Tailor   Sweet   Tea   Post office

2. What does a tailor do?

3. What is cobbler's job?

6. Following passage has required vocabulary about sports. Read it and translate it in English:

६. सब बच्चे सुबह स्कूल जाते हैं. दोपहर को स्कूल में खाना खाते हैं. शाम को खेलते हैं. मालवीय नगर में एक खेल का मैदान भी है. बच्चे शाम को मैदान में खेलते हैं. कुछ लोग क्रिकेट खेलते है. कुछ लोग दौड़ते है. यहाँ लड़कियाँ बैडमिन्टन खेलती हैं. बच्चे मैदान में फुटबॉल, हॉकी, बॉलीबॉल, बास्केटबॉल और कबड्डी भी खेलते हैं. कबड्डी में दो पालियाँ होती है. दोनों पालियों में आठ-आठ खिलाड़ी होते हैं. कप्तान भी होते हैं. कोई टीम हारती है और कोई जीतती है. कुछ खेल बराबर भी होते हैं. कबड्डी बहुत अच्छा खेल है.

Translation:

399

प्राथमिक हिन्दी Elementary Hindi

चेस-चौपड़

पोलो

हाथी पोलो

हाथी और फुटवाल

कवड्डी

400

हाकी

फुटबाल

बास्केटबाल

क्रिकेट

401

वालीवाल

टेबुल टेनिस

खोखो

टेनिस

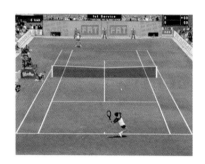

वाटर पोलो

बैडमिन्टन

402

R8 पढ़ना और समझना अभ्यास- ८
बड़ा-छोटा

Following 2 passages discuss comparative and superlative adjectives using age, height, body structure, education and financial status. Read these and answer the questions given.

१. यहाँ दस आदमी हैं. इनमें से यह किशन सबसे मोटा है और बलराम सबसे लंबा है. सबसे छोटा आदमी वह है, उधर, उसका नाम मुझको मालूम नहीं है. ये राम और श्याम हैं. ये दोनों बराबर हैं. इधर ये चार आदमी बैठे हैं. इनमें अहमद अकील से छोटा है और जाफर अकील से लंबा है. वसीम जाफर से मोटा है और बड़ा भी है.

Answer the following in Hindi or as needed:

a. Who is the fattest person out of the 10 people?

    a. Ram   b. balram   c. Kishan

2. Tha man whose name is not known is......... ?

    a. Smallest   b. Most fat   c. Tallest

3. Ram and Shyam are of same age.   T / F

4. Ahmad Is older than Akeel.   T / F

5. Who is taller than Akeel?   Ahmad or Jafar?

6. Who is fatter and older than Jafer........?   Akeel or Vaseem?

२. वह सबसे बड़ावाला आदमी सबसे अमीर भी है. उधर वह दुबले-पतले आदमी विजय जी हैं. विजय जी इनमें सबसे ज्यादा पढ़े-लिखे आदमी हैं. दो आदमियों की लंबाई बराबर है. दो की उमर कम है और दो की अधिक है. वे दोनों बूढ़े हैं. एक आदमी विजय जी का बड़ा भाई है. उसका नाम अजय है. यह आदमी विजय जी का कज़िन है. यह विजय जी से छोटा है. अजय जी और विजय जी में, अजय जी बड़े हैं. दोनों में विजय जी छोटे हैं. दसों आदमियों में वह बूढ़ा आदमी सबसे बड़ा है. यह आदमी और सब आदमियों में छोटा है.

Answer the following in Hindi or as needed:

1. Who is the skinniest and most educated?

a. Kishan   b. Vijay   c. Balaram   d. Ajay

2. Two people have same height   T / F

3. Two people are young and two are old.   T / F

4. Who is older between Vijay and Ajay?   Vijay or Ajay

R9

पढ़ना और समझना अभ्यास- ९
आपका दिन

How to keep track of time in Hindi is discussed in the following two passages. We have used Anil's normal work day to explain this. Let's see if you can answer the questions that follow.

१. अनिल सुबह सात बजे उठता है. सवा सात बजे दाँत साफ करता है. सात बजकर बीस मिनट पर नहाता है. पौने आठ बजे नाश्ता करता है. आठ बजे रेडियो पर समाचार सुनता है. साढ़े आठ बजे ऑफ़िस जाता है. दोपहर में पौने बारह बजे लंच में सैन्डविच खाता है और जूस पीता है. शाम को पाँच बजकर चालीस पर घर आता है. छह बजे अपनी पत्नी सुनीता के साथ चाय पीता है. बच्चों का होमवर्क साढ़े छह बजे देखता है. सात बजे से सवा आठ बजे तक टी.वी. देखता है. सबलोग रात में नौ बजे खाना खाते हैं और दस बजे सोते हैं. शनिवार और रविवार को छुट्टी होती है इसलिये सब देर तक सोते हैं. कभी कभी रात को भी बहुत देर में सोते हैं और सुबह देर से उठते है.

Question: Please match Anil's activities with the correct time.

a. 11:45 AM b. 7:45 AM c. 7:15 AM d. 5:40 PM

e. 6:30 PM f. 7:20 AM g. 8:30 AM h. 7:00 PM till 8:15 PM

Activity: checks homework 2. Goes to office 3. Lunch

4. Takes shower 5. Breakfast 6. Watches news

7. Brushes teeth 8. Comes back home.

२. अभी सवा बजा है. क्रिस बाजार जा रहा है और सवा तीन बजे तक वापस आयेगा. सात बजने में दस मिनट पर निक जी का लेक्चर है. लेक्चर रोज इसी समय शुरू होता है और सवा नौ बजे खतम होता है. क्रिस हर दिन इसी समय लेक्चर सुनता है. कभी-कभी वह इसको टेप कर लेता है और बाद में सुनता है. आप पूरे दिन क्या करते हैं? हम सबको बताइये.

Answer the following in Hindi or as needed:

1. What time is it right now?   a.12:45   b. 1:15   c. 1:30

2. By what time Chris will come back?   a. 2:15   b. 1:45   c. 3:15

c. What time does Nick's lecture start?   a. 7:50   b. 8:50   c. 6:50

d. What time does the lecture end?   a. 9:30   b. 9:45   c. 9:15

Exercise:

1. Tell us about your daily routine.
2. Make a time table of your favorite t.v. channel or radio station.

R10   पढ़ना और समझना भाग – १०
         गुप्ता जी का घर

Mr. Gupta's house and use of 'vaalaa' suffix.

१. गुप्ता जी के घर में पाँच कमरे हैं. उनका कमरा सबसे बड़ा है और मोहन का सबसे छोटा है. राधा का कमरा मोहन के कमरे से बड़ा है लेकिन गुप्ताजी के कमरे से छोटा है. उसके कमरे में दो अलमारियाँ हैं. बड़ीवाली अलमारी में कपड़े हैं और छोटीवाली में किताबें हैं. मेज पर भी किताबें हैं. उस बड़ी वाली किताब का नाम शब्द महासागर है. वह हिन्दी की डिक्शनरी है. यह छोटी किताब गीता है. गीता में श्री कृष्ण भगवान का अर्जुन को उपदेश है. गीता संस्कृत भाषा में है और उसका हिन्दी में अनुवाद भी पुस्तक में है.

Answer the following in Hindi or as needed:

a. Whose room is biggest?   a. Radha's b. Mr. Gupta's   c. Mohan's

b. Radha's room is smaller than Mohan's room.   T / F

c. Whose room has 2 closets?   a. Mohan's b. Radhai's c. Mr. Gupta's

d. Which closet has clothes?   The bigger one / The smaller one

e. In what language the small book 'Geeta' is written? Sanskrit / Hindi

प्राथमिक हिन्दी Elementary Hindi

२. यह मोहन का कमरा है. इसमें एक दरवाजा है और दो खिड़कियाँ हैं. एक खिड़की बड़ी है और दूसरी छोटी. मेज पर बीस किताबें हैं. कुछ बड़ी हैं और कुछ किताबें छोटी हैं. दीवार पर दो तस्वीरें है. छत पर एक पुराना पंखा है. कमरे में एक पलंग, एक मेज और दो कुरसियाँ हैं. एक अलमारी भी है. अलमारी में मोहन कपड़े रखता है.

Answer the following in Hindi or as needed:

a. How many windows are there in Mohan's room?

b. Window are of same size. T / F

c. How many books are there on the table? a. 10   b. 20.   c. 30

c. There are four pictures on the wall. T / F

d. The fan in the room is ....   new or old.

e. Mohan keeps all his books in the closet. T / F

R11   स्कूल की लाइन में कौन है और घर के पास क्या है.

In this paragraph, we are talking about school children carrying books and are in line waiting for school bus. cardinals and aggregative

३. क्या आप वह लड़कों की लाइन देख रहे हैं? उसमें पहला लड़का मोहन है, पाँचवाँ लड़का रवि है. वह सातवीं लड़की राधा है. राधा के बांयीं ओर सोहन है और दायीं ओर अहमद है. वह आखिरी लड़का मोहन का भाई रतन है. रतन के दाहिने हाथ में चार किताबें हैं. पहली वाली किताब हिन्दी की पुस्तक है, दूसरी अँग्रेज़ी की, तीसरी साइंस की और चौथी, यानि कि आखिरी किताब इतिहास की है. रतन के बांये हाथ में थैला है. लाइन के बीचवाली लड़की सोनिया है. यह लाइन स्कूल की बस के लिये है. सुबह सब बच्चे स्कूल जाते हैं.

Answer the following in Hindi or as needed:

a. Who is the fifth boy?   Ravi or Mohan.

b. Who is at the 7th place in the line?   Boy or girl

c. Who are the two boys on Radha's left and right side?

Left: Sohan or Mohan   Right side: Sohan or Ahmad

d. The last boy in the line is ....   Ahmad or Ratan.

e. Ratan is carrying four books in his right hand.   T / F

f. The third book in Ratan's hand is the science book.   T / F

g. The girl in the middle of the line is ?   Radha or Sonia

h. All the children go to school in the afternoon.   T / F

प्राथमिक हिन्दी Elementary Hindi

This is a description of businesses and offices found on a market street in India.

४. वह दाहिनी ओर वाली इमारत जेल है और बायीं तरफ पोस्ट ऑफ़िस का भवन है. दाहिने से दूसरा भवन हनुमान जी का मंदिर है. आपके बायीं तरफ वह चौथी इमारत बैंक की है. वह आपके सामने वाला मकान विजय जी का है. आपके पीछे वह बड़ा बाग यहाँ का चिड़ियाघर है. चिड़ियाघर के पास खेल का मैदान है. आइये, अब हम उस होटल में चाय पीने चलते हैं.

Answer the following in Hindi or as needed:

a. What sides of the street are the jail and the Post office?

     Jail: Post office:

b. Which number building on the right hand side is Lord Hanuman Temple?

     a. First   b. Second   c. Third

c. The fourth building on the left hand side is?

     a. Jail   b. Bank   c. Post Office

d. The house in the front of the visitor belongs to ?

     a. Mr. Vijay   b. Mr. Visitor   c. Mr. Mohan

e. Where is the Zoo?   In front of the visitor / behind the visitor

f. The playground is near the Zoo.   T /F

R12   पढ़ना और समझना भाग – १२
मेरा परिवार और मेरा घर

Mr. Jagajeet Singh is from the city of Banaras in India. In the following 5 paragraphs, Mr. Singh is talking about himself, his family and his home in Banaras. He is also telling us as to how he reaches his home in India from America and activities of his children in his home town.

१. मेरा नाम जगजीत सिंह है. मैं ह्यूस्टन में एक कंपनी में काम करता हूँ. मैं चार-पाँच साल से इस कंपनी में हूँ. मैं ह्यूस्टन के पास बेलेअर में रहता हूँ. मेरा काम भी घर के पास ही है. मेरी पत्नी का नाम साधना है. वह कहीं काम नहीं करती है. वह संगीत पसंद करती है और रेडियो पर गाने सुनती है. वह गुजराती और मराठी भाषा भी जानती है लेकिन घर में हिन्दी ही बोलती है. हमारे शहर में लोग अँग्रेज़ी या स्पेनिश ही बोलते है.

Answer the following in Hindi or as needed:

a. In Which city does Jagajeet Singh work?   Name:

b. Jagajeet Sigh has been working in the company for 7-8 years.   T / F.

c. Mr. Singh's work is far from home.   T / F

d. Mr. Singh's wife Sadhana works in a company called 'kahiin nahiin'   T / F

e. How many languages does Sadhana speak?   a. 2   b. 3   c. 4

नमस्ते जी
(namaste jii)

२. मेरे तीन बच्चे हैं. बड़ा लड़का रंजन दस साल का है. वह एक स्कूल में कक्षा 4 में पढ़ता है. दूसरा लड़का राम भी उसी स्कूल में दूसरी कक्षा का छात्र है. मेरी लड़की अमिता अभी किंडर गार्टन में है. वह वहाँ हिन्दी और अँग्रेजी सीखती है. तीनों बच्चे अच्छी तरह स्पेनिश जानते हैं. अमिता स्पेनिश में बात करती है और हिन्दी के कई गाने भी गाती है. मेरे दोनों लड़के सॉकर खेलते हैं और मैं टेनिस खेलता हूँ. हम सब एक कम्यूनिटी क्लब के सदस्य (member) भी हैं.

Answer the following in Hindi or as needed:

a. What is the name of Mr. Singh's oldest son?   a. Ranjan b. Ram c. Amita

b. Amita is learning English and Spanish.   T / F

c. All three kids know Spanish well.   T / F

d. Amita sings several songs in Spanish   T / F

e. Both the kids play tennis and Mr. Singh plays soccer.   T / F

३. मेरा घर भारत के बनारस शहर के पास एक गाँव में है. बनारस बहुत पुराना शहर है और यह उत्तर प्रदेश राज्य में है. हमारे गाँव का नाम गोपीगंज है. वहाँ मेरे माता-पिता रहते हैं. पिताजी खेती करते हैं. मेरी एक बहन भी उनके साथ रहती है. अभी बहन की शादी नहीं हुई है. मेरे दो भाई भी हैं. वे बनारस शहर में रहते है और बिज़नेस करते है. माता-पिता कभी-कभी हमारे पास ह्यूस्टन आते हैं. हम सब भी हर साल (every year) छुट्टियों में गोपीगंज जाते है.

Answer the following in Hindi or as needed:

a. Mr. Singh's house is in a city of India.   T / F

b. The city of Banaras is in the state of Texas.   T / F

c. Mr. Singh's parents live in Gopiganj.   T / F

d. Mr. Singh Sigh's father is a business man.   T / F

e. Mr. Singh's married sister lives with her father.   T / F

f. Mr. Singh has two brothers.   T / F

g. His brothers work in the farm with their father.   T / F

h. Mr. Singh's father visit Houston every year.   T / F

४. हम हवाई जहाज से पहले दिल्ली जाते हैं. दिल्ली से रेलगाड़ी में बनारस जाते हैं. और फिर बनारस से गोपीगंज तक बस से जाते है. हम बस स्टेशन से घर ताँगे में जाते है. तांगे में बैठने में बच्चों को बहुत अच्छा लगता है. बनारस में अपने भाइयों के पास भी रहते है. बनारस में हम शॉपिंग भी करते हैं. वहाँ से सिल्क की साड़ियाँ, कुरते और पीतल की चीजें खरीदते है. गंगा नदी में नहाते हैं और भगवान शिव जी के सोने के मंदिर में पूजा भी करते हैं.

Answer the following in Hindi or as needed:

a. Mr. Singh and his family go to Delhi by train.   T / F

b. They go to their home in a horse driven cart From Banaras.   T / F

c. They purchase Saris, Kurtas and Brass items in Delhi.   T / F

d. Where do they bathe in the river Ganges?   GopiGanj   or Banaras

e. Lord Shiva's Golden Temple is in ?   a. Delhi   b. Banaras.

५. बच्चों को गाँव बहुत पसंद है. वे पूरे दिन खेलते हैं, खाते हैं और दादा जी के साथ खेत में जाते हैं. खेत में हरी मटर और हरे चने तोड़ते हैं. गाँव के घर में गाय, बैल, बकरी और भैंस भी हैं. बच्चे गाय के बछड़े के साथ भी खूब खेलते हैं.

Answer the following in Hindi or as needed:

a. With whom do children go to Farm?   a. Father   b. Grand father

b. The children pick green peas and green chickpeas in to the farm.   T / F

c. Some of the pets in the Village home are cows, buffaloes and goats. T / F

R13   पढ़ना और समझना अभ्यास – १३

Conversation at a Bus Station:

१. भाई साहब जरा सुनिये, लखनऊ जाने वाली बस कब जायेगी?

- सवा सात बजे टर्मिनल नम्बर बीस से जायेगी.

- यह बस लखनऊ कब पहुँचेगी?

- शाम को छह बजे अमीनाबाद बस अड्डे पहुँचेगी.

- एक टिकट दीजिये. कितने रुपये का है?

- चालीस रुपये का. यह लीजिये. बस बनारस से आयेगी और यहाँ एक
घंटा रुकेगी. तबतक आप बेन्च पर बैठिये.

Answer the following in Hindi or as needed:

a. At what time will the bus leave for Lucknow?   a. 7:15 b: 7:30 c. 4:45

b. The bus will reach the Ameenabad bus station at six in the morning.   T / F

c. The Bus leaving for Lucknow is arriving from Banaras.   T / F

2. Banaras is a very old city and is famous for Saris and Sweets:

२. बनारस भारत का सबसे पुराना शहर है. बनारसी साड़ियाँ और
मिठाइयाँ बहुत मशहूर हैं. बनारस में एक मिठाई की दुकान है. उसका नाम
मधुर जलपान है. इस दुकान की सब मिठाइयाँ - बरफ़ी, रसगुल्ले, चमचम,
जलेबी, रस मलाई और कलाकंद - बहुत अच्छी होती हैं. बनारस के पास
एक गाँव है. गाँव का नाम पान्डेपुर है. पान्डेपुर की गुलाब जामुन सबसे
अच्छी होती हैं. मैं सब मिठाइयाँ मधुर जलपान से खरीदता हूँ पर गुलाब
जामुन हमेशा पान्डेपुर से लाता हूँ.

a. Please translate the passage:-

बस अड्डा
बस स्टेशन

हवाई अड्डा

सिढ़ी

हवाई जहाज

सुरक्षा

रेल स्टेशन
रेल गाड़ी

यात्री
(Traveler)

416

३. माफ़ कीजिये, आज हमारा घर बहुत गंदा है. साफ़ करने के लिये इस समय कोई नहीं है. आज रामलाल और चंपा दोनों छुट्टी पर हैं. राम लाल नौकर है - घर का और बाहर का सब काम करता है. सफ़ाई भी करता है. चंपा खाना बनाती है, बर्तन साफ करती है. दोनों कल आयेंगे. आइये बैठिये, क्या पीयेंगे? मैं चाय बनाती हूँ या कॉफ़ी पीना चाहते हैं? मैं चाय बनाती हूँ और आप सामने वाले होटल से गरम समोसे लाइये. हम साथ-साथ नाश्ता करेंगे.

Answer the following in Hindi or as needed:

a. The house is very dirty and there is nobody to clean it.   T / F

b. Ram Lal is the owner of the house.   T / F

c. Champa is a cook and she also does the dishes.   T / F

d. What is being made?   a. Coffee   b. Tea   c. samosas

e. Why is this conversation taking place?

a. The House is dirty   b. Tea is being prepared   c. A visitor came.

What do you want?

४. आपको क्या चाहिये?
मुझको एक साबुन चाहिये, दो लाइट बल्ब चाहिये, आधा किलो चीनी चाहिये बस !

५. और आपको क्या चाहिये?
मुझको वह लालवाली साइकिल चाहिये, कितने की है?
दो सौ रुपये की.

६. कहो बेटे तुमको क्या चाहिये?
मुझको गीता के लिये पेन्सिल, राधा के लिये नोटबुक, यास्मीन के लिये हिन्दी की किताब, घड़ी के लिये बैटरी और सिनेमा जाने के लिये दस रुपये चाहियें.

What conversation took place in the sections 4, 5 and 6 above?

a. Conversation 4

b. Conversation 5

c. Conversation 6

प्राथमिक हिन्दी Elementary Hindi

R14   पढ़ना और समझना भाग - १४

पिकनिक

१. यह एक आम का बड़ा और सुन्दर बगीचा है. बगीचे में रविवार को छात्र पिकनिक के लिये आते हैं. आज हिन्दी कक्षा के छात्र यहाँ मज़ा कर रहे हैं. कुछ छात्र आम के पेड़ के नीचे खड़े हैं. कुछ छात्राएं बेंच पर बैठी हैं. एक छात्रा कुछ कह रही है. शायद गाना गा रही है. दूसरे छात्र गाना सुन रहे हैं. कुछ तालियाँ बजा रहे हैं. कुछ लड़कियाँ कभी-कभी गानेवाली लड़की के साथ गा रही हैं या ताल दे रही हैं. मौसम बहुत सुहावना है. गरमी कम है और आकाश में बादल भी हैं. पानी बरस सकता है. एक लड़का पेड़ पर चढ़ रहा है. वह आम तोड़ना चाहता है. कुछ लोग घास पर लेटे हैं और कुछ लोग आम खा रहे हैं.

Answer the following in Hindi or as needed:

a. When do the students come to the mango orchard for the picnic?
     a. Monday   b. Friday   c. Sunday   d. saturday

b. One student is ....   giving a speech   or   singing a song.

c. Some students are listening, clapping or giving beats.   T / F

d. The weather is hot and humid.   T/ F

e. It's a cloudy but pleasant day.   T /F

f. One boy is climbing the tree.   T / F

g. Some people are sitting on the grass and eating mangoes.

प्राथमिक हिन्दी Elementary Hindi

२. एक पेड़ के नीचे ग्रिल रक्खी है. ग्रिल में आग जल रही है. कुछ छात्र खाना बनाने की कोशिश कर रहे हैं. वे शायद चिकेन बार बी क्यू करना चाहते हैं. कुछ लोग फ़िश भी बनाना चाहते हैं क्यों कि एक बर्तन में फ़िश रक्खी हैं. कभी-कभी बगीचे में लोग साग-पूरी या दाल-रोटी भी बनाते हैं.

Answer the following in Hindi or as needed:

a. Some students are trying to cook. T /F

b. What are they trying to "barbecue"? a. Steaks b. Pork c. Chicken

c. How can you tell that they want to cook fish also?

a. There are some fish on the tree.

b. One student is catching fish

c. There is fish in a bowl

d. poori and roti are kinds of bread that Indians eat. T / F

e. Saag is a vegetable generally made of spinach, and daal is a lentil soup. T / F

३. बूम बॉक्स पर म्यूज़िक बज रहा है. अब समाचार आरहे हैं. इस समय डेढ़ बजा है. कुछ छात्र पतंग उड़ा रहे हैं और कुछ तितलियाँ पकड़ रहे हैं. मुझको अब भूख लग रही है. मैं खाना चाहता हूँ. खाना तैयार है और इस समय सब लोग खाने की तैयारी कर रहे हैं. कोई चादर बिछा रहा है, कोई प्लेट पर खाना रख रहा है. एक लड़की गिलास में पानी भर रही है और दूसरी प्याज, टमाटर, खीरा, सेलेरी और नींबू काट रही है.

Answer the following in Hindi or as needed:

a. Time is 1:30   T / F

b. Some students are trying to catch .... fish / butterflies

c. Preparations are being made to serve the food   T / F

d. If somebody is cutting onions, tomatoes, cucumbers, salary and lemon, what is he/she trying to make?

        a. Vegetable   b. soup   c. Salad

४. पिकनिक पर बहुत मजा आ रहा है. अब सब लोग खा रहे हैं और बातें कर रहे हैं. चार बजने वाले है. अब घर जाने की तैयारियाँ हो रही हैं. सब लोग सामान पैक कर रहे हैं. बस का ड्राइवर बस पार्क कर रहा है. लड़कियाँ चीज़ें बस में रख रही हैं. अब बस जा रही है और उसमें सब लोग सो रहे हैं.

Answer the following in Hindi or as needed:

a. What is being discussed in the above passage?

R15 पढ़ने का अभ्यास - १५

भारत का मौसम

भारत एक बड़ा और बहुत सुन्दर देश है. यह दक्षिण-पूरब एशिया में है. भारत का मौसम तीन भागों में बँटा है. नवम्बर-दिसम्बर, जनवरी-फरवरी में जाड़ा पड़ता है. मार्च-अप्रैल और मई-जून में खूब गरमी पड़ती है. जुलाई, अगस्त, सितम्बर और अक्टूबर में पानी बरसता है. राजस्थान प्रदेश भारत के पश्चिम में है. यहाँ बहुत गरमी होती है. पूरब में आसाम प्रदेश है. आसाम के चेरापूँजी क्षेत्र में सबसे अधिक पानी बरसता है. उत्तर में हिमालय हैं. हिमालय का मतलब बर्फ़ का घर होता है. हिमालय विश्व का सबसे ऊँचा पहाड़ है. दक्षिण में कन्याकुमारी है. कन्याकुमारी में अरब सागर, हिन्द महासागर और बंगाल की खाड़ी मिलते हैं.

शब्दावली:

पूरब	पश्चिम	उत्तर	दक्षिण	मौसम	भागों
East	West	North	South	Weather	parts (oblique)
बँटा	जाड़ा	खूब	गरमी	पड़ना	पानी बरसना
Divided	Winter	A lot	Heat or Summer	to fall	To rain
क्षेत्र	मतलब	बर्फ़	विश्व	ऊँचा	
Area	Meaning	Ice	World	High/ tall	
पहाड़	सागर	महासागर	बंगाल की खाड़ी		
Mountain	Sea	Ocean	Bay of Bengal		
मिलना	होना				
To meet	To be				

Exercise:

1. Talk about weather of your town.

2. Forecast about weather in writing

3. Answer the following in Hindi or as needed:

a. India's weather is divided into three parts.   T / F

b. Rainy season is in the months of.........

      a. November to February   b. July to October   c. March to June.

d. Rajasthan is very hot.   T / F

e. The highest rain fall is in the cherapunjii area of Assam.   T /F

f. Himalaya means house of ice.   T / F

g. The three seas that merge in Kanyaa Kumari are the Indian ocean, the Bay of

    Bengal and the Arabian sea.   T / F

प्राथमिक हिन्दी Elementary Hindi

नगर का मौसम

डी. - डिग्री   से.- सेल्सियस

१ -

बुधवार की सुबह कोहरा (धुंध - fog) छाया रहेगा. दिन में आकाश साफ़ रहेगा. रात के तापमान में कुछ गिरावट आयेगी.

मंगलवार को अधिकतम तापमान १५.९ (15.9) डि. से. (-6)(-६) तथा न्यूनतम तापमान ४.० (4.0) (- 3) डि. से. रहा.

बुधवार को सूर्यास्त ५.३५ (5:35) बजे और गुरूवार को सूर्योदय ७.१४ (7:14) बजे होगा.

Answer the following in Hindi or as needed:

a. Fog cover will be in the morning of.....   Monday / Tuesday / Wednesday

b. Temperature will fall a little during the day.   T / F

c. Lowest temperature was 4 degrees Celsius on Tuesday.   T / F

d. Sunset will be at 5:35 AM on Friday.   T / F

e. Sunrise on Thursday will be at 7:14 PM   T / F

शब्दावली:

तापमान	आकाश	गिरावट आना	अधिकतम	
Temperature	sky	to come down	maximum	
न्यूनतम	सूर्यास्त	सूर्योदय	छाना	धुंध
minimum	sunset	sunrise	to cover	fog

२ -

शुक्रवार की सुबह धुंध छाया रहेगा. दिन में छिटपुट बादल छा सकते हैं और गरज के साथ पानी के छींटे पड़ सकते हैं. रात में तापमान में गिरावट आयेगी.

गुरूवार को अधिकतम तापमान २३.६ (23.6) (+1) डिग्री   और न्यूनतम तापमान ९.८ (9.8) (+2) डिग्री रहा

गुरूवार को सूर्यास्त ५.३४ (5:34) बजे हुआ और शनिवार को सूर्योदय ६.५५(6:55) पर होगा.

Answer the following in Hindi or as needed:

a. Thursday morning will be foggy.   T / F

b. There is chance of thunderstorm on Friday.   T / F

c. Temperature will rise at night.   T / F

d. Lowest temperature on Thursday was 9.8 degree celsius.   T / F

e. Sunset on Saturday will be at 6:55   T / F

शब्दावली:

तापमान	आकाश	गिरावट आना	अधिकतम	
Temperature	sky	to come down	maximum	

न्यूनतम	सूर्यास्त	सूर्योदय	छाना	धुंध
minimum	sun set	sun rise	to cover	fog

R16 पढ़ना व समझना भाग – १६

साल – महीना – हफ्ता

१. जुलाई का महीना (month) है. ह्यूस्टन में बहुत गरमी (hot, heat) है. पानी बिल्कुल नहीं (not at all) बरस रहा (raining) है. पिछला (last) महीना भी बहुत गरम था. पहले तो (before) जून-जुलाई के महीनों में बहुत बारिश (rain) होती थी. आजकल (these days) देश के कुछ हिस्सों (parts) में बाढ़ (flood) है और कुछ जगहों पर (at some places) सूखा है. टी.वी. पर बता रहे हैं कि यह सब एल नीनियों के कारण (because of) हो रहा है. मालूम नहीं ऐसा क्यों होता है. (don't know why such a thing happens)

१. प्रश्नों के उत्तर हिन्दी में दीजिये: Please answer the questions in Hindi:

a. What is happening in Houston in the month of July?

b. Last month was also very hot.   True / False

c. Some parts of the country are flooded and some are dry.

d. They are telling on TV that it is because of ……….   what.?

२. आप लोग ह्यूस्टन में कब से (since when) रह रहे हैं? हम लोग यहाँ चार साल (4 years) से हैं. इसके पहले (before here) हम एटलान्टा में रहते थे. अमेरिका आने से पहले (before coming) हम भारत में रहते थे. हमारा परिवार भारत में ही (only) रहता है. वहाँ हमारे माता-पिता, भाई-बहन, चाचा-मामा और उनके बच्चे, मेरी पत्नी का परिवार भी वहाँ रहता है. मेरे सास-ससुर (in-laws) यानि मेरी पत्नी के माता-पिता बनारस में रहते है. मेरे कज़िन्स कनाडा में रहते हैं.

१. प्रश्नों के उत्तर हिन्दी में दीजिये: Please answer the questions in Hindi:

a. Before coming to Houston we used to live in ……
    a. Atlanta.   b. New York   c. India.   d. Austin

b. Before coming to America, we used to live in Pakistan.   T / F

c. All my relatives live in India.   T / F

d. My in-laws live in Banaras.   T / F

e. My wife's cousins live in Canada.   T / F

३.   ह्यूस्टन बड़ा शहर है और ऑस्टीन छोटा. न्यू यॉर्क ह्यूस्टन से बड़ा है. अलास्का अमेरिका का सबसे बड़ा राज्य है. मुझको मालूम नहीं है कि अमेरिका की कौन सी सड़क (which road) सबसे लंबी है या कौन सा शहर सबसे छोटा है. यह सब मंगलवार (Tuesday) , जुलाई की दस (10) तारीख (date) को सुबह आठ बजे रेडियो पर बता रहे थे. लेकिन मैं टी.वी देख रहा था, रेडियो नहीं सुन रहा था.

१. प्रश्नों के उत्तर हिन्दी में दीजिये: Please answer the questions in Hindi:

a. Houston is bigger than New york.   T / F
b. Do you know which is the longest road in America?
c. Do you know which is the smallest town in USA?
d. All this information was being given on the radio.   T / F

४.   आज सोमवार (Monday) , मार्च की सात तारीख है.

अभी मैं खड़ा हूँ, कुछ देर पहले (some time ago) बैठा था और अखबार पढ़ रहा था. आज (today) घर में बिजली (elctricity) नहीं है, कल (yesterday) नल (water tap) में पानी नहीं था.

१. प्रश्नों के उत्तर हिन्दी में दीजिये: Please answer the questions in Hindi:

a. What day and date is it today?   Write:
b. I am reading a novel.   T / F
c. What is not available in the house today?   Write:
d. What was not there yesterday?   Write

प्राथमिक हिन्दी Elementary Hindi

5.Verb 'To be' is used in the following lines in the form of condition or state etc.

अंग्रेजी में अनुवाद कीजिये दीजिये: Translate in English

- वह इस साल (this year) कनाडा में है, पिछले साल (last year) योरोप में था.
- अब (now) हमारा स्कूल बड़ा है, पहले (before) छोटा था.
- हम अभी हिन्दी पढ़ रहे हैं, कल एसे लिख रहे थे.
- आजकल (these days) स्कूल की छुट्टियाँ हैं (holidays) .
- पहले बहुत काम था.
- यह कारखाना (factory) अब खुला (open) है, कल बंद (close) था.
- यह सिनेमा हाउस अक्सर (often) बंद रहता था.
- अब हमेशा (always) खुला रहता (remains open) है.
- आसाम राज्य (State of Assam) में बारिश (rain) होती है.
- राजस्थान में गरमी (heat) होती है.
- सूरज (sun) पूरब (east) से निकलता (rises) है. पश्चिम (west) में अस्त होता (sets) है.
- यहाँ दिसंबर में बहुत सरदी (cold) पड़ती है.
- घास हरी होती है लेकिन यह घास पीली है.
- कच्चा (raw) केला हरा होता है और पका (ripe) केला पीला होता है.
- लेकिन यह केला खराब है.
- दुकानवाले ईमानदार (honest) होते हैं.
- यह दुकानवाला ईमानदार नहीं है. यह बेईमान (dishonest, cheater) है.

R17   पढ़ना और समझना अभ्यास - १७

१. प्रश्नों के उत्तर दीजिये: (Please Answer the questions)

- आपके गाँव (village) का नाम क्या है?

- आपके देश की कैपिटल का नाम क्या है?

- हम हाथों (hands) से क्या करते हैं?

- आपके कितने बच्चे हैं?

- बच्चे कहाँ खेलते (play) हैं?

सब्जी की दुकान में क्या मिलता (found, sold, available) है?

बस अड्डा, हवाई अड्डा और रेलवे स्टेशन किसलिये हैं?

आपको क्या चाहिये?

आज शाम को आप क्या करेंगे?

आप हिन्दी कब पढ़ेंगे?

यह बस कहाँ जायेगी?

दिल्ली वाला जहाज (plane going to Delhi) कब जायेगा?

जयपुर जानेवाली गाड़ी (train going to Jaipur) किस प्लेटफ़ार्म पर आयेगी?

२. अनुवाद कीजिये: (Please Translate)

- पिता जी अखबारवाला इस महीने के (this month's) पैसे माँग रहा (asking for) है.

- धोबी अब हमारे कपड़े नहीं धोयेगा.

- आज बाजार भी बन्द है. लेकिन आज अलीपुर का बाजार खुला है.

- जाओ बाजार से सब्जी और फल लाओ.

- मैं अभी नहीं जाऊँगा, मैं पढ़ रहा हूँ.

- आज मेरा जनमदिन है.

- कल निशा की शादी है.

- निशा की शादी किसके साथ है?

- उसकी शादी रंजन के साथ हो रही है.

एक ही अर्थ = सेम मीनिंग   किताब = पुस्तक   ठंड = सरदी   उमर = आयु

साल = वर्ष   बढ़िया = अच्छा   शिक्षक = अध्यापक

R18 पढ़ने का अभ्यास-१८ चिड़ियाघर

हमारे शहर में एक चिड़ियाघर है. चिड़ियाघर में तरह तरह के जानवर हैं. गोरिल्ला केले खाता है. बच्चे बकरी और हिरन को घास खिला रहे हैं. बड़े लड़के-लड़कियाँ शेर, चीते, हाथी, घोड़े और ज़िराफ़ देख रहे हैं.

श्याम: राधा देखो, यहाँ पानी के जानवर हैं.
राधा: वह कौन सा जानवर है?
श्याम: वह गैंडा है और उधर तरह तरह की मछलियाँ हैं. वह कछुआ है और इधर डॉल्फ़िन और शार्क हैं.
राधा: भैय्या देखो, यहाँ कितने सारे पक्षी हैं.
श्याम: हाँ राधा, सब चिड़ियाँ बड़ी सुन्दर हैं. यहाँ मोर हैं, तोते हैं, मैना हैं. वह बड़ी चिड़िया शुतुरमुर्ग हैं.

हमारे चिड़ियाघर में उल्लू, चिमगादड़, गधे, सियार, लोमड़ी और सब तरह के साँप और अजगर भी हैं. कुत्ते, बिल्ली और खरगोश तो लोग घरों में पालने हैं. गाय, घोड़े, सूअर, भेड़, बकरी, मुर्गे, मुर्गियों फ़ार्म के जानवर हैं.

१. प्रश्नों के उत्तर हिन्दी में दीजिये: Please answer the questions in Hindi:

a. Translate the above passage with the help of vocabulary given below.

जंगल के जानवर

भालू

ऊंठ

बिल्ली

गाय

हिरन

कुत्ता

हाथी

432

घोड़ा

शेर

बंदर

सुअर

खरगोश

भेड़ – बकरी

433

चीता

भैंस

चिड़िया

कार्डिनल

मुरगी

सारस

434

कौवा

बत्तख

चील - ऊकाब

मुर्गा

शुतुरमुर्ग

उल्लू

435

मोर

तोता

गिद्ध

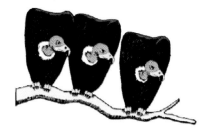

कबूतर

गौरैया

हंस

436

टर्की

शब्द:

चिड़ियाघर	तरह-तरह	केले	बच्चे	बकरी	घास
Zoo	various types	Bananas	Children	Goat	Grass

खिलाना	शेर	चीते	हिरन	हाथी	घोड़े	जानवर
To feed	Lion	Tigers	Deer	Elephant	Horse	Animals

कौन सा	गैंडा	मछली	घड़ियाल	सुन्दर	सब
Which one	Hippopotamus	Fish	Crocodile	Beautiful	All

तोता	मैना	शुतुरमुर्ग	हमारे	उल्लू	चिमगादड़
Parrot	Mainah	Ostrich	Our	Owl	Bats

गधा	सियार	लोमड़ी	सब तरह	साँप	अजगर	कुत्ते
Donkey	Jackal	Fox	All types	Snake	Python	Dogs

बिल्ली	खरगोश	गाय	पालतू	बैल -साँड़	सूअर
Cats	Rabbit	Cow	Pet	Bull	Pig

मुर्गा– Rooster   मुर्गी– Hen   मोर– Peacock   कछुआ– Turtle.

प्राथमिक हिन्दी Elementary Hindi

R19 Reading Exercise - पढ़ने का अभ्यास

सामान्य भूतकाल

A. The following sentences are commonly used to begin a children's story.

१. एक राजा था. २ - एक रानी थी. ३ - आदमी था.
४. एक समय (once upon a time) एक राजा था.
५. बहुत पुरानी बात है (an old story or saying), एक आदमी था.
६. बहुत पहले (long time ego), भारत में एक महान् (great) राजा रहता था.
७. एक जंगल (forest) में एक शेर रहता था.
८. बहुत पहले, किसी गाँव में (in some village) एक नाई रहता था.
९. एक चतुर कौआ (clever crow) था.
१०. किसी जंगल में एक बहादुर (brave) खरगोश और एक मूर्ख (foolish) हिरण रहते थे.

Please answer the following based on the above statements:

a. A Long time ago, a great king used to live in India. T / F

b. A lion used to live in one city. T / F

c. A Long time ago, a barber used to live in some village. T / F

d. There was a foolish crow. T / F

e. The deer was brave. T / F

f. The rabbit lived in a village. T / F

B. Commonly used statements of the habitual past are used In this reading exercise for learning. Please try to use these in expressing your activities of the past in Hindi conversation.

११. शर्माजी लॉस एन्जिलस में रहते थे.

१२. बहुत पहले मैं न्यू यॉर्क में रहता था.

१३. राजा रोज़ शिकार (hunting) करता था.

१४. बादशाह (emperor) प्रतिदिन (everyday) जंगल में शिकार के लिये जाता था.

१५. राज कुमार अक्सर (often) आखेट (hunting) के लिये वन (jungle) में जाया करता था.

१६. श्री राम और सीताजी चौदह वर्ष (year) वन में रहे थे.

१७. हम सब कक्षा में रहते थे.

१८. उन दिनों (those days) बहुत वर्षा (rain) होती थी. वर्षा - rain

१९. अक्सर पानी बरसता था. पानी बरसना - to rain

२०. इन दिनों (in these days) बहुत जाड़ा पड़ता था.
     जाड़ा पड़ना - to be cold (season getting cold)

२१. मई-जून में अत्यधिक (a lot) गर्मी पड़ती थी. गर्मी पड़ना - to be hot

२२. हम जयपुर जाते थे.

२२. वे सुबह दौड़ते थे.

२३. सीता और गीता बाग (garden) में तितलियाँ (butterflies) पकड़ती थीं.

२४. राम और श्याम चौक (market place) में मिलते थे और दोनों सिनेमा देखते थे.

२५. पूरा (entire) परिवार गरम जलेबियाँ (kind of sweets) खाता था.

439

प्राथमिक हिन्दी Elementary Hindi

शब्द – WORDS

राजा	रानी	राजकुमार	एक समय	पुराना
King	Queen	Prince	Once upon a time	Old

बहुत पहले	महान्	जंगल	शेर	किसी
Long time ago	Great	Forest	Lion	Any

गाँव	नाई	चतुर	बहादुर	खरगोश	मूर्ख
Village	Barber	Clever	Brave	Rabbit	Fool

हिरण	शिकार	बादशाह	प्रतिदिन	आखेट	वन
Deer	Hunt	Emperor	Daily	Hunt	Forest

उनदिनों	अक्सर	इनदिनों	वर्षा	वर्षा होना
Those days	Often	These days	Rain	To rain

पानी बरसना	जाड़ा	गर्मी	जाड़ा / गर्मी पड़ना
To rain	Winter	Summer	To get cold / to get hot (weather)

बाग / बगीचा	तितलियाँ	चौक	पूरा परिवार
Garden	Butterflies	Market place	Whole family

गर्म	जलेबियाँ
Hot	A type of sweet

प्रश्नों के उत्तर दीजिये और अनुवाद कीजिये Answer the questions & translate

१- कौन शिकार करता था?

२- तितलियाँ कौन पकड़ता था?

३- राम और श्याम कहाँ मिलते थे?

४- खरगोश क्या था?

५- शेर कहाँ रहता था?

६- शर्माजी कहाँ रहते थे?

७- बादशाह प्रतिदिन जंगल में क्यों जाता था?

८- श्री राम और सीताजी कितने वर्ष जंगल में रहे थे?

९- अत्यधिक गर्मी कब पड़ती थी?

१० - कौआ कैसा था?

11- Write ten sentences in Hindi describing your past habits.

नमस्ते जी
(namaste jii)

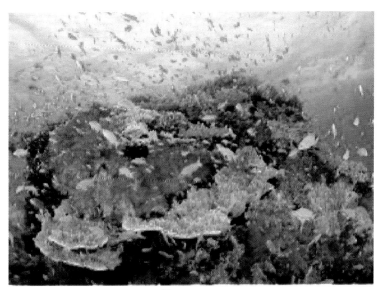

समुद्र के जानवर

मछली

डौल्फिन

स्टार फिश

441

प्राथमिक हिन्दी Elementary Hindi

ह्वेल मछली

शार्क

केकड़ा

जेलीफिश

मैनिटी

स्पॉन्ज

442

कछुआ

सी होर्स

सील

स्किवड

स्टिग रे

दरियाई घोड़ा

443

R20   पढ़ने का अभ्यास – २०

डेविड और जॉन की भारत यात्रा

जॉन और डेविड पिछले (last) साल भारत गये. वे चार हफ़्ते (week) के लिये गये. गर्मी (summer) की छुट्टियाँ थीं. पहले (first) वे दोनों दिल्ली गये. नयी दिल्ली भारत की राजधानी (capital) है. नयी दिल्ली में उन्होंने राष्ट्रपति भवन (Presidential house) और सचिवालय (secretariat) देखे. एक दिन वे कुतुबमीनार देखने गये. कुतुबमीनार, कुतुबुद्दीन नाम के सुल्तान (sultan) ने बनवायी (built) थी. दूसरे दिन वे अपने भारतीय दोस्त अशोक के साथ लाल किला (fort) देखने गये. लाल किला बहुत बड़ा है और लाल पत्थरों (stones) से बना है, इसीलिये (that's why) इसको लाल किला कहते हैं. एक हफ़्ते में दोनों ने नेहरू भवन, गांधी स्मारक (memorial) और दिल्ली की अनेक जगहें देखीं.

Answer the questions as needed:

a. John & David will go to India next year.   T / F

b. They went to India for 4 weeks.   T/ F

c. They went to New Delhi later.   T /F

d. New Delhi is the capital of India.   T / F

e. The Presidential house and Secretariat are in Mumbai.   T / F

f. Kutubuddeen got the Kutub Meenaar built.   T / F

प्राथमिक हिन्दी Elementary Hindi

राष्ट्रपति भवन

सचिवालय

बहाई मन्दिर

कुतुब मीनार

इंडिया गेट

गांधी स्मारक

445

दस दिन दिल्ली में रहने के बाद डेविड और जॉन आगरा गये. आगरे में ताजमहल है. ताजमहल सफ़ेद संगमरमर (marble) का बना है. इसको बादशाह (emperor) शाहजहाँ ने अपनी बेगम (wife) मुमताज महल के लिये बनवाया है. डेविड और जॉन को यह बहुत अच्छा लगा. फिर दोनों वाराणसी गये. वाराणसी को बनारस और काशी भी कहते हैं. काशी विश्व (world) के सबसे पुराने (oldest) शहरों में से एक है. यह गंगा नदी के किनारे (bank) बसा (situated, rooted , inhabited) है. बनारस घूमने (tour) के बाद दोनों भारत के कई (several) दूसरे (other) शहरों में भी गये. वे हिमालय में स्थित (situated) एक छोटे देश नेपाल भी गये. दोनों की यात्रा (journey) बहुत सफ़ल (successful) और मनोरंजक (interesting) थी.

Answer the questions as needed:

a. Where did John and David go after New Delhi?   Mumbai / Agra
b. Taj Mahal is made of black marble.   T / F
c. Taj Mahal is made for Shah Jahan.   T / F
d. Varanasi is also known as Banaras or kaashii.   T / F
e. Did they go to Banaras?   Y / N
f. Kaashii is situated on the bank of river Ganges.   T / F
g. Nepal is a country in Himalayas.   T / F
h. John and David's travel to India was not interesting. T / F

लाल किला

446

३ - नीचे लिखे (under written) प्रश्नों के उत्तर दीजिये -

क - कौन भारत गया?   ख - नयी दिल्ली क्या है?

ग - कुतुबमीनार किसने बनवायी?   घ - लाल किला किस रंग के पत्थरों का बना है?

च - ताजमहल कहाँ है?   छ - ताजमहल किसके लिये बना है?

ज - इसे किसने बनवाया है?   झ - वाराणसी के क्या-क्या नाम हैं?

ट - काशी कहाँ बसा है?   ठ - नेपाल क्या है और यह कहाँ बसा है?

शब्द -

पिछला	अगला	गर्मी की छुट्टियाँ	राजधानी
last	next	summer vacation	capital

पहला	राष्ट्रपति भवन	भवन	सचिवालय
first	Presidential house	building	secretariat

सुल्तान	भारतीय	किला	इसीलिये	स्मारक
Sultan	Indian	fort	that is why	memorial

अनेक	संगमरमर	बेग़म	विश्व	गंगा नदी
several	marble	queen	world	River Ganges

किनारा	कई	बसा	शहर	स्थित
bank	several	situated, rooted, inhabited	city	situated

यात्रा	सफ़ल	मनोरंजक
journey	successful	interesting.

ताज महल	वाराणसी

प्राथमिक हिन्दी Elementary Hindi

R21 पढ़ना और समझना
भारत की राष्ट्रीय वेषभूषा

This passage describes the dresses the men and women wear in India. Names of common jewelry for ladies and men are included. This is a useful lesson to understand the difference among regional cultures in india.

भारत में आदमी कुरता-पजामा या धोती पहनते हैं. दक्षिण भारत में लुंगी और कमीज या बनियान पहनते हैं. लोग सिर पर टोपी या साफ़ा पहनते हैं. पंजाब में सरदार लोग पगड़ी बाँधते हैं. कुछ लोग शेरवानी भी पहनते हैं. अलग अलग धर्म या प्रदेशों के लोग अलग-अलग तरह के कपड़े पहनते हैं लेकिन कुरता-पजामा आदमियों के लिये राष्ट्रीय वेषभूषा है. लड़कियाँ सलवार-कमीज़, चोली-घाघरा या साड़ी पहनती हैं. साड़ी औरतों के लिये भारत की राष्ट्रीय वेषभूषा है.

Answer the questions as needed:

a. Kurtaa - pajaamaa, dhotii are dresses for ladies in India.   T / F

b. Men also wear cap or turban.   T / F

c. People of different religions and regions wear different kind of clothes, but pajama-kurta is the national dress for men in India.   T / F

d. What is the national dress for ladies in India?   Sari / Colii-Ghagharaa.

आदमी उंगली में अँगूठी, गले में चेन पहनते हैं और कलाई पर घड़ी लगाते हैं. लड़कियाँ माथे पर कुमकुम लगाती हैं. शादीशुदा औरतें माथे पर बिन्दी, गले में हार, कानों में झुमके, नाक में नथनी, बाँह पर बाजूबन्द, कलाइयों में चूड़ियाँ, कमर में कमरबन्द, पैरों में पायल और पैरों की उँगलियों में बिछुए पहनती हैं.

Answer the questions as needed:

a. Men do not wear chain or ring.   T / F

b. Married women wear lot more jewelry than unmarried women.   T / F

<u>शब्दावली:</u>

राष्ट्रीय	वेषभूषा	सिर	टोपी	साफ़ा	पगड़ी
national	attire / dress	head	cap	turban	turban

सरदार	शेरवानी		अलग-अलग	चोली घाघरा	उंगली
sikh person	a loose full length coat		separate	blouse-loose skirt	finger

अंगूठी	गला	कलाई घड़ी	कुमकुम		
ring	neck	wrist watch	saffron color used as dot on the forehead		

बिन्दी		नथनी	बाँह	बाजूबंद
a colored dot on the forehead		nose ring	hand	armlet/ arm band

चूड़ियाँ	कमर	कमरबंद	पायल	बिछुए	धर्म
bangles	waist	waist band	anklet	toe ring	religion

लुंगी - a 3-4 yard cloth wrapped around the waist and falling to the ankles

शादीशुदा	माथा	हार	झुमके	कलाई
married	forehead	garland (necklace)	earrings	wrist

साड़ी

सलवार कमीज

चनिया चोली

लहंगा

पजामा कुर्ता

धोती

कुर्ता

शेरवानी

451

लुंगी

साफ़ा - पगड़ी

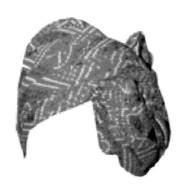 

452

मांग टीका

बिंदी

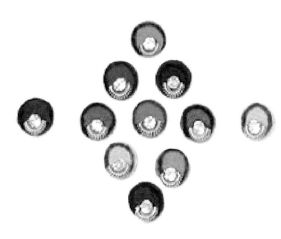

हार

अंगूठी

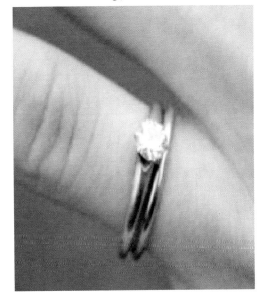

प्राथमिक हिन्दी Elementary Hindi

बाली

नथ

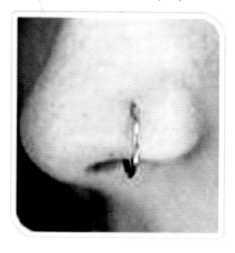

चूड़ियां

कंगन

पाजेब

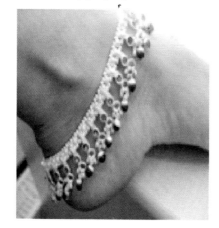

बिछुए

454

R22 पढ़ना और समझना भाग २२

सोने की मुर्गी

एक सुनहरे रंग की मुर्गी थी. वह रोज एक सोने का अंडा देती थी. उसे सब सोने की मुर्गी कहते थे. अंडों को बेचकर मुर्गी का मालिक बहुत अमीर हो गया था.

एक दिन मुर्गी के मालिक के मन में लालच आ गया. उसने सोचा - यह मुर्गी रोज सोने का अंडा देती है. इसके पेट में बहुत सारे अंडे होंगे. सोने के सब अंडे मुर्गी के पेट से एक ही बार में क्यों नहीं निकाल लिये जायं?

यह सोच कर मालिक ने मुर्गी का पेट चीर डाला. पर हाय, वहाँ तो एक भी अंडा नहीं था.

मुर्गी का मालिक बहुत पछताया. लालच बुरी बला है.

शब्दः

सुनहरी मुर्गी golden hen	सोने का अंडा golden egg	मालिक owner	अमीर rich	लालच आना to become greedy
लालच आ जाना to get greedy	सोचना to think	अंडा देना to lay egg	बहुत सारे a lot	निकाल लिये जायं may be taken out
चीर डालना to cut open	हाय alas	पछताया to regret	लालच बुरी बला greed is an evil	क्यों नहीं why not

Exercise: 1 Use each vocabulary word in a sentence of your own.

Exercise: 2 Answer the questions in Hindi.

१. मुर्गी का रंग कैसा था?   What kind of color did the hen have?

     a. brown   b. white   c. golden

२. मुर्गी की स्पेशल बात क्या थी?   What was the special feature of the hen?

     a. It used to lay an egg every day.
     b. It used to lay 2 eggs every day
     c. It used to lay a golden egg each day.

३. मालिक ने उसको क्यों मार डाला?   Why did the owner kill the hen?

     a. He did not want any more eggs.
     b. He was not able to feed the hen.
     c. He wanted all the golden eggs at once.

४. मारने के बाद क्या हुआ?   What happened after the killing ?

     a. He did not find any eggs.
     b. He found lots of eggs.
     c. He found lots of ordinary eggs.

५. मारने के बाद मालिक ने क्या सोचा?   What did the owner think after the killing?

     Greed is evil.   T / F

प्राथमिक हिन्दी Elementary Hindi

(namaste jii)

R23 पढ़ना और समझना भाग - २३
पाठक जी का परिवार

Following three passages are about Mr. Pathak's family, his wife's family, and their relatives.

१. पाठक जी का बड़ा लड़का रमेश कॉलेज में पढ़ता है. उसके कॉलेज का नाम ह्यूस्टन कम्यूनिटि कॉलेज है. रमेश एम.ए. में है और उसकी छोटी बहिन रमा उसी कॉलेज (same college) में बी.एस. की छात्रा है. रमा के चचेरे (cousins) भाई-बहिन अभी छोटे हैं और बेलेअर हाइ स्कूल में पढ़ते हैं. पाठक जी की छोटी बहिन शीला डैलेस में, और बड़े भाई रमाकांत ओकलाहोमा में रहते हैं. ये दोनों रमेश-रमा के ताऊ और बूआ हैं. रमेश की माता जी का नाम सरोज है और उनकी दो बहिनें और एक भाई भारत में रहते हैं. वे रमेश- रमा के मौसी और मामा हैं.

Answer as needed or in Hindi:

a. Rama is a student in University of Houston.   T / F.

b. Rama's cousins are older than her.   T / F.

c. Mr. Pathak's sister Sheela lives in Oklahoma.   T / F

o. What is the name of Ramesh's mother?   Write in Hindi:

f. Ramesh's mother has 2 sisters and 3 brothers.   T / F

g. Words ताऊ, बूआ, मौसी, मामा का इंग्लिश में मीनिंग क्या है?

ताऊ   बूआ   .मौसी   मामा

Meaning:

प्राथमिक हिन्दी Elementary Hindi

२. पाठक जी डॉक्टर हैं और सरोज जी शिक्षक. शीला नर्स हैं और उनके पति अशोक इंजिनियर हैं. रमाकांत जी वैज्ञानिक यानि साइंटिस्ट हैं और उनकी पत्नी राधा जी एकाउंटेन्ट हैं. वे एक बैंक में काम करती हैं. रमेश के मामा जी खेती (farming) करते हैं और भारत के एक गाँव (village) में रहते हैं. रमेश की दोनों मौसियाँ कुछ नहीं करती हैं पर उन दोनों के पति व्यापार करते हैं.

Answer as needed or in Hindi:

a. What is Ms. Sheela's profession?   a. Teacher   b. Nurse   c. Doctor

b. What is the name of Sheela's husband and what does he do?

Part 1   a. Ramesh   b. Ashok   c. Ramakant.

Part 2   a. Accountant   b. Scientist   c. Engineer.

c. Mr. Ramakant's wife is Radha. What does she do?
        a. Nurse   b. Teacher   c. Accountant

d. Ramesh's maternal uncle is a farmer and he lives in .....

        a. a village in India   b. a village in USA   c. Houston

e. Ramesh's mother has 2 sisters and they ....?

        a. are farmers   b. do business   c. do nothing.

३. रमेश और रमा अक्सर (often) भारत जाते हैं. उनको भारत के गाँव, और गाँव के सीधे लोग (simple people) बहुत पसंद हैं. हरे खेत (farm), ताजे फल और सब्जियाँ, पालतू जानवर (pet animals) जैसे गाय, भैंस, बकरी आदि (etc) देखकर वे बहुत खुश होते हैं. अपने कज़िन्स के साथ कबड्डी खेलने और नहर (canal) में नहाने में भी उनको बहुत मजा आता है. होली के समय रंग खेलना तो उनको सबसे ज्यादा पसंद है.

Answer as needed or in Hindi:

a. Ramesh and Rama like simple villagers of India.　　　T / F

b. What gives them great pleasure in the Indian villages?

　　a. Seeing green farms and eating fresh fruits

　　b. Seeing pet animal like Cow and Goats

　　c. Playing Kabaddii and swimming in the canal with their cousins.

　　d. Playing with colors in Holi.

　　e. All of the above

क्या आप अपनी छुट्टियों में कहीं जाते हैं? आपको क्या करना सबसे पसंद है? एक लेख लिखकर हमें भी बताइये. (Do you go anywhere in vacation? What do you like most to do? Please write an essay and tell us.)

Note: Holi is India's second most celebrated festival. This festival of colors is celebrated in the month of February or March according to Lunar calendar.. Learn more about it from your teacher or go on internet and find out.

R24   पढ़ना और समझना भाग - २४

समय (Time)

क्या समय है?   अभी सात - सेवेन बजे हैं.

अभी क्या बजा है? अभी दो बजे हैं.

कितने बजे हैं? एक बजा है.

क्या आपके पास समय है? जी हाँ - तीन बजने में दस मिनट 2:50 हैं

भाई साहब आपके पास घड़ी है? ग्यारह बजकर बीस मिनट 11:20 हैं.

तुम कब आओगे? मैं कल सुबह साढ़े सात 7:30 बजे आऊँगा.

वह कब गयी? शाम को पौने पाँच 4:45 बजे गयी.

गाड़ी किस वक्त आयेगी? एक बजकर पच्चीस 1:25 पर आयेगी.

रेडियो पर समाचार कब आते हैं? - सुबह आठ बजे, दोपहर को बारह बजे, शाम को सवा पाँच 5:15 बजे और रात को नौ बज आते हैं.

- आप पैसे लेने के लिये कल आइये.
- बाबू जी मैं कल भी आया था.
- हाँ मैं कल बाहर गया था.
- मैं कल नहीं आ सकता हूँ.
- ठीक है, परसों बुधवार है और बैंक बन्द है इसलिये आप या तो गुरूवार को आइये या शुक्रवार को बारह बजे तक आइये. बैंक शनिवार और रविवार को बन्द रहता है.
- सोमवार को कितने बजे खुलता है?
- नौ बजे.

आज क्या तारीख है? - जी आज 22 जनवरी 1999 है.

हरीकेन एलीशिया कब आया था? - तूफ़ान शायद मई या जून 1988 में आया था. वह साल बहुत खराब था. उस समय मैं ह्यूस्टन में था. सन् 1985 में भी मौसम बहुत खराब हुआ था. उस साल जाड़ा भी बहुत पड़ा था.

मैं 1984 में अप्रैल की 24 तारीख को अमेरिका आया था. अब सन् 2000 आने वाला है. पूरे विश्व में उसके स्वागत की तैय्यारियाँ हो रही हैं. हम दिसंबर 1999 की सोलह तारीख को कुछ दिनों के लिये भारत जायेंगे और भारत में 10 दिन रहने के बाद करीब 28 दिसंबर को योरोप जायेंगे. हम नववर्ष 2000 योरोप में मनायेंगे. हम करीब एक हफ़्ता स्पेन और 2-3 दिन जर्मनी में रह कर वापस ह्यूस्टन आयेंगे.

मैं भी पिछले साल हवाई गया था. इस साल हम ग्रैंड कैनियन देखने जायेंगे और अगले वर्ष एक महीने के लिये भारत और दो हफ़्तों के लिये स्वीडेन जायेंगे फिर वहाँ से 4-5 दिन इंग्लैंड में घूम कर वापस आयेंगे.

- ह्यूस्टन में बारिश (rain) कब होती है?
- अक्टूबर और नवंबर में खूब पानी बरसता (lot of rain) है और जून-जुलाई के महीनों में बहुत गरमी (summer, heat) पड़ती है. दिसंबर से फरवरी तक जाड़ा (winter, cold) होता है.
- क्या ह्यूस्टन में कभी बरफ़ (snow, ice) भी पड़ता है?
- हाँ कभी-कभी पड़ता है. यहाँ आँधी-तूफ़ान (wind storm, storm) भी आते हैं और साल में तीन चार बार ओले (hale) भी गिरते हैं. बादल (clouds) अक्सर छाये (cloud cover) रहते हैं परन्तु ज़्यादातर मौसम (weather) साफ़ (clear) और सुहावना (pleasant) रहता है.

दीपावली किस दिन है?
इस साल बुधवार सात नवंबर को है. पिछले साल सत्ताइस अक्टूबर को थी.
कौन सा दिन था?
शायद शुक्रवार था. पहले मैं दीवाली पर खूब पटाखे (fire crackers) छोड़ता था पर बाद में केवल दीपक (earthen lamps) जलाने लगा.

461

R25

पढ़ना और समझना भाग – २५
क्या होता था

१. यह एक पुरानी कहानी है. मेरी नानी जी हम को सुनाती थीं. एक जंगल में एक शेर रहता था. वह जंगल का राजा था. वह रोज जंगल के जानवरों को मारता था और खाता था. सब जानवर बहुत दुखी थे.

Answer as needed or in Hindi:

a. This is an old story that my mother used to tell me.   T / F

b. A horse was the king of the Jungle.   T / F

c. The lion some times used to kill and eat jungle animals.   T / F

d. All the jungle animals were very sad.   T / F

२. हम गर्मी की छुट्टियों में छत पर सोते थे. चाँद - तारे देखते थे. रात में लुका-छिपी -हाइड एन्ड सीक- खेलते थे. सब बच्चे दूध - जलेबियाँ और आइसक्रीम खाते थे. मुझको जलेबियाँ बहुत पसंद थीं लेकिन अब नहीं पसन्द हैं. उन दिनों हम बहुत मज़ा करते थे. वे दिन बहुत अच्छे थे. बहिनें छुट्टियों में नाचना सीखती थीं और हम गाना और वाद्य (सितार, वायलिन या गिटार) बजाना सीखते थे.

Answer as needed or in Hindi:

a. We used to sleep on the roof top during summer vacation in India.   T / F

b. We used to watch 1….   2…….   at night.

c. We used to eat milk- jalebi and ……   .

d. Those were the best days.   T / F

e. My sisters used to learn guitar and violin.

एक समय एक राजा था. राजा और रानी की सात बेटियाँ और एक बेटा था. राजकुमारियाँ बहुत सुन्दर थीं. राजकुमार और राजा जंगल जाते थे. वे शिकार करते थे. वे सूअर, हिरन और शेर मारते थे. राजा का महल बहुत बड़ा था. उस में बहुत लोग काम करते थे.

Answer as needed or in Hindi:

a. How many sons and daughters did the king have?   Daughters: Sons:

b. They used to go to jungle to play soccer.   T / F

c. The King and the prince used to kill   1.   2.   3.

d. Lot of people used to work at this place. Name the place:

R25 शब्दावली:

पुराना	कहानी	सुनाना	जंगल	शेर	जानवर	मारना
old	story	to tell	forest	lion	animal	to kill

दुखी	गर्मी	छुट्टी	छत	सोना	चाँद	तारा
sad / unhappy	summer	holiday	roof	to sleep	moon	star

लुका - छिपी	उन दिनों	मज़ा करना	नाचना	सीखना
hide & seek	those days	to have fun	to dance	to learn

गाना	वाद्य	बजाना	एक समय	शिकार करना
to sing	musical instrument	to play	once upon a time	to hunt

हिरन	महल	काम करना	सूअर
deer	palace	to work	pig

प्राथमिक हिन्दी Elementary Hindi

R26 Simple Past पढ़ना और समझना भाग - २६

१. आज इतवार था इसलिये स्कूल में छुट्टी थी. बाजार भी बन्द था और पानी बरस रहा था इसलिये मैं टेनिस खेलने भी नहीं जा सका. हम सब घर पर ही रहे और पूरे दिन ताश (playing cards) खेलते रहे. मेरी पत्नी ने दिन में कई बार चाय और पकौड़े बनाये.

Answer as needed or in Hindi:

a. There are two words for Sunday in Hindi. a. इतवार b. ?

b. Market was closed and it was .... too; therefore, I could not go to play ....

c. We stayed home and kept playing cards the entire ....

d. My wife made tea and pakoRaas - - during the day.

२. आज मेरे दोस्त देर से आये क्यों कि उनको बस नहीं मिली और उनको पैदल ही आना पड़ा. वे मेरी दवा (medicine) भी नहीं ला सके. उन्होंने सब दुकानों पर देखा पर वह कहीं नहीं मिली. कल दुबारा (second time) देखेंगे.

Answer as needed or in Hindi:

a. Today my friend came late because he could not catch the - .

b. He had to come on - .

c. He could not bring my - .

d. He - in all the stores - it was not available.

३. जेसिन आज सुबह सात बजे घर से निकला और 7:30 बजे कॉलेज पहुँचा. चार घंटे पढ़ कर लाइब्रेरी गया और पाँच बजे घर वापस लौटा. आज संगीत महाविद्यालय में उसने पंडित जसराज को भी सुना. खेल के मैदान में आज कोई खेल नहीं हुआ. बारिश होने के कारण हॉकी और वॉलीबॉल दोनों के खेल स्थगित यानि पोस्टपोन हो गये. इसके अलावा कॉलेज में और कुछ नहीं हुआ.

Fill in the blanks:

a. Jason came out of his house at   - in the morning and reached college at

    -    . He studied for -   hours and went to   -   . He came

back home at   -   . He also   -   to Pandit Jasraj at the Music

college. There was no   -   in the sports field. Due to the   -   ,

hockey and volleyball games were postponed. Other than that, nothing else

happened in the college.

४. मैं आपकी पार्टी में आना तो चाहता था पर नहीं आ सका. पानी बरस रहा था, मौसम भी बहुत खराब था. मैं ने सोचा कि टैक्सी से चलूँ पर वह भी नहीं मिली.
- पार्टी कैसी हुई? क्या लोग आये?
- पार्टी तो अच्छी थी पर बहुत लोग नहीं आये. कोई मौसम खराब होने के कारण (reason) नहीं आया, कोई बीमार (sick) था. कई लोग बहुत थोड़े समय (short time) के लिये आये.

4. Answer as needed or in Hindi:

a. I could not come to your party for three reasons. Can you tell what those three reasons are?

    a.   b.   c.

b. Did lot of people come to the party?   Y / N

c. Some people came for a short time.   T / F

५.   घर में मेहमान (guests) आने के कारण मैं दो दिन स्कूल नहीं जा सका, क्या तुम मुझको बता सकते हो कि इन दो दिनों में स्कूल में क्या हुआ?

– हिन्दी के शिक्षक बीमारी (sickness) के कारण नहीं आये, हिस्ट्री में परीक्षा हुई. मैथ और अँग्रेज़ी के नोट्स मेरे पास हैं तुम ले सकते हो .

– तुम्हारा बहुत धन्यवाद.

Fill in the blanks:

a. I could not go to school because of - at home.

b. Can you tell me what - in the school in these two days?

c. Hindi teacher did not come to school because he was - .

d. There was a - in History.

e. I have the notes of - and - . You can take them.

प्राथमिक हिन्दी Elementary Hindi

R27   पढ़ना और समझना भाग - २७
कर - कर के - के बाद

- राम लाल झाड़ू लगाने के बाद (after sweeping) कार धोना (wash) और उसको अंदर से (from inside) साफ करना (clean) .

Question: What are the three things Ramu has to do .
     1.   2.   3.

- सब काम (work) करने के बाद बाजार जाना और घर के लिये खाने की चीज़ें (things for eating - grocery) लाना.

Fill in the blank: Ramu has been instructed to go to   -   and bring   -.

- चंपा बर्तन धोकर (after doing dishes) खाना बनायेगी और उस के बाद चौका (kitchen) और घर साफ करेगी.

Question: Campaa will do three things and these are:

         a.   b.   c.

- मैं पहले (first) हिन्दी पढता हूँ उसके बाद गणित के सवाल हल करता हूँ. मैथ के प्रश्न सॉल्व कर के खाना खाता हूँ.

Fill in the blank: I first - Hindi then solve   - questions, after that I   -.

- वह उठ कर (after getting up) घर से बाहर आया और मेरे साथ बातचीत की.

Fill in the blank: He came out of his house and   -   with me.

प्राथमिक हिन्दी Elementary Hindi

- आये हो तो (since you are here) चाय पी कर जाओ. मेरी किताब ले कर पढ़ो और पढ़ कर तीन दिनों में वापस ला (bring back)कर मुझको दो.

Fill in the blank: Since you are already here, have a cup of - before leaving.

- अब तुम घर जाओ और जा कर पढ़ो फिर खाना खाने के बाद जल्दी (early) सो जाओ (go to sleep). कल समय पर आकर परीक्षा लो.

Fill in the blank: Now you go   -   and   -   and then go to   -   early after eating. come on time   -   and   -   the test.

- बाजार जा कर आलू, टमाटर, प्याज लाने के बाद, सब्जी-पूड़ी बना कर मुझको खिलाओ.

Fill in the blank: After going to market and After bringing   -   ,   -   and   -   , make Poories (bread) and sabjii (cooked vegetables) and feed me (serve me).

- मुझको देख कर वह दौड़ कर आयी और मेरी गोद में बैठ कर सेब खाने लगी और मुझसे पूछा - पापा, आप इतनी देर से (so late) घर क्यों आये.

Fill in the blank: She came to me   -   after seeing me and sat down on my lap and   -   to eat an apple then said " Daddy why did you   - home so late?

- प्रदीप सात बजे सोकर उठता है, दाँत साफ कर के नाश्ता करता है (eat snacks) और उसके बाद पढ़ता है. नौ बजे स्कूल जाता है और चार बजे घर वापस आकर (after coming back) टेनिस खेलता है.

Please answer the questions in English:

a. What time does Pradeep get up?

b. What does he do after that?

c. What time does he go to school?

d. What does he come back home?

d. What time does he play tennis?

घर का काम करने के बाद, मैं मैदान (field) में जाकर हॉकी खेलता था. अब सोचता (now I think) हूँ कि भारत जाकर संस्कृत सीखूँगा और उसके बाद अमेरिका आ कर अमेरिकन छात्रों के लिये एक अच्छी किताब लिखूँगा.

Please answer as needed:

a. After finishing the home work, I used to play Tennis.   T / f

b. Now I think I will learn English after going to India.   T / F

c. After that I will write a good Sanskrit book for American students.
                                                               T / F

R28

पढ़ना और समझना भाग - २८
दिशायें - आगे - पीछे - दाहिने - बायें

मैं चौक में रहता हूँ. चौक में मेरा घर एक बड़ी इमारत की तीसरी मंजिल पर है. मेरे घर के नीचे जॉन रहता है और ऊपर राधा का घर है. घर के सामने बगीचा है और बायीं तरफ मंदिर है. घर के दाहिने हाथ पर चाय की दुकान है. घर के चारों ओर दूसरे मकान भी हैं. सड़क पर दोनों ओर पेड़ हैं. मैदान में सब जगह हरी घास लगी हैं. मैदान के बीच में एक वॉटर फ़ाउन्टेन भी है और उसके तीन तरफ फूल लगे हैं और चौथी तरफ बैठने के लिये बेन्च लगी है. मेरे घर के अगल-बगल के मकानों में भी लोग रहते हैं.

Answer these Questions in English:

a. At which floor of the big building do I live?

b. Where do John and Radha live?

c. Where is the garden?

d. At what side of the building is the Temple?

e. What is on the right side of my home?

f. Are there other homes around the house too?

g. Where are the trees?

h. What is the color of the grass?

i. Where is the water fountain in the field.

j. There are flowers all around the fountain. T / F

28 शब्दावली:

दाहिने हाथ पर - बायें हाथ पर
on the right hand - on the left hand

दाहिनी तरफ़ - बायीं तरफ़
दाहिनी ओर - बायीं ओर
right side - left side

उस ओर - इस ओर
उस तरफ़ - इस तरफ़
उधर - इधर
that way - this way

आगे	पीछे	बीच में	दोनों ओर - दोनों तरफ
front	back	in middle	on both sides

तीनों ओर - तीनों तरफ
on all three sides

चारों ओर - चारों तरफ
on all four sides

सब जगह
everywhere

अगल - बगल
by the sides.

R29 प्रश्न और उत्तर <u>Use of 'Where'</u> कहाँ

Question:

Answer:

you where are?
१ - आप कहाँ हैं?
aap kahaan hain?

I here am.
मैं यहाँ हूँ!
main yahaan hoon.

you where live are
२ - आप कहाँ रहते हैं?
aap kahaan rahate hain

I Houston in live am
मैं ह्यूस्टन में रहता हूँ
main hyoosTan men rahataa hoon

३ - आपका घर कहाँ है?

मेरा घर भारत में है!

४ - जॉन कहाँ है?

जॉन घर पर है!

५ - आप कहाँ से हैं?

मैं अमेरिका से हूँ

६ - मेरी चाबी कहाँ है?

आपकी चाबी मेज पर है!

७ - केस फाइल कहाँ है?

केस फाइल अलमारी में है!

८ - सब लोग कहाँ हैं?

सब लोग कक्षा में है!

९ - हिन्दी कक्षा कहाँ है?

हिन्दी कक्षा बेलेअर हाइस्कूल में है!

१० - इंडिया कहाँ है?

भारत एशिया में है!

११ - ह्यूस्टन कहाँ है?

ह्यूस्टन अमेरिका में है!

१२ - बाथरूम कहाँ है?

पाखाना वहाँ है!

१३ - आप अमेरिका में कहाँ रहते हैं?

अमेरिका में"मैं ऑस्टीन में रहता हूँ!

१४ - किताब कहाँ है?

किताब मेरी मेज पर है!

१५ - नीना कहाँ जा रही है?

नीना स्कूल जा रही है!

१६ - यह बस कहाँ जा रही है?

यह बस बनारस जा रही है!

१७ - दिल्ली जाने वाला जहाज कहाँ से जायेगा?

गेट नंबर चार से जायेगा!

१८ - बनारस वाली गाड़ी# कहाँ पर आयेगी?

दो नंबर प्लेटफॉर्म पर आयेगी!

१९ - कहाँ जाना है साहब?

लाल किला जाना है!

२० - जेन कहाँ से आयी है?

जेन इंगलेन्ड से आयी है!

472

Use of क्या 'What'

Question:	Answer:
this what is?	this chair is.
१. यह क्या है?	यह कुरसी है.
yah kyaa hai	yah kurasii hai
२. वह क्या है?	वह दरवाज़ा है.
३. आप क्या हैं?	मैं छात्र हूँ
४ - आपका नाम क्या है?	मेरा नाम अरुण है.
५. उसका नाम क्या है?	उसका नाम अनीता है.
६. इसका नाम क्या है?	इसका नाम जॉश है.
७. ह्यूस्टन क्या है?	ह्यूस्टन शहर है.
८. श्री प्रकाश क्या हैं?	श्री प्रकाश शिक्षक है.
९. अमेरिका की राजधानी का नाम क्या है?	वॉशिंगटन डीसी है.
१०. आम क्या है?	आम फल है.
११. बुक की हिन्दी क्या है?	बुक की हिन्दी किताब है.
१२. सब्ज़ी की अँग्रेज़ी क्या है?	सब्ज़ी की अँग्रेज़ी वेजिटेबल है.
१३. ताजमहल क्या है?	ताजमहल इमारत है.
१४. हिमालय क्या है?	हिमालय पहाड़ है.
१५. तुम क्या हो?	मैं छात्रा हूँ
१६. मैं क्या हूँ?	आप शिक्षक है.
१७. यहाँ क्या है?	यहाँ लाइब्रेरी है.
१८. क्या था?	बिल्ली थी.
१९. क्या हो रहा था?	बातचीत हो रही थी.
२०. क्या हो रहा है?	कुछ नहीं हो रहा है.
२१. क्या होगा?	मुझको मालूम नहीं.
२२. आप क्या करते हैं?	मैं इन्जिनियर हूँ
२३. यहाँ क्या होता है?	यहाँ हिन्दी पढ़ते हैं.
२४. तुम क्या करते हो?	मैं हिन्दी पढ़ता हूँ.
२५. वहाँ क्या हो रहा है?	वहाँ फ़िल्म दिखा रहे है.
२६ - भारत की राजधानी क्या है?	नई दिल्ली है.

Use of 'When' कब

Question:

you when since here are
१ - आप कब से यहाँ हैं?
aap kab se yahhan hain

२ - जेसिन कब ऑफिस जाता है?
३ - केट कब घर जाती है?

४ - आप कब से काम शुरू कर रहे हैं?
५ - वह कब आयेगी?

६ - आप कब आयेंगे?
७ - आप कब खाना खायेंगे?

८ - ट्रेन कब आयेगी?
९ - प्लेन कब जायेगा?

१० - मैं कब आ सकता हूँ?
११ - गेम कब होगा?

१२ - तुम कब से सो रही हो?
१३ - वह कब गया?

१४ - मुझको कब जाना होगा?
१५ - तुम कब आये?

१६ - दिल्लीवाली ट्रेन कब जायेगी?

Answer:

I morning from here am
मैं सुबह से यहाँ हूँ!
main subah se yahaan hoon

जेसिन दोपहर को ऑफिस जाता है!
केट शाम को घर जाती है!

मैं कल से काम शुरू कर रहा हूँ!
वह कल आयेगी!

मैं परसों आऊँगा!
मैं दस बजे खाना खाऊँगा!

रेलगाडी रात में आयेगी!
हवाई जहाज शाम को जायेगा!

आप कल आइये!
खेल शाम को होगा!

मैं रात से सो रही हूँ
वह कल गया!

आपको अभी जाना होगा!
मैं परसों आया!

दिल्लीवाली ट्रेन दस बजे जायेगी!

नमस्ते जी
(namaste jii)

Use of 'Who' कौन

Question:	Answer:

who   is
१ - कौन है?

i   am,   Arun
मैं   हूँ" अरुण

there who is
२ - तहाँ कौन है?

there Ami is
बहाँ आगि है!

३ - आप कौन हैं?

मैं अरुण हूँ!

४ - यहाँ कौन है?

यहाँ किशन है!

५ - यह कौन है?

यह टीना है!

Normal Order of English sentences -

Who is that man?
६ - वह आदमी कौन है?

That man is newspaper man.
वह आदमी अखबार वाला है!

Who is this girl ?
७ - यह लडकी कौन है?

This girl is Gloria.
यह लडकी ग्लोरिया है!

Who is coming ?
८ - कौन आ रहा है?

Father is coming.
पिता जी आ रहे हैं!

Who are those people?
९ - वे लोग कौन हैं?

Those people are pilgrims.
वे लोग यात्री हैं!

Who is speaking?
१० - आप कौन बोल रहे हैं?

I am Asharaf speaking.
मैं अशरफ बोल रहा हूँ!

Who is going to Mumbai?
११ - मुम्बई कौन जा रहा है?

Mother is going.
माता जी जा रही हैं!

who is the president of America ?
१२ - अमेरिका का प्रेसिडेन्ट कौन है?

Mr. Bill Clinton is the president of America.
अमेरिका के राष्ट्रपति बिल क्लिंटंन हैं!

who is that tallest man?
१२ जह सजसे ऌजा आद्मी पौन है!

that tallest man is Lincon.
यह सबसे लंबा आद्मी लिंकन है!

who is the Hindi teacher ?
१४ - हिन्दी का शिक्षक कौन है?

Mr. Prakash is the Hindi teacher.
हिन्दी के शिक्षक प्रकाश जी हैं!

who is the principal of Bellaire high school?
१५ - बेलेअर हाइस्कूल का प्रिंसपल कौन है?

Mr. Bill Lawson is.
बिल लॉसन हैं!

who is the best Hindi student?
१६ - हिन्दी का सबसे अच्छा छात्र कौन है?

Sachin is the best Hindi student.
हिन्दी का सबसे अच्छा छात्र सचिन है!

who is that girl in red clothes?
१७ - वह लाल कपडे वाली लडकी कौन है?

that girl in red clothes is Veronica.
वह लाल कपडे वाली लडकी वेरोनिका है!

475

प्राथमिक हिन्दी Elementary Hindi

WHAT DO YOU DO?

आप क्या करते हैं?

तुम क्या करते हो?

मैं कॉलेज में पढता हूँ!
मैं बैंक में काम करता हूँ!
मैं घर में टीवी देखता हूँ!
मैं गिटार बजाता- टु प्ले- हूँ!

मैं मोटर मेकैनिक हूँ!
मैं स्टॉक ब्रोकर हूँ!
मैं साइन्टिस्ट हूँ!
मैं मैथ पढाता हूँ!

मैं वेटर हूँ!
मैं जूते बनाता हूँ!
बनाना - टु रिपेअर
आप क्या करते थे?
तुम क्या करते थे?
मैं बटरफ्लाइ पकडता था!
पकडना - टु कैच
मैं आइसक्रीम खाता था!
मैं बोट चलाता था!
मैं स्टोरी बुक पढता था!

आप क्या करती हैं?

तुम क्या करती हो?

मैं स्कूल में पढती हूँ!
मैं ऑफिस में काम करती हूँ!
मैं क्लासिकल डांस करती हूँ!
मैं वोकल म्यूजिक सीखती हूँ!

मैं राइटर हूँ और स्टोरी लिखती हूँ!
मैं कोरपोरेट कन्सल्टेन्ट हूँ!
मैं एकाउन्टेन्ट हूँ!
मैं फिजिक्स की प्रोफेसर हूँ!

मैं हाउस कीपर हूँ!
मैं सिलाई - टु सो - करती हूँ!
सिलाई करना - टु सो
आप क्या करती थीं?
तुम क्या करती थी?
मैं खेलती थी!

मैं हिन्दी सीखती थी!
मैं स्वीमिंग करती थी!
मैं ड्राइविंग सीखती थी!

पढ़ना और समझना — What are you doing

आप क्या कर रहे हैं?
वह क्या कर रहा है?

तुम क्या कर रहे हो?
मैं खाना बना रहा हूँ.

वह काइट फ्लाइ कर रहा है.
हम स्की करने जा रहे हैं.
मैं चाँद -मून- तारे - स्टार्स- देख रहा हूँ.
वह क्लास में सो रहा है.

वह सूरज -सन- देख रहा है.
आप क्या कर रहे थे?
आप मुझको परेशान कर रहे थे.
वह क्या कर रहा था?

हम स्कूल जा रहे थे.
वह कंप्यूटर पर टाइप कर रहा था.
हम चैट कर रहे थे.
वी वेअर प्लेइंग ब्रिज.

हम भूखे को खाना खिला रहे थे -
हम चेस खेल रहे थे
वे घर में लड़ रहे थे.
हम गार्डेन में मजा कर रहे थे.

आप क्या कर रही हैं?
वह क्या कर रही है?

तुम क्या कर रही हो?
मैं लेटर लिख रही हूँ.
मैं चाय पी रही हूँ.
मैं एअरपोर्ट जा रही हूँ.

मैं बात कर रही हूँ.
वह डेज़, वीक्स और मंथ काउन्ट कर रही हैं.

वह पेड़- ट्री- लगा रही -प्लांटिग- है.
आप क्या कर रही थीं?
यू वेअर बॉदरिंग मी.
वह क्या कर रही थी?

मैं हिन्दी किताब पढ़ रही थी.
मैं इंटरनेट ब्राउज़ कर रही थी.
मैं ई-मेल पढ़ रही थी.

वी वेअर फ़ीडिंग द हंग्री.

दे वेअर फ़ाइटिंग इन द होम
वी वेअर हेविंग फ़न इन द गार्डेन

पढ़ना और समझना

आप कल क्या करेंगे?
तुम कल क्या करोगे?

आप कल क्या करेंगी?
तुम कल क्या करोगी?

मैं पियानो बजाऊँगा.
मैं हिन्दी टेस्ट लूँगा.

मैं लडंन में घूमूँगी.
मै उस को अपनी किताब दूँगी.

मैं कार वॉश करूँगा.
मैं कल सुबह स्कूल में खाना खाऊँगा.
मैं कल टेनिस देखूँगा
मैं कल स्कूल नहीं आऊँगा.
मैं लाल कनवर्टिबल पोर्श खरीदूँगा.

मैं हिन्दी में लेक्चर दूँगी.
मैं कल एक्सरसाइज़ करूँगी
मैं कल रात में चिकेन करी बनाऊँगी
मैं कल डॉक्टर के पास जाऊँगी
मैं साड़ी पहनूँगी

मैं मार्ल में मूवी देखूँगा.
मैं घर में रहूँगी और कुछ नहीं करूँगी.
मैं उस लड़की के साथ हिन्दी में बातचीत करूँगा.

वह क्या करेगा?
वह मेरे साथ खाना खायेगा.

वह क्या करेगी?
वह क्लास में सोयेगी.

वह नदी -रिवर- में नाव -बोट- चलायेगा.
वह हमारे साथ बातचीत करेगा.
वह मेरे साथ बाजार में शॉपिंग करेगा.
वह चार बजे घर जायेगा.

वह तैरेगी - विल स्विम.
वह टीवी पर शो देखेगी.
वह घड़ी - वॉच - में समय देखेगी
वह सवा दस बजे कक्षा में आयेगी.

वह मेरे घर में टेनिस खेलेगा.
वह कपड़े धोयेगी.
वह पेड़ से आम तोड़ेगा. तोड़ना - टु प्लक
वह पहाड़ पर चढ़ेगी - शी विल डू माउन्टेन क्लाइमबिंग - हाइकिंग.

What do you want?   चाहिये

आपको क्या चाहिये?   मुझको टेस्ट में 100 चाहिये.

मुझको एक कप चाहिये.

मुझको होटल में अच्छा कमरा चाहिये.

मुझको नान, साग पनीर और तंदूरी चिकेन चाहिये.

मुझको बिग मैक मील और कोक चाहिये.

मुझको ऑस्टीन के लिये फ़र्स्ट क्लास टिकट चाहिये.

मुझको आपका फ़ोन नंबर और पता -एड्रेस- चाहिये.

मुझको आपसे कुछ नहीं चाहिये.

मुझको आपका प्यार चाहिये.

मुझको हिन्दी की किताब चाहिये.

मुझको लॉटरी टिकट चाहिये.

चाहना

आप क्या चाहते हैं?   आप क्या चाहती है.

तुम क्या चाहते हो?   तुम क्या चाहती हो?

मैं आप से बात करना चाहता हूँ.   मैं घर जाना चाहती हूँ.

मैं कार चलाना चाहता हूँ.   मैं पियानो बजाना चाहती हूँ.

मैं आराम -रेस्ट - करना चाहता हूँ.   आइ वॉन्ट टु सिट क्वायटली फ़ॉर सम टाइम.

मैं हिन्दी सीखना चाहता हूँ.   मैं मैथ प्राब्लम करना चाहती हूँ.

मैं कुछ समय के लिये आराम करना चाहता हूँ.   आइ वॉन्ट टु रेस्ट फ़ॉर सम टाइम.

मैं कुछ देर के लिये चुप बैठना चाहती हूँ.   मैं रेस्ट रूम जाना चाहती हूँ.

मैं टेनिस का खेल देखना चाहती हूँ.   मैं आपको पढ़ाना -टीच- करना चाहता हूँ.

मैं आपकी राय - एडवाइस- लेना चाहता हूँ.

मैं इस काम के लिये -फ़ॉर दिस वर्क- कुछ समय चाहता हूँ.

What did you do?

आप ने कल क्या किया?

मैं चार बजे घर गया और सोया.

मैं फ़ील्ड में दो मील दौड़ा.

मैं गैलवेस्टन में तैरा.

मैं ओलम्पिक के लॉंगजम्प में कूदा.

मैं एअरपोर्ट देर से -लेट- पहुँचा.

मैं न्यू यॉर्क में एक वीक रहा.

मैं कल कक्षा में कुछ नहीं बोली.

मैं ऑस्टीन से ह्युस्टन बस से आया.

मैं ने हिन्दी सीखी.

मैं ने बेसबॉल के टिकट खरीदे.

मैं ने शॉपिंग की.

मैं ने साइकिल चलाई

तुम ने कल क्या किया?

मैं ने कुछ नहीं किया.

मैं ने खाना बनाया.

मैं ने विम्बलडन का लेडीज़ फ़ाइनल देखा.

मैं ने घर में उसका इंतज़ार किया.

मैं ने घर साफ़ किया.

मैं ने हिन्दी सीखना शुरू किया.

मैं ने कार ठीक की.

मैं ने लेख -एसे- लिखा.

मैं ने अपनी पत्नी के पैसे चुराये

मैं ने ड्राइविंग सीखी.

मैं ने काइट फ्लाइंग की.

मैं ने बहन की लिपस्टिक लगाई.

अँग्रेज़ी - हिन्दी शब्दावली English-Hindi Vocabulary

A:

- an — एक
- a few — कुछ, चंद
- a little — ज़रा, कुछ
- a lot — बहुत, खूब
- abandon — छोड़ना
- able — योग्य, सकना
- aboriginal — आदिवासी
- about — के बारे में
- above — ऊपर
- on top above — के ऊपर
- on top of — के ऊपर
- absent — गायब, अनुपस्थित
- abuse — गाली
- accept — स्वीकार करना
- accompany — साथ होना, साथ देना
- according to — के अनुसार, के अनुसार, के अन्तर्गत
- acquaintance — परिचय
- acquainted — परिचित
- actions — सक्रिय,
- active — गतिशील, कार्रवाई
- actually — असल में, वास्तव में
- (in) addition, besides — के अलावा, के अतिरिक्त
- additional, other — और
- addition — जोड़
- address, information — पता
- to address — सम्बोधित करना
- adopt — अपनाना
- adornment — श्रृंगार
- advertisement — प्रचार, इश्तहार
- affair — कांड
- affect — असर करना
- affected — असर होना
- affected — प्रभावित होना
- afterwards — बाद में
- after — के बाद
- afternoon — दोपहर
- again — फिर, दुबारा
- against — के विरुद्ध, के खिलाफ़
- age, period — युग, आयु, काल
- aged — बूढ़ा
- agreed — सहमत, राज़ी
- agriculture — खेती, कृषि
- ahead, in front — आगे, आगे
- in front of — के आगे
- aid — सहायता
- aim — निशाना
- aim, purpose — उद्देश्य, मकसद
- air — दवा, वायु
- airport — हवाई अड्डा
- alike — एक जैसा, एक सा
- all,everybody, entire, whole — सब, सब लोग, सारा, पूरा
- at once, suddenly — एकदम, एकाएक
- all directions — चारों ओर
- all(four) — चारों
- all right — ठीक, अच्छा
- altogether — एक साथ
- alike, similar — एक जैसा, समान
- alone — अकेला
- also — भी
- always — हमेशा सदा
- am — हूँ
- ambition — लालसा, अभिलाषा, इच्छा
- American — अमरीकि
- among — इन में
- anarchy — अराजकता
- and — और
- anger — गुस्सा
- angry — नाराज़
- animal — जानवर, पशु
- anniversary — साल गिरह, वर्षगाँठ, जयंती
- announcement — घोषणा, ऐलान
- annoy — परेशान करना
- annoyance — चिढ़
- (be) annoyed — चिढ़ना, परेशान होना
- another — दूसरा
- answer — उत्तर, जवाब

any,anyone,someone	anymore,some more	anyone	anywhere
कोई, किसी	कुछ और	कोई भी	कहीं, कहीं भी

anywhere at all	appear,look	appear, seem	appearance
कहीं भी	दिखना	लगना, दिखाई देना	सूरत, रूप

apple	apply	appropriate	approximately
सेब	लगाना,	उचित, ठीक	लगभग, करीब

April	are	area	arithmetic	around
अप्रैल	हैं	इलाका	गणित	के आसपास, चारों ओर

arrange	arrangements	arrest	arrive	art
प्रबंध करना	प्रबंध	गिरफ़्तार करना	पहुँचना	कला

artisan	artist	as	as if	ascent
कारीगर	कलाकार	जैसा	जैसे कि	चढ़ाई

ashes	ask	ask for	assemble	assembled
राख	पूछना	माँगना, के बारे में पूछना	इकट्ठा होना	इकट्ठा

assistant	assurance	at,on	attempt	attention
सहायक	आश्वासन	पर	कोशिश	ध्यान देना

attention to	attentively	attractive	aunt
ध्यान करना, गौर करना	ध्यान से, गौर से	आकर्षक	चाची, काकी

authority	available	be available	avoid.
अधिकार	उपलब्ध	मिलना, उपलब्ध होना	टालना, कतराना

B:

baby	back, rear	in back (of)	bad	bad quality
बच्चा, शिशु	पीछे	के पीछे	खराब	घटिया

bag	baggage	ball,bullet	banana	bangle
थैला, झोला	सामान	बोली	केला	चूड़ी

banknote	base, foundation	bathe	bathtub	bay
नोट	आधार	नहाना	टब	खाड़ी

Bay of Bengal	bazaar	be, happen	be called	bear
बंगाल की खाड़ी	बाज़ार	होना	कहलाना	भालू

bear, under	bearer, room servant	beautiful	because
भालू	बैरा	सुन्दर	क्योंकि

because of	become	bed	bedbug	bedding
के कारण	होना	पलंग	खटमल	बिस्तर

bedroom	before	begin	beginning
सोने का कमरा	के पहले, से पहले	शुरू करना, शुरू होना	शुरूआत, आरंभ

behind	below	Bengal	ber	beside
के पीछे	के नीचे	बंगाल	बेर	के बगल में
besides	(in) between	Bharat	billion	big
के अलावा, के सिवाय	बीच में	भारत	अरब	बड़ा
bird	birth	bitter	black	blank
चिड़िया	जन्म	कड़वा	काला	खाली, कोरा
block	blood	bloom	blouse	blue
ब्लॉक	खून, रक्त	खिलना	ब्लाउज़	नीला

boat	bodice	body	boil	book
नाव	चोली	बदन, शरीर	उबालना	किताब, पुस्तक
(be) bored	(be) born	boss	both	boulder
उबना	पैदा होना	मालिक	दोनों	चट्टान
box	boy	bracelet	braid	branch
बक्सा	लड़का	बंद, कंगन, चूड़ी	चोटी	डाल, शाखा
brand	brass	brazier	bread	break
छाप	पीतल	अंगीठी	रोटी	तोड़ना
break	breath	breeze	bribe	bridge
टूटना	दम, सांस	हवा	घूस	पुल
bring	bring back	British(person)		broad, wide
लाना	वापस लाना, लौटाना	अँग्रेज़		चौड़ा
broken	brother	brown sugar		buffalo
टूटा	भाई	गुड़		भैंस
build, make	building	bullet	bus	bus stand
बनाना	भवन, इमारत	गोली	बस, गाड़ी	बस अड्डा
business	but	butter,clarified	butter	buy
व्यापार	परन्तु, लेकिन	घी	मक्खन	खरदिना
by force	by means of			
ज़बरदस्ती	के सहारे			

C:

call	be called	camel	canal	candidate
बुलाना	कहलाना	ऊँट	नहर	उम्मीदवार, प्रत्याशी
candy, sweet	capital	car	cardamom	care
मिठाई	राजधानी	मोटर कार	इलाइची	देखभाल, सावधानी
careful	be careful	carefully	carpenter	carpet
सावधान	सँभलना	सावधानी से	बढ़ई, मिस्त्री	गलीचा

carrot	carry, lift	cart	cashew	catch
गाजर	उठाना, ढोना	ताँगा	काजू	पकड़ना
cauliflower	cautious	celebrate	center	
गोभी	सावधान, सतर्क	मनाना	केन्द्र	
certainly	chain	chair	chance	change (money)
अवश्य, ज़रूर	जंजीर	कुरसी	मौका, अवसर	परिवर्तन, तब्दीली
change	charcoal	charpoy, cot	cheap	chest	chew
टूटे पैसे	कोयला	खटिया, चारपाई	सस्ता	सीना, छाती	चबाना
chicken	chickpea	child	China	Chinese
मुरगी	चना	बच्चा, बच्ची	चीन	चीनी
choose, elect	Christian	circle, round		city
चुनना	इसाई	चक्कर, गोल		शहर
class	class(school)	class(train)	clay	clean
श्रेणी	कक्षा	दरजा	मिट्टी	साफ़, साफ़ करना
clear	climb, go up	climbing	clock, watch	close
स्पष्ट	पर चढ़ना	चढ़ाई	घड़ी	पास
close to	closed	closet, cupboard	cloth	clothseller
के पास	बन्द	अलमारी	कपड़ा	कपड़ेवाला
cloth shop	cloud	coat	cobbler, shoemaker	coffee
कपड़े की दुकान	बादल	कोट	मोची	कॉफ़ी
cold	collect, gather	colony, settlement	color
ठंडा, ठंड	जमा करना, इकट्ठा करना	बस्ती	रंग
comb	come	come out	comfort	comfortably	command
कंघा	आना	निकलना	आराम	आराम से	आज्ञा, हुक्म
companion	comparison	complete	completely
साथी	तुलना, की अपेक्षा	पूरा	पूरी तरह, बिलकुल
compulsory	concern, worry	condition	confusion, trouble
अनिवार्य	चिन्ता, फ़िक्र	हालत, शर्त	गड़बड़
conversation	converse	container	cook	cook
बातचीत	बातचीत करना	बरतन	खानसामा	खाना बनाना
cool, cold	coolie, porter	corner	correct	cot
ठंड, ठंडा	कुली	कोना	सही, ठीक	चारपाई
correctly	cotton	cough	council	count
ठीक से	कपास, रूई	खाँसना, खाँसी	सभा	गिनना
country	cover	cover(oneself)	be covered
देश	खोल, गिलाफ़, ढक्कन	ओढ़ना	छाना

4

cow	cow-killing	craftsman	crime	criminal	
गाय	गो हत्या	कारीगर	अपराध, जुर्म	अपराधी, जुर्मी	
crippled	crops,harvest	cross	crow	crowd	
अपंग	फ़सल	पार करना	कौवा	भीड़	
cucumber	cultural	culture	cunning	cup	cupboard, closet
खीरा	सांस्कृतिक	संस्कृति	चालाक	प्याला	अलमारी
curds, yoghurt	cure	cure, treat	custom	customer	
दही	इलाज	इलाज करना	रिवाज़	गाहक	
cut	cycle ricksha				
काटना	रिक्शा				

D:

daily	danger	dangerous	dark	darkness	date
रोज़, प्रतिदिन	खतरा	खतरनाक	अंधेरा	अंधेरा	तारीख
daughter	day	day before yesterday, day after tomorrow			
बेटी	दिन	परसों			
dear	debt,loan	decrease,reduce		decrease	
प्रिय, प्यारा	ऋण, कर्ज़	कम करना, घटाना		कम होना, घटना	
deep	defect	defective	delay,lateness	delicate, tender	
गहरा	खराबी	खराब	देर	कोमल	
delicately	desert	desire	development	die	
कोमलता से	रेगिस्तान	इच्छा, चाहना	विकास	मरना	
difference	difficult	difficulty	difficulty,trouble		
अंतर, फ़र्क	कठिन, मुश्किल	कठिनाई, मुश्किल	परेशानी,		
direction	director	dirtiness	dirty	disappear	
ओर, तरफ़	प्रबन्धक	गंदगी	गंदा	गायब होना	
disciple	discipline	discovery	distance	district	
चेला	अनुशासन	आविश्कार	दूरी	जिला	
do, make	dog	donkey	door	drain, ditch	
करना	कुत्ता	गधा	दरवाजा	नाली	
dream	drink	drive, operate	dry	duty	
सपना	पीना	चलाना	सूखा	कर्त्तव्य	

E:

each,every	eagle	ear	early	earn	ease
हर, हरेक	चील	कान	जल्दी	कमाना	सरलता

easy	eat	echo	economic	economics	edge
सरल	खाना	गूँजना	आर्थिक	अर्थ, अर्थशास्त्र	किनारा

education	effect	effort, attempt	egg	eight
शिक्षा	असर	कोशिश	अंडा	आठ

either....or	elect, choose	election	eleven
चाहे ... चाहे	चुनना	चुनाव	ग्यारह

embrace	embroidery	emergency	emphasis, force
गले मिलना	कढ़ाई	आपात स्थिति	बल, ज़ोर

employee	empty	end	end
अर्मचारी	खाली	आखिर, अन्त	समाप्त होना, समाप्त करना

English	enough, quite a few	enough	entire,whole, all
अँग्रेज़ी	काफ़ी, पर्याप्त	बस	सारा, पूरा, सब

entirely	enthusiasm	error	especially
बिलकुल, पूरी तरह	उत्साह	भूल, गलती	विशेष प्रकार से, खास करके

estimate, guess	even if	even more	even now
अंदाज़	चाहे	और भी	अब भी

evening	ever, sometimes	every,each	every house
संध्या, शाम	कभी	हर, हरेक	घर-घर, हरेक घर

everybody	every day	everywhere	examination
सब लोग	रोज़, प्रतिदिन, हर दिन	सब जगह	परीक्षा, इम्तहान

give or take examination	example	except
परीक्षा देना, परीक्षा लेना	उदाहरण	के सिवा

excuse	excuse	exercise, practice	exercise
बहाना	क्षमा करना, माफ़ करना	अभ्यास	व्यायाम, कसरत

expect, wait	expectation	expenditure	expense
प्रतीक्षा, इन्तज़ार करना	प्रतीक्षा, इन्तज़ार, अपेक्षा	खर्च	खर्चा

expensive	experience	eye	eyeglasses
मँहगा	अनुभव	आँख	चश्मा, ऐनक

F:

face, appearance	face, mouth	face	facility, ease
सूरत, चेहरा	मुँह, चेहरा	चेहरा	आसानी, सुविधा

factory	fall	fame	family	famous	far
कारखाना	गिरना	ख्याति, मशहूरी	परिवार	प्रसिद्ध	दूर

fare	farmer	farming, agriculture	fast, strong
भाड़ा, किराया	किसान	खेती	तेज

fat	fate	father	fault	favor kindness	
मोटा	भाग्य	पिता	दोष, गलती, कसूर	मेहरबानी	
fear	fear	feast	felicitations	felt, be applied	
डर	डरना	दावत	बधाई	लगना	

feminine, women's		festival	few, less	field, farm
स्त्रीलिंग, जनाना,		त्योहार	कम, कुछ, चंद	खेत

field plains	field section	finally, at last	find	find out, locate
मैदान	क्षेत्र, इलाका	आखिरकार, अन्त में	पाना	पता लगाना

fine	finger	finish	finish	fire	first	first
अच्छा	उँगली	समाप्त करना	समाप्त होना	आग	पहला	पहले

fish	five	fix	flood	floor, land	flour
मछली	पाँच	ठीक करना	बाढ़	जमीन	आटा

flow	flower	fly	fly	fodder	food	foot
बहना	फूल	उड़ना	उड़ाना	चारा	खाना	पैर

for	for a while	for an instant	for this reason
के लिये	कुछ देर के लिये	क्षण भर के लिये	इसलिये

for this very reason	force	(by) force	forehead
इसीलिये	बल, ताकत	ज़बरदस्ती	माथा

foreigner	forest	forget	forgive, excuse	formality	fort
विदेशी	जंगल	भूलना	क्षमा करना, माफ़ करना	तकल्लुफ़	किला

fortune, fate	foundation, base	four	fourth	(one-) fourth
भाग्य	आधार	चार	चौथा	चौथाई

free, independent	freedom, independence	fresh
स्वतंत्र, आज़ाद	स्वतंत्रता, आज़ादी	ताज़ा

freeze, solidify	Friday	friend	from, through	from here
जमना	शुक्रवार	दोस्त, मित्र	से	यहाँ से

from which	from which	from where	from whom
जिस से	किस से	कहाँ से	किस से

front	in front of	fruit	fruitseller	full	future
आगे, सामने	के आगे, के सामने	फल	फलवाला	पूरा, भरा	भविष्य

(in the)future, ahead
आगे, आगे चलकर

G:

game, play	Ganges	garden	gardener	gate
खेल	गंगा	बगीचा, बाग	माली	फाटक

generally, mostly	generation	gentleman	get off
अधिकतर	पीढ़ी	सज्जन, साहब	उतरना

get up, rise	ghat(river bank)	ginger	girl	give
उठना	घाट	अदरक	लड़की	देना

glass	go	go,walk	go back, return	go down, get off
काँच, शीशा	जाना	चलना	लौटना, वापस जाना	उतरना

go up, climb	God	gold	gold thread	good
चढ़ना	ईश्वर, भगवान्,	सोना	ज़री	अच्छा

good quality, merit	goods	government	governmental, official
गुण	सामान, माल	सरकार	सरकारी

grain	grape	grass	grave, tomb	graveyard
अनाज	अंगूर	घास	कब्र	कब्रिस्तान

green	grief	ground, land	grow	grow	guess
हरा	गम, दुख	भूमि, जमीन	उगना	उगाना	अंदाज़

guess	guest	guide
अंदाज़ करना, अंदाज़ लगाना, भाँपना	अतिथि, मेहमान	गाइड

H:

habit, custom	form habit	give up habit	habituated
आदत	आदत डालना	आदत छोड़ना	आदी

hair	half	hand	hands and face	happen
बाल	आधा	हाथ	हाथ-मुँह	होना

happiness	happy	hard	haste	hat	health	hear
खुशी, प्रसन्नता	खुश, प्रसन्न	कड़ा	जल्दी	टोपी	स्वास्थ्य	सुनना

heart	heat	heavy	height	help	help
दिल, हृदय	गरम, गरमी	भारी	ऊँचाई	मदद, सहायता	मदद करना

hen	here	hide	hide	high	history
मुरगी	यहाँ	छिपना	छिपाना	ऊँचा	इतिहास

holiday	home	honest	hoodlum	hope	horse
छुट्टी	घर	ईमानदार	गुंडा	आशा, उम्मीद	घोड़ा

hospital	hot	hotel	hour	house	how
अस्पताल	गरम	होटल	घंटा	घर, मकान	कैसे

how many	hunger	hungry	hurry	hurry	husband
कितना	भूख	भूखा	जल्दी	जल्दी करना	पति

I:

I	ice	idea	if	if only	ill	illegal
मैं	बरफ़	विचार	अगर	काश कि	बीमार	अवैध

8

illiterate	illness	imagination	import	important
अनपढ़, बेपढ़	बीमारी	कल्पना	आयात	विशेष, खास
important	impossible	in incident	income	
महत्वपूर्ण	असंभव	में घटना	आय, आमदनी	
income tax	incomplete	independence	independent	
आयकर	अधूरा	स्वाधीनता, स्वतंत्रता	स्वतंत्र, आज़ाद	
India	Indian	indication	industry	
भारत, हिन्दुस्तान	भारतीय, हिन्दुस्तानी	इशारा	उद्योग	
inevitable	inexpensive	inferior	inform	
अनिवार्य	सस्ता	घटिया	सूचित करना, खबर करना	
information	inhabitant	injured	be injured	
सूचना	रहनेवाला	घायल, ज़ख्मी	घायल होना	
inland	injustice	insect	insert inside	
अन्तर्देशीय	अन्याय	कीड़ा	डालना अन्दर	
inside	install (for an)	instant	instead of	
के अन्दर	लगाना	क्षण	के स्थान पर, की जगह	
insult	intelligence	intend	intention	
अपमान	अकल, बुद्धिमानी	इरादा करना	इरादा	
interest	interesting	international	intransitive	
रुचि, दिलचस्पी	दिलचस्प	अन्तर्राष्ट्रीय	अकर्मक	
iron	irrigation issue			
लोहा	सिंचाई अंक, विषय			

J:

jail	January	joy	june	July	jump	junk
जेल	जनवरी	खुशी	जून	जुलाइ	कूदना	कबाड़ा

K:

Kabob	keep,put	key	khurchan	kilogram
कबाब	रखना	चाबी	खुरचन	किलो
kind	kind	kindness	king	kiss
किस्म, प्रकार	दयावान	दया, मेहरबानी	राजा	चुम्बन, चूमना
kitchen	kite	knead	knee	knife know
ररोईपर	पतंग	गूँधना	घुटना	चाकू जानना
know	know	kurta		
मालूम होना, पता होना	आना	कुरता		

9

L:

labor	laborer	lady	lake	land	lane	language
मजदूरी	मज़दूर	महिला	झील	भूमि, जमीन	गली	भाषा

large	last	last	late	lateness	law	lean
बड़ा	अन्तिम	पिछला	देर से	देर	कानून	दुबला

learn	leather	leather worker	leave	leave	left
सीखना	चमड़ा	मोची, चमार	छोड़ना	छूटना, छुट्टी	बायाँ

leisure	lemon	lentils	less	lessen	letter
आराम, विश्राम	नीबू	दाल	कम	कम करना	चिट्ठी

letter (alphabet)	library	lie	life	lift,carry
अक्षर	पुस्तकालय	लेटना	जीवन	उठाना

light	like	like, this	limb	lip
हल्का	की तरह	ऐसे, इस तरह	अंग	होंठ, ओंठ

listen	literate	literature	little,small	little
सुनना	पढ़ा-लिखा	साहित्य	छोटा	कम, थोड़ा

little bird	live,stay	loan	locate	long,tall
चिड़िया	रहना	कर्ज़, ऋण	पता करना	लम्बा

look,see	look,seem	look for	loneliness	lose(game)
देखना	दिखाई पड़ना	ढूँढना	अकेलापन	हारना

lose(object)	lot	lotus	loudly	love	love
खोना	बहुत, खूब	कमल	ज़ोर से	प्यार	चाहना

love(make)	lovely	low
प्यार करना	प्यारा, सुन्दर	नीचा

M:

madam	machine	(be)made	magazine	maid, nursemaid
मेम साहब	मशीन	बनना	पत्रिका	आया, दाई

make, build	man	manage, control	management
बनाना	आदमी	संभालना	प्रबन्ध

manager	mango	mango,powder, paste	manner, way	many
प्रबन्धक	आम	खटाई	तरीका, तरह	बहुत, अनेक

March	mark, sign	market bazaar	marriage
मार्च	निशान	बाज़ार	विवाह, शादी

mathematics, arithmetic	matter, subject	maximum
गणित	बात, विषय	अधिकतम

meaning	meanness	meanwhile	measures actions
अर्थ, मतलब	कमीनापन	इतने में	कार्रवाई

meat मांस, गोश्त	meet मिलना	meeting(of group) बैठक, सभा	meeting भेंट, मुलाकात	melon खरबूज़ा	
melt गलना	mention चर्चा	mention उल्लेख करना	mention चर्चा करना	memory याद, स्मृति	
merit, good quality गुण	messenger, peon, orderly चपरासी	middle बीच का			
milk दूध	milkman/milkwoman अहीर, दूधवाला, दुधवाली	minister मंत्री	minute मिनट		
mirror शीशा	miser कंजूस	Miss कुमारी	mistake गलती	mix add मिलाना	modern आधुनिक
modernity आधुनिकता	moist, wet गीला	molasses गुड़	moment क्षण, पल	money पैसा	
month महीना	moon चंद्रमा, चाँद	moonlight चाँदनी	more much अधिक, ज्यादा	morning सुबह, सवेरा	
mosque मस्जिद	mosquito मच्छर	mosquito net मच्छरदानी	mostly अधिकतर	mother माता, माँ	
mountains पहाड़	mouse चूहा	mousetrap चूहेदानी	mouth, face मुँह		
move हटना	move हटाना	move, over खिसकना, सरकना	movie सिनेमा	much बहुत	music संगीत

N:

narrow सँकरा	nation देश, राष्ट्र	national राष्ट्रीय	near पास, नज़दीक	nearby के पास
nearly लगभग	necessary आवश्यक	necklace माला	need, desire, necessity ज़रूरत, आवश्यकता	
never कभी नहीं	news समाचार	newspaper अखबार, समचार पत्र	next ahead अगला	night रात
noon, early, afternoon दोपहर	normal सामान्य	normally आम तौर पर	north उत्तर	
nose नाक	nothing कुछ नहीं	novel उपन्यास	now अब, अभी	nowadays आजकल
number सरुया, नम्बर	nursemaid आया, दाई			

O:

occasion, time बार	ocean समुद्र	o'clock बजे	October अक्टूबर	office कार्यालय

official, governmental सरकारी	often अक्सर	old ancient पुराना, प्राचीन	old man बूढ़ा
old woman बुढ़िया	on at पर	on top of के ऊपर	above ऊपर	one एक
one-eyed man काना	one- half आधा	oneself खुद, स्वयं	one more, another एक और
only, just केवल, सिर्फ़, ही	open खुलना	open खोलना	opinion advice सलाह, राय	opinion, idea खयाल, विचार
opportunity अवसर, मौका	or या	orange संतरा	ordinary साधारण, मामूली	other, additional दूसरा
otherwise नहीं तो	our हमारा	outside बाहर	oven चूल्हा	ox बैल

P:

palace महल	papaya पपीता	paper कागज	parents माता-पिता	part हिस्सा
passenger सवारी, यात्री	passerby आने-जानेवाला	path road सड़क, रास्ता	peak चोटी	pencil पन्सिल
people लोग	pera(a sweet) पेड़ा	perhaps शायद	period time समय	permission leave आज्ञा, इजाज़त
person man आदमी, व्यक्ति	in person खुद, स्वयं	personal व्यक्तिगत	picture तस्वीर	pilgrimage तीर्थ
place स्थान, जगह	plain मैदान	plan योजना	plant पौधा	plate तस्तरी, थाली	play नाटक
play खेलना	pleasing पसंद,अच्छा लगनेवाला	plenty enough काफ़ी	plow हल	poet कवि
police station थाना	polish पॉलिश	poor गरीब	population आबादी	porter coolie कुली
possible संभव	poster पोस्टर	potato आलू	praise प्रशंसा, तारीफ़	pray पूजा करना
prayer प्रार्थना, पूजा	preparations तैयारी	prepare तैयारी करना,बनाना	president राष्ट्रपति
previous last पिछला	price मूल्य, दाम	priest पुजारी	prime minister प्रधान मंत्री	principal,chief प्रधान
process, manner विधि, तरीका	progress तरक्की	province प्रदेश, राज्य	publish प्रकाशित

प्राथमिक हिन्दी Elementary Hindi

published	publisher	pure	put, keep
प्रकाशित होना	प्रकाशक, प्रकाशन	शुद्ध	रखना

Q:

queen	question	quickly	quite	quite a bit	quota
रानी	प्रश्न, सवाल	जल्दी	काफ़ी	बहुत अधिक	कोटा

R:

rain	rain	rainy season	raise	
बारिश, वर्षा	बरसना	बरसात का मौसम	पैदा करना, उठाना, उगाना, वेतन वृद्धि	
raisin	rate	read study	readiness	ready
किशमिश	भाव	पढ़ना	तैयारी	तैयार
reality		reason	(for this)reason	(for that)reason
सच्चाई, वास्तव में		कारण	इसलिये	इसीलिये
recognize	red	reduce	relation	religion, duty
पहचानना	लाल	कम करना	सम्बन्ध	धर्म
religious	remain dwell		remaining rest	remember
धार्मिक	रहना		बाकी, शेष, बचे हुए	याद करना
remove	repair		residence	rest comfort
निकालना, हटाना	मरम्मत करना		निवास, घर, बंगला	आराम
rest, remainder	restaurant hotel		restriction, prohibition	
बचा हुआ, बाकी	होटल		मनाही	

result	return	return	return	rice	rich
परिणाम, नतीजा	लौटना, वापस जाना,	वापस आना	लौटाना	चावल	अमीर

rickshaw	rickshaw puller		right	right, correct
रिकशा	रिकशावाला		दाहिना	सही, ठीक
right here	ripe	rise get up	river	riverbank
यहीं	पका	उठना	नदी	घाट
road path	roof	room	rug	ruins
रास्ता	छत	कमरा	कालीन, दरी	खंडहर
rule	ruler king	rupee		
राज करना	राजा	रुपया		

S:

salt	salted	snack	same	sandal
नमक	नमकीन	नाश्ता	वही, एक सा	चप्पल
Sanskrit	sari	Saturday	save	say
संस्कृत	साड़ी	शनिवार	बचाना	कहना

saying | screen net | script | search
कहावत | जाली, परदा | लिपि | खोज, तलाशी

search look for | seat | seated | second | second
ढूँढना, खोजना | बैठान | बैठा | दूसरा | सेकेन्ड

see look at | see visit | seem appear | ser(approx.two lbs.)
देखना | मिलना | दिखना, लगना | सेर

seize | sell | self | separate | September
पकड़ना | बेचना | स्वयं, अपने आप | अलग | सितंबर

sermon | servant | serve | service | settle
उपदेश | नौकर | सेवा करना | सेवा | बसना

seven | sheet | shirt | shoe | shoemaker
सात | चादर | कमीज़ | जूता | मोची

shop | shopkeeper | shore edge corner | short
दुकान | दुकानदार | किनारा, कोना | छोटा

shortage | show | show | side | sight
कमी | तमाशा, कार्यक्रम | दिखाना | किनारा, तरफ़ | नज़र, दृष्टि

silver | sink | sir gentleman | sister | sit
चाँदी | डूबना | महाशय, साहब | बहिन | बैठना

six | sky | sleepiness | sleep | slowly
छह | आकाश,असमान | नींद | सोना | धीरे

small little | snack | snow ice | snowy | sock | soft
छोटा | जलपान | बरफ़ | बर्फ़ीला | मोजा | मुलायम

soft drink | solidify freeze | someone, some
शर्बत | जमना | कोई

something some | somewhere | speak | special
कुछ | कहीं | बोलना | विशेष, खास

spices ingredients | spin | spot | spread
मसाला | कातना, घूमना | धब्बा, निशान | बिछना, फैलना

square | stand | station | stay live
चौक | खड़ा होना | अड्डा, स्टेशन | रहना, ठहरना

stomach | stone | stop | stop | store, shop
पेट | पत्थर | रोकना, बन्द करना, रुकना | दुकान

storehouse | story | straight | strange
भंडार | कहानी | सीधे | विचित्र, अजीब

street | student | study read | study research
सड़क | विद्यार्थी, छात्र, छत्रा | पढ़ना | अध्ययन

style	subject	sugar	summer heat
ढंग	विषय	चीनी	गरमी
Sunday	sunshine	surely certainly	surprise
इतवार	धूप	अवश्य, ज़रूर	अचरज, आश्चर्य
sweet	sweets candy	sweetseller	
मीठा	मिठाई	मिठाईवाला	
swing Ferris wheel			
झूला			

T:

table	take	take care (of)	take out	take away	
मेज़	लेना	सँभालना, देखभाल करना	निकालना	ले जाना, ले चलना	
tall, long	taxi	tea	teach	telephone	
लम्बा	टैक्सी	चाय	पढ़ाना, सिखाना	टेलिफ़ोन	
tell	ten	ten million	thanks	that	that
बताना, सुनाना	दस	एक करोड़	धन्यवाद	वह	कि
that much	then	there	therefore	these	
उतना	तो, फिर, तब	वहाँ, उधर	इसलिये	ये	
these days	thick,fat	thin	thing	think	
आजकल	मोटा	पतला	चीज़, वस्तु	सोचना	
thirst	thirsty	this	this much	those	
प्यास	प्यासा	यह	इतना	वे	
three	three-quarters	throat neck	thus		
तीन	पौन	गला	यूँ, इस तरह		
ticket	time(clock)	time(occasion)	time(period)	tired	
टिकट	समय, वक्त	बार, दफ़ा	काल, जमाना	थका	
today	together	tolerate	tomorrow	tonga	
आज	एक साथ	सहना, बरदाश्त करना	कल	तांगा	
too	too much	tool	torn	town city	toy
भी	अधिक, ज़्यादा	औजार	फटा	शहर, नगर	खिलौना
train	train station	travel	traveler	trip	
रेलगाड़ी	स्टेशन	यात्रा,सफ़र	यात्री, मुसाफ़िर	यात्रा	
trouble	truth	try	turban	twelve	
कष्ट, तकलीफ़	सच, सत्य	कोशिश	पगड़ी, साफ़ा	बारह	
twice	two				
दो बार	दो				

U:

under	undershirt	undershorts	understand
के नीचे	बनियान	कच्छा	समझना

unfinished	uniform	university	unripe
कच्चा, अपूर्ण	वरदी	विश्वविद्यालय	कच्चा

Urdu	use	use	utensil
उर्दू	प्रयोग करना, इसतेमाल करना	इस्तेमाल, प्रयोग	बर्तन

V:

vacation	vegetable	vehicle	verandah	very
छुट्टी	सब्जी	गाड़ी	बरामदा	बहुत

vessel, container	view	village	visit, meeting
बर्तन	दृश्य	गाँव	भेंट, मिलने जाना, देखने जाना

W:

wages labor	wait	wait for	waiter
मज़दूरी	प्रतीक्षा, इन्तज़ार	प्रतीक्षा करना, इन्तज़ार करना	बैरा

walk move	wall	wander, walk	want
चलना	दीवार	घूमना	चाहना

warm	wash	washerman	washing(charge)
गरम	धोना	धोबी	धुलाई

watch	water	way	way of living	wear
घड़ी	जल, पानी	राह, रास्ता	रहन-सहन	पहनना

weather	Wednesday	week	well	well
मौसम	बुधवार	सप्ताह, हफ़्ता	कुआँ	अच्छी तरह

what	whatever	when	where
क्या	जो भी	कब	कहाँ, किधर

which	(a little) while	whip	white	who
कौन सा	थोड़ी देर	कोड़ा	सफ़ेद	कौन

whole all entire	whole	why	wife	wind air
पूरा, सारा	भर	क्यों	पत्नी	हवा

window	winter cold	wish, pleasure	with
खिड़की	जाड़ा	मर्जी, इच्छा	के साथ

without	woman	wood	word	work	worker
के बिना	औरत, महिला	लकड़ी	शब्द	काम	मज़दूर

world	worship	worthy	write	writer
विश्व, दुनिया, संसार	पूजा	लायक	लिखना	लेखक

Y:

year	yellow	yesterday	you	young	young man
साल, वर्ष	पीला	कल	तुम, आप	जवान	जवान